Luz na vida

CIP-BRASIL. CATALOGAÇÃO NA PUBLICAÇÃO
SINDICATO NACIONAL DOS EDITORES DE LIVROS, RJ

I96L

Iyengar, B. K. S., 1918-2014
Luz na vida : a jornada da ioga para a totalidade, a paz interior e a liberdade suprema / B. K. S. Iyengar ; coautoria John J. Evans, Douglas Abrams ; [tradução Silvana Vieira]. - [2. ed., rev.] - São Paulo : Summus, 2020.
344 p. ; 21 cm.

Tradução de : Light on life : the journey to wholeness, inner peace and ultimate freedom
ISBN 978-65-5549-010-7

1. Hatha ioga. 2. Ioga. 3. Vida espiritual. 4. Saúde. 5. Qualidade de vida. I. Evans, John J. II. Abrams, Douglas. III. Vieira, Silvana. IV. Título.

20-66845 CDD: 613.7046
CDU: 233-852.5Y

Camila Donis Hartmann - Bibliotecária - CRB-7/6472

Luz na vida

A jornada da ioga para a totalidade, a paz interior e a liberdade suprema

B. K. S. IYENGAR

em coautoria com JOHN J. EVANS e DOUGLAS ABRAMS

LUZ NA VIDA
A jornada da ioga para a totalidade, a paz interior e a liberdade suprema

Editora executiva: **Soraia Bini Cury**
Assistentes editoriais: **Bibiana Leme e Martha Lopes**
Tradução: **Silvana Vieira**
Revisão técnica: **Luciana Brandão**
Edição de arte e diagramação: **Crayon Editorial**
Capa e Projeto Gráfico: **Alberto Mateus**

Summus Editorial
Departamento editorial:
Rua Itapicuru, 613 – 7º andar
05006-000 – São Paulo – SP
Fone: (11) 3872-3322
http://www.summus.com.br
e-mail: summus@summus.com.br

Atendimento ao consumidor:
Summus Editorial
Fone: (11) 3865-9890

Vendas por atacado:
Fone: (11) 3873-8638
e-mail: vendas@summus.com.br

Impresso no Brasil

Para meu pai, BELLUR KRISHNAMACHAR,

minha mãe, SESHAMMA,

e minha terra natal, BELLUR

Sumário

Prefácio

Como presidente da recém-criada Associação Brasileira de Iyengar Yoga (ABIY), sinto-me muito honrado em escrever o prefácio da edição brasileira do novo livro do mestre B. K. S. Iyengar.

Minha relação com o método Iyengar de ioga e seu criador foi totalmente acidental. Tenho 71 anos e pratico ioga há muito tempo. Depois de trocar de professor, travei contato com o método Iyengar, que não conhecia. Aos poucos, fui percebendo nele a sutileza na perfeição das posturas (ássanas), o trabalho inteligente e sofisticado de desenvolvimento muscular, a respiração consciente e o alinhamento perfeito.

Inicialmente, a ioga parece aos praticantes apenas um exercício físico, uma forma de ginástica, algumas vezes confundida com alongamento ou contorcionismo. Na verdade, ela é o caminho para o aperfeiçoamento físico, mental, moral e espiritual. De nada adiantam os exercícios se eles não servem para elevar a mente e conduzir o praticante a um estado superior de consciência. É disso que trata *Luz na vida*.

Iyengar condensou neste livro sua experiência como maior professor vivo de ioga do mundo e traduziu os complexos conceitos da filosofia hindu de maneira simples, embora profunda. A leitura "prende" por apresentar sofisticados conceitos filosóficos de maneira inteligível, fazendo continuamente comparações com as situações que a vida moderna nos impõe. No entanto, esses conceitos, embora universais, são muito profundos e exigem leituras repetidas. A cada página há informações que nos incitam a refletir sobre nossas experiências e sobre como lidamos com dor, raiva, frustrações, desejos, ambições e outras emoções que nos assolam diariamente.

No meu caso, ao praticar e conhecer melhor as ideias do mestre Iyengar, deparei com a dificuldade que tínhamos, no Brasil, de formar professores. Iyengar, além de desenvolver seu método com base no conhecimento dos aforismos do sábio Patanjali, cuidou que sua difusão fosse feita por instrutores experientes e qualificados.

O método Iyengar foi difundido na Europa e nos Estados Unidos há muitos anos, e na maioria dos países formaram-se associações que mantêm instrutores capazes de treinar professores para que atinjam graus elevados. No Brasil, entretanto, isso não aconteceu. O método é recente, e os praticantes brasileiros que desejassem se aperfeiçoar deveriam viajar para a Índia, a Europa ou os Estados Unidos a fim de ser avaliados e obter certificação.

Preocupado com isso, decidi ir à Índia e falar diretamente com o mestre, no intuito de pedir ajuda para que os praticantes do Brasil tivessem as mesmas oportunidades que os de outros países. Estive no seu instituto, o Ramamani Iyengar Memorial Yoga Institute, localizado na cidade de Puna, estado de Maharashtra. Minha entrevista com ele foi uma experiência memorável. O mestre, de forma muito jovial, prometeu ajudar. Aconselhou-me a formar uma associação aqui no Brasil. "Com ela, tudo será possível", disse ele. "Escreva-me. Mantenha-me informado."

De volta ao Brasil, fiz contato com outros praticantes e instrutores, e começamos a discutir a formação de uma associação local. O interesse foi enorme. Praticantes que posteriormente visitaram a Índia trouxeram mais informações e um guia redigido pelo mestre. Após algumas reuniões, no dia 13 de maio de 2006 foi fundada a Associação Brasileira de Iyengar Yoga. Pouco tempo depois, recebemos a aprovação oficial do mestre. O próximo passo – criar a estrutura de avaliação – foi dado quando me reuni, em Paris, com Sricharan Faeq Biria, um dos maiores instrutores da técnica Iyengar no mundo. Ele acabara de ser designado, pelo próprio mestre, orientador para o Brasil. Imediatamente traçamos planos para a primeira avaliação dos professores brasileiros, que ocorreu em dezembro de 2006. Nosso sonho começava a se realizar, e a manutenção de um futuro para a técnica Iyengar no Brasil tornou-se realidade.

Assim como a criação da ABIY reflete o apuro com que o mestre ensina na prática, *Luz na vida* encerra toda a riqueza das ideias que ele tem a transmitir. Por isso, deixo aqui um conselho para os leitores deste magnífico livro: ler a obra de B. K. S. Iyengar não basta. Somente lê-la é como estudar uma obra sobre psicanálise e considerar-se analisado. É preciso envolver-se com a prática para entender mais profundamente aquilo que ele escreve.

AFFONSO CELSO DE AQUINO
Diretor-presidente da Associação
Brasileira de Iyengar Yoga

Apresentação

Para que este livro sustente alguma pretensão de ser autêntico, ele precisa, antes de tudo, esclarecer uma coisa: que, por meio da prática perseverante e prolongada, qualquer pessoa pode trilhar o caminho da ioga e alcançar a meta da iluminação e da liberdade. Krishna, Buda e Jesus residem no coração de todos nós. Não são astros do cinema, meros ídolos da nossa adulação. São figuras de grande inspiração e exemplo a ser seguido – e ainda hoje nos servem de modelo. Assim como eles, nós também podemos chegar à autorrealização.

Muitos de vocês talvez nutram a preocupação de não estar à altura dos desafios que veem pela frente. Quero garantir-lhes que, sim, estão. Sou um homem que começou do nada; tinha dificuldades graves, em muitos aspectos. Depois de muito tempo e esforço, comecei a chegar a algum lugar. Literalmente emergi da escuridão para a luz, da enfermidade mortal para a saúde, da ignorância bruta para o mergulho no oceano do conhecimento, por meio de uma só coisa: a fervorosa persistência na arte e na ciência da prática da ioga (*sadhana*). Se isso foi bom para mim, será para vocês também.

Vocês têm hoje a vantagem de poder contar com muitos professores de ioga capacitados. Quando me iniciei na ioga, não havia, lamento dizer, nenhum professor sábio e bondoso que pudesse me guiar. Meu próprio guru, na verdade, se recusava a responder a qualquer das minhas ingênuas indagações sobre a ioga. Ele não me instruía da maneira como faço com meus alunos, oferecendo orientações passo a passo sobre cada ássana (postura). Pedia simplesmente que fizéssemos uma postura e deixava que descobríssemos sozinhos como realizá-la. Isso talvez tenha despertado algum aspecto rebelde da minha natureza, que, aliado a uma fé inabalável no caminho da ioga, me incitava a prosseguir. Sou uma pessoa de temperamento ardente e apaixonado e talvez precisasse mostrar ao mundo que eu tinha valor. Mais do que isso, porém, queria descobrir quem eu era. Queria compreender essa "ioga" misteriosa e maravilhosa, que pode revelar nossos segredos mais íntimos, assim como os segredos do universo à nossa volta e o nosso lugar nele como seres humanos, com alegrias, dores e confusões.

Aprendia na prática, assimilava um pouco do conhecimento trazido pela experiência e aplicava esse conhecimento e entendimento ao meu aprendizado. Seguindo na direção certa e com a ajuda de uma percepção naturalmente sensível, consegui aprofundar meu conhecimento. Isso produziu em mim um acúmulo crescente de refinada experiência, que finalmente revelou a essência do conhecimento iogue.

Levei décadas para reconhecer a profundidade e o real valor da ioga. Os textos sagrados respaldavam minhas descobertas, mas não foram eles que sinalizaram o caminho. O que aprendi com a ioga veio da própria ioga. Não sou, no entanto, um *self-made man*. Sou simplesmente o que fizeram de mim esses setenta anos de dedicada *sadhana* na ioga. Qualquer contribuição que eu possa ter feito ao mundo foi fruto da minha *sadhana*.

Essa prática constante me proporcionou a firmeza de propósito necessária para continuar, mesmo em tempos difíceis. Minha falta de inclinação para um estilo de vida mais descuidado manteve-me no curso correto, mas nunca me afastei de ninguém, pois passei a reconhecer a luz que habita a Alma de todos. A ioga conduziu-me pelo grande rio, levando-me da margem da ignorância para a orla do conhecimento e da sabedoria. Afirmo, sem nenhum exagero, que conquistei a sabedoria pela prática da ioga – e que a graça de Deus acendeu em mim a lâmpada da essência interior. É isso que me permite ver a Alma luminosa de todos os seres.

Vocês, leitores, devem entender que não estão começando do nada. O início já lhes foi mostrado, e não se pode descrever o sentimento de totalidade e felicidade que os aguarda no final. Se abraçarem uma conduta nobre e nela persistirem, alcançarão o supremo. Sejam inspirados, mas não orgulhosos. Não mirem baixo, pois vão errar o alvo. Mirem alto – e estarão no limiar da beatitude.

Patanjali, de quem muito ouvirão falar neste livro, é considerado o pai da ioga. O que se sabe, na verdade, é que ele era um iogue versado em muitas ciências que viveu na Índia por volta do século V a.C. Depois de compilar e organizar todo o conhecimento então existente sobre a vida e a prática dos iogues, escreveu os *Yoga sutras*, um tratado contendo aforismos sobre a ioga, a consciência e a condição humana. Patanjali também descreveu a relação entre o mundo natural e a Alma essencial e transcendente. (Para os que desejarem se aprofundar em seus estudos, incluí aqui referências à sua notável obra. Vejam meu livro *Light on the yoga sutras of Patanjali*.)

As palavras de Patanjali aplicam-se a mim e hão de aplicar-se a vocês. Ele escreveu: "Com a luz engendrada pela verdade, tem início uma nova vida. As velhas impressões indesejadas são descartadas, e ficamos protegidos dos efeitos nocivos das novas experiências" (*Yoga sutras*, capítulo I, verso 50).

Espero que a humilde condição em que me encontrava quando comecei sirva de estímulo a vocês na busca da verdade e no princípio de uma nova vida. A ioga transformou o parasitismo em que eu vivia numa vida com propósito. Mais tarde, ela me inspirou a partilhar da alegria e da nobreza da vida, que transmiti a muitos milhares de pessoas, sem levar em conta credo, casta, sexo ou nacionalidade. Sou tão grato pelo que a ioga fez da minha vida que sempre busco compartilhá-la.

É com esse espírito que ofereço minhas experiências neste livro, na esperança de que, com fé, amor, persistência e perseverança, vocês possam provar o doce sabor da ioga. Levo a chama adiante para que ela possa trazer às futuras gerações a ditosa luz do conhecimento da realidade verdadeira.

Devo a concepção e o nascimento deste livro a várias pessoas que trabalharam para que ele fosse concluído e ofertado a vocês. Agradeço especialmente a Doug Abrams, da Idea Architects, a John J. Evans, Geeta S. Iyengar, Uma Dhavale, Stephanie Quirk, Daniel Rivers-Moore, Jackie Wardle, Stephanie Tade e Chris Potash. Também sou grato à Rodale por colocar esta obra à disposição do público. Divido com eles todo o crédito e o mérito por esta publicação.

A ioga era o meu destino e a ela dediquei a minha vida nos últimos setenta anos – uma vida devotada à prática, à filosofia e ao ensino da arte da ioga. Como em todos os destinos, como em todas as grandes aventuras, estive em lugares que nunca antes havia imaginado. Tem sido, para mim, uma viagem de descoberta. Do ponto de vista da história, foi, de fato, uma viagem de redescoberta, mas que teve como ponto de partida uma perspectiva singular: a inovação dentro de fronteiras tradicionais. Esses setenta anos me levaram por uma jornada interior rumo à revelação da Alma. O presente livro contém meus triunfos, lutas, batalhas, tristezas e alegrias.

Há cinquenta anos, vim para o Ocidente a fim de trazer a luz da ioga. Hoje, com este livro, trago meio século de experiência para lançar luz na vida. A popularidade da ioga e o meu papel na disseminação do seu ensino são para mim motivo de grande satisfação. Não quero, contudo, que a difundida popularidade da ioga oculte a profundidade do que ela tem para oferecer aos que a praticam. Passados cinquenta anos desde minha primeira viagem ao Ocidente, e depois de conhecer tantas pessoas dedicadas à prática da ioga, desejo agora compartilhar com vocês toda a jornada iogue.

Tenho no íntimo a esperança de que o meu fim seja o seu começo.

B. K. S. IYENGAR

Introdução

A liberdade espera por você

Quando deixei a Índia rumo à Europa e aos Estados Unidos, meio século atrás, as plateias que assistiam a apresentações de posturas de ioga (*yogasana*) ficavam boquiabertas diante do que consideravam uma forma exótica de contorcionismo. Esses mesmos ássanas têm hoje muitos milhões de adeptos em todo o mundo, e seus benefícios físicos e terapêuticos são amplamente reconhecidos. Essa extraordinária transformação é fruto da chama que a ioga acendeu no coração de tantas pessoas.

Iniciei-me na ioga há setenta anos, quando o destino reservado a um iogue – mesmo na Índia, onde ela teve origem – era o ridículo, a rejeição e a imediata condenação. Na verdade, se eu tivesse me tornado um *sadhu*, um santo mendicante que perambula pelas grandes estradas da Índia esmolando com uma tigela nas mãos, teria encontrado menos escárnio e mais respeito. Certa vez, fui convidado a me tornar um *sannyasin* e renunciar ao mundo, mas recusei. Queria viver como um chefe de família comum, com todas as provações e atribulações da vida, e levar a prática da ioga a pessoas que, como eu, se dedicavam ao cotidiano do trabalho, do casamento, dos filhos. Fui abençoado com os três, e a longa e feliz união com minha falecida e amada esposa, Ramamani, deu-me filhos e netos.

A vida de um chefe de família é sempre difícil. A maioria de nós enfrenta adversidades e sofrimento, e muitos são afligidos por padecimentos físicos e emocionais, estresse, tristeza, solidão e ansiedade. Embora esses problemas geralmente sejam atribuídos às exigências da vida moderna, os seres humanos sempre se veem às voltas com as mesmas adversidades e os mesmos desafios: ganhar seu sustento, cuidar da família, encontrar significado e propósito para a vida.

São esses, desde sempre, os desafios que a humanidade enfrenta. Como animais, andamos pela terra. Como portadores da essência divina, vivemos entre as estrelas. Como seres humanos, estamos presos nesse intermédio, tentando conciliar o paradoxo de trilhar nosso caminho na terra enquanto buscamos algo mais permanente e profundo. Muitos procuram essa Verdade maior no céu, mas ela está bem mais próxima que as nuvens. Reside dentro de nós e pode ser encontrada por qualquer um que se aventure na jornada interior.

As pessoas geralmente querem as mesmas coisas. A maioria deseja simplesmente saúde física e mental, compreensão e sabedoria, paz e liberdade. Os meios que utilizamos para atender a essas necessidades básicas muitas vezes se rompem nas costuras, à medida que somos puxados de um lado para o outro pelas diferentes, e geralmente conflitantes, demandas da vida humana. A finalidade da ioga, assim compreenderam seus sábios, é satisfazer todas as necessidades humanas num todo abrangente e inconsútil. Seu objetivo é nada menos que alcançar a integridade da unidade – unidade conosco e, consequentemente, com tudo que está além de nós. Assim nos tornamos o microcosmo harmonioso no macrocosmo universal. A unidade, que costumo chamar de *integração*, é o alicerce da totalidade, da paz interior e da liberdade suprema.

A ioga nos permite redescobrir o sentido de totalidade, e então nos libertamos da sensação de estar constantemente tentando encaixar peças quebradas. Permite-nos encontrar dentro de nós uma paz que não se deixa perturbar nem atormentar pelas incessantes tensões e batalhas da vida. Permite-nos encontrar um novo tipo de liberdade, que muitos talvez nem saibam que existe. Para um iogue, liberdade significa não ser atingido pelas dualidades da vida, por seus altos e baixos, seus prazeres e sofrimentos. Significa a equanimidade e, fundamentalmente, a descoberta de que existe, em cada pessoa, um núcleo interno sereno, sempre em contato com o infinito eterno e imutável.

Repito que qualquer pessoa pode embarcar na jornada interior. Assim como as plantas buscam a luz do sol, a vida busca a plenitude. O universo não criou a vida na expectativa de que o fracasso da maioria servisse de patamar para o sucesso de poucos. No terreno espiritual, pelo menos, vivemos numa democracia, numa sociedade de oportunidades iguais.

A ioga não pretende ser uma religião ou um dogma para cultura nenhuma. Embora tenha brotado em solo indiano, pretende-se um caminho universal, uma via aberta a todas as pessoas, a despeito de sua origem e formação. Patanjali usou a expressão *sarvabhauma*, "universal", há cerca de 2.500 anos. Somos todos seres humanos, mas fomos ensinados a pensar que somos ocidentais ou orientais. Não fosse isso, seríamos simplesmente indivíduos humanos – não africanos, indianos, europeus ou americanos. Nascido na Índia, inevitavelmente desenvolvi certas características da cultura na qual fui criado. Todos fazemos isso. Mas não há distinções na Alma – que eu chamo de "Aquele que vê". A distinção está somente nas "roupas" daquele que vê: nas ideias com que "vestimos" o nosso eu. Rasgue-as. Não as alimente com pensamentos conflitantes. É isso que a ioga ensina. Quando você e eu nos encontramos, esquecemos quem somos – nossa cultura e classe. Não há divisões; é nossa mente, nossa

Alma que fala. Quando se trata das necessidades mais íntimas, não há diferenças entre nós. Somos todos seres humanos.

A ioga reconhece que o funcionamento do corpo e da mente pouco mudou ao longo dos milênios. Abaixo da superfície, nosso modo de funcionar não está sujeito a mudanças no tempo ou no espaço. Há tensões inerentes na maneira como nossa mente funciona, na maneira como nos relacionamos com os outros; são como falhas geológicas que, se negligenciadas, sempre causarão desastres, individuais ou coletivos. Assim, o motor da indagação científica e filosófica da ioga é investigar a natureza da existência, com o objetivo de aprender a responder às tensões da vida sem tantos tremores e dificuldades.

Do ponto de vista da ioga, cobiça, violência, preguiça, gula, orgulho, luxúria e medo não são formas inextirpáveis de pecado original cuja função é arruinar nossa felicidade – ou nas quais devemos basear nossa felicidade. São manifestações naturais, se bem que indesejáveis, da índole humana, desafios a ser vencidos, e não suprimidos ou negados. Nossos mecanismos imperfeitos de percepção e pensamento não são motivo de pesar (embora nos tragam pesar), mas uma oportunidade de evoluir, de desenvolver a consciência interna que possibilitará também a realização sustentável de nossas aspirações pelo que denominamos sucesso individual e progresso global.

A ioga é o livro que contém as regras do jogo da vida – um jogo no qual não deve haver perdedores. É um jogo difícil, que deve ser treinado com afinco. Requer do jogador disposição de pensar por si mesmo, de observar e corrigir, de superar eventuais contratempos. Exige honestidade, aplicação constante e, acima de tudo, um coração amoroso. Se você tem interesse em entender o que é um ser humano, colocado entre o céu e a terra; se tem interesse em saber de onde veio e aonde poderá chegar; se quer felicidade e anseia pela liberdade, então você já começou a dar os primeiros passos na direção da jornada interior.

As regras da natureza não podem ser contornadas. Elas são impessoais e implacáveis. Mas é com elas que jogamos. Ao aceitar o desafio da natureza e entrar no jogo, embarcamos numa emocionante viagem ao sabor do vento, cujos benefícios serão proporcionais ao tempo e empenho que lhe dedicarmos – o menor deles será chegar aos 80 anos e ainda conseguir amarrar os próprios sapatos, e o maior, a oportunidade de provar a essência da vida em si.

Minha jornada pela ioga

A maioria das pessoas começa a praticar *yogasana*, as posturas da ioga, por razões práticas e, muitas vezes, físicas. Talvez porque tenham algum problema de saúde, como dores nas costas, lesões provocadas pela prática de esportes, pressão alta ou artrite. Ou talvez porque tenham um interesse mais amplo, como melhorar a qualidade de vida ou livrar-se do estresse, da obesidade ou de algum vício. Poucas pessoas se iniciam na ioga por considerá-la um meio de atingir a iluminação espiritual, e, com efeito, muita gente duvida da ideia de autorrealização espiritual. Na verdade, não há mal nisso, pois significa que a maioria dos que procuram a ioga são pessoas práticas, que têm problemas e objetivos práticos – pessoas com os pés plantados na vida, sensíveis.

Quando me iniciei na ioga, também não a conhecia em toda sua glória. Também estava atrás de seus benefícios físicos, e foram estes que de fato salvaram minha vida. Quando digo que a ioga salvou minha vida não é exagero. Foi a ioga que me fez renascer, levando-me da enfermidade para a saúde, da fraqueza para a força.

Nasci em dezembro de 1918. Nessa época, a Índia, como muitos países, encontrava-se devastada por uma epidemia de gripe. Quando engravidou de mim, minha mãe, Sheshamma, estava lutando contra a doença, e por isso vim ao mundo já enfermo. Meus braços eram finos, minhas pernas, mirradas, e meu estômago se projetava para fora de maneira nada graciosa. Tão fraco, na verdade, que ninguém esperava que eu continuasse vivo. Minha cabeça, desproporcionalmente maior do que o resto do corpo, pendia sempre para baixo, e só com grande esforço conseguia erguê-la. Meus irmãos e irmãs viviam zombando de mim. Fui o décimo primeiro de treze filhos, embora somente dez tenham sobrevivido.

Essa condição frágil e enfermiça persistiu durante toda minha infância. Padeci de inúmeras doenças, entre elas frequentes acessos de malária, tifo e tuberculose. Minha saúde débil se fazia acompanhar, como geralmente acontece quando se está doente, de uma péssima disposição de ânimo. Eu era frequentemente tomado por uma melancolia profunda, e às vezes me perguntava se a vida valia mesmo tanto tormento.

Cresci na aldeia de Bellur, no distrito Kolar, estado de Karnataka, no sul da Índia, uma pequena comunidade rural com cerca de quinhentos habitantes que viviam do cultivo de arroz, painço e algumas hortaliças. A situação da minha família, no entanto, era melhor do que a de muitas outras, já que meu pai herdara um pequeno lote de terra e também recebia do Estado um salário por seu trabalho como professor numa aldeia maior a pouca distância dali. Na época, não havia escola em Bellur.

Quando fiz 5 anos, minha família se mudou para Bangalore. Meu pai sofria de apendicite desde pequeno e nunca recebera nenhum tratamento. Perto do meu nono aniversário, uma nova crise de apendicite revelou-se fatal. Ele me chamou ao seu leito e contou que, assim como seu pai morrera quando ele estava prestes a completar 9 anos, ele também morreria pouco antes de eu chegar aos 9. Contou ainda que lutara muito durante a juventude e que eu também haveria de lutar, mas no fim levaria uma vida feliz. A profecia do meu pai cumpriu-se inteiramente. Um grande vazio instalou-se na minha família, e já não pude contar com nenhuma mão forte que me guiasse e ajudasse a atravessar a enfermidade e o período escolar. Dia sim, dia não faltava às aulas por causa de alguma doença, e me atrasei nos estudos.

Embora meu pai fosse professor, éramos uma família de brâmanes: membros da casta sacerdotal da Índia, nascidos para uma vida de obrigações religiosas. Os brâmanes viviam das oferendas feitas pelas pessoas, do pagamento pela celebração de cerimônias religiosas e, às vezes, da proteção de alguma família ou indivíduo abastado ou aristocrático. Conforme a tradição indiana, eles geralmente se casavam entre si, por meio de matrimônios arranjados. Foi assim que minha irmã, aos 11 anos, desposou um parente distante, Shriman T. Krishnamacharya. Era um excelente partido, um respeitável estudioso de filosofia e sânscrito. Após concluir sua formação acadêmica, Krishnamacharya passou muitos anos nas montanhas do Himalaia, perto da fronteira do Nepal com o Tibete, aprofundando o estudo da ioga sob a tutela de Sri Ramamohana Brahmachari.

Nessa época, os marajás (reis indianos) viviam em grandes fortalezas, montando elefantes para caçar tigres em feudos particulares maiores do que muitos países europeus. A erudição do meu cunhado e suas realizações na ioga despertaram o interesse do marajá de Mysore, que o convidou para ensinar em sua faculdade de sânscrito e, mais tarde, para montar uma escola de ioga em seu magnífico palácio de Jaganmohan. De vez em quando, o marajá pedia a Krishnamacharya que viajasse a outras cidades para divulgar a mensagem da ioga a um público mais amplo. Foi durante uma dessas viagens, em 1934, quando eu tinha por volta de 14 anos, que meu cunhado me chamou para passar uma temporada em Mysore com sua esposa (minha irmã) e família enquanto ele estava fora. Quando ele retornou, pedi permissão para voltar ao convívio de minha mãe e meus irmãos, mas então ele propôs que eu ficasse em Mysore para praticar ioga, a fim de melhorar minha saúde.

Percebendo que meu estado de saúde era muito precário, ele recomendou um rígido regime de exercícios para colocar-me em forma e fortalecer-me para enfrentar as provas e os desafios da vida adulta. Se ele tinha em vista também o meu desenvolvimento pessoal ou espiritual, nada disse na época. A situação parecia favorável e a ocasião, propícia – e assim iniciei o treinamento na escola de ioga do meu cunhado.

Esse foi o lance mais decisivo da minha vida – o momento em que o destino veio ao meu encontro e tive a oportunidade de abraçá-lo ou rechaçá-lo. Como para tantas pessoas, esse momento crucial surgiu sem grande alarde, mas se tornou o ponto de partida de anos de trabalho e crescimento constante. Foi assim que meu cunhado, Shriman T. Krishnamacharya, tornou-se meu venerável professor e guru, assumindo o lugar de minha mãe e meu falecido pai como meu preceptor.

Uma das minhas obrigações durante esse período era fazer demonstrações de ioga para a corte do marajá e os dignitários e convidados que o visitavam. Cabia ao meu guru cuidar da edificação e do entretenimento da comitiva do marajá, pondo à prova seus alunos – dos quais eu era o mais jovem – e mostrando suas habilidades de esticar e dobrar o corpo em posturas impressionantes e surpreendentes. Para cumprir meu dever com meu professor e preceptor e satisfazer suas exigentes expectativas, eu forçava meus limites na prática.

Aos 18 anos, fui enviado a Puna para difundir o ensino da ioga. Desconhecia a língua local e não tinha ali comunidade, família, amigos ou um emprego garantido. A única coisa que eu tinha era a minha prática dos ássanas, das posturas de ioga – não conhecia ainda os exercícios de respiração do pranaiama, nem os textos e a filosofia da ioga.

Embarquei na prática dos ássanas como um homem que se lança ao mar num barco que mal consegue manejar, agarrando-se a ele para manter-se vivo e contando somente com o alento das estrelas. Embora soubesse que outros antes de mim haviam lançado suas velas no mundo, não tinha seus mapas. Era uma viagem de descoberta. Encontrei então alguns mapas, desenhados centenas ou milhares de anos atrás, e verifiquei que minhas descobertas correspondiam às deles e as ratificavam. Cheio de ânimo e coragem, prossegui viagem para ver se eu também, como eles, conseguiria aportar em terras distantes e aprender a manejar melhor meu barco. Queria contornar cada litoral, medir a profundidade de cada oceano, encontrar ilhas desconhecidas e registrar cada um dos recifes ocultos ou correntes marítimas que ameaçam nossa navegação pelo oceano da vida.

O corpo tornou-se, assim, meu primeiro instrumento para conhecer a ioga. O lento processo de refinamento que teve início então perdura na minha prática até os dias de hoje. Nesse meio tempo, a *yogasana* me trouxe enormes benefícios físicos; com sua ajuda, a criança enferma que eu era se transformou num jovem ágil e consideravelmente em forma. Meu próprio corpo foi o laboratório no qual testemunhei as vantagens da ioga para a saúde; e logo percebi que a ioga poderia fazer por minha cabeça e meu coração o mesmo que fizera por meu corpo. A gratidão que sinto por esse grande homem que me salvou e me colocou de pé nunca será demais.

Sua jornada pela ioga

Este livro é sobre a vida. É uma tentativa de iluminar o caminho para você e outras pessoas que têm uma busca espiritual. Seu objetivo é traçar uma rota que todos possam seguir. Os conselhos, métodos e fundamentos filosóficos que ele traz podem ser compreendidos inclusive pelos que estão se iniciando na prática da ioga. Aqui não há atalhos nem promessas vãs para os crédulos. Custou-me mais de setenta anos de aplicação constante chegar onde estou hoje. Isso não significa que você levará setenta anos para colher as recompensas da prática da ioga. A ioga oferece presentes desde o primeiro dia. Mesmo os mais inexperientes reconhecem esses benefícios, sentem que algo está começando a acontecer num nível mais profundo do seu corpo, da sua mente e até da sua Alma. Alguns descrevem os primeiros presentes como uma nova sensação de leveza, calma ou alegria.

O milagre é que, após setenta anos, ainda recebo presentes. Nem sempre se podem prever os benefícios da prática. Eles vêm geralmente como uma generosidade inesperada, que assume formas inimagináveis. Mas se você acha que aprender a tocar os dedos dos pés ou erguer-se sobre a cabeça é tudo que a ioga tem a oferecer, sua principal recompensa, suas principais bênçãos, sua principal beleza lhe escaparam.

A ioga libera o potencial criativo da vida, e faz isso estabelecendo uma estrutura para a autorrealização, mostrando como podemos avançar na jornada, descortinando uma visão sagrada do Supremo, da nossa origem divina e do destino final. A luz que a ioga lança na vida é especial. É transformadora. Não muda apenas nosso modo de ver as coisas; ela transforma a pessoa que vê. Traz conhecimento e o eleva à condição de sabedoria.

A luz na vida que entrevemos aqui é um *insight* não adulterado, a verdade pura (*satya*), que, aliada à não violência, foi o princípio que norteou Mahatma Gandhi e mudou o mundo, para todos os seus habitantes.

Sócrates advertia: conhece a ti mesmo. Conhecer a si mesmo é conhecer seu corpo, sua mente, sua Alma. A ioga, como costumo dizer, é como a música. O ritmo do corpo, a melodia da mente e a harmonia da Alma criam a sinfonia da vida. A jornada interior permitirá que você explore e integre cada um desses aspectos da sua existência. Do seu corpo físico, você viajará para dentro, para descobrir seus "corpos sutis" – o corpo energético, onde residem a respiração e as emoções; o corpo mental, onde se podem domar os pensamentos e as obsessões; o corpo intelectual, onde se encontram a inteligência e a sabedoria; e o corpo espiritual, onde se pode vislumbrar a Alma Universal. No próximo capítulo, conheceremos esse antigo mapeamento iogue das camadas do nosso ser. Mas, antes de examinar cada uma das camadas, precisamos primeiro entender melhor o que é a jornada interior e como ela incorpora os tradicionais oito membros ou pétalas da ioga. Precisamos também perceber a relação entre Natureza e Alma. A ioga não rejeita uma pela outra; antes, considera que estão inseparavelmente ligadas, assim como a terra e o céu se unem no horizonte.

Você não precisa viajar a um lugar remoto para buscar a liberdade; ela habita seu corpo, seu coração, sua mente, sua Alma. A emancipação iluminada, a liberdade, a pura e imaculada felicidade estão a sua espera, mas você precisa escolher embarcar na jornada interior para descobri-las.

Parivrtta Janu Sirsasana

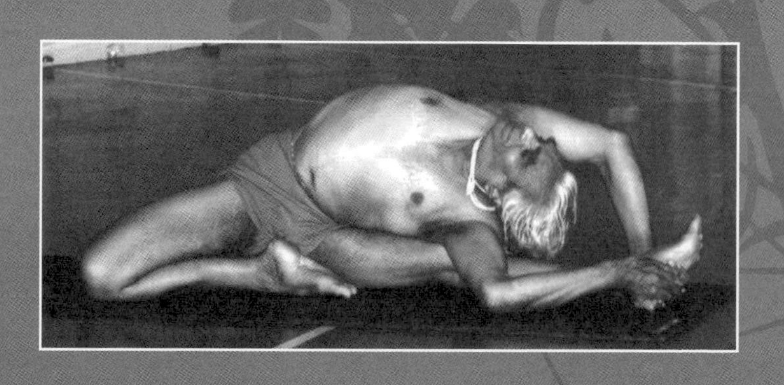

1. A jornada interior

A realização espiritual é a vontade que existe em cada pessoa de procurar seu núcleo divino. Esse núcleo, embora sempre presente, permanece latente dentro de nós. Não se trata de uma busca externa, no encalço de um Santo Graal que se encontra além; é uma jornada interior que permite ao núcleo divino se revelar.

Para descobrir como relevar nosso Ser mais íntimo, os sábios investigaram os vários invólucros da existência, começando pelo corpo e progredindo pela mente e pela inteligência até chegar à Alma. A jornada iogue nos conduz da periferia, o corpo, para o centro do nosso ser, a Alma. A meta é integrar as várias camadas para que a divindade interior irradie como cristal.

Kosas – Os invólucros do ser

A ioga identifica cinco diferentes planos ou invólucros (*kosas*) do ser, que devem estar perfeitamente integrados e em harmonia para que possamos alcançar a totalidade. Quando esses invólucros sutis estão em desarmonia, ficam manchados como um espelho que reflete imagens embaçadas do mundo sensorial e sensual. O espelho reflete o mundo a nossa volta em vez de irradiar a luz clara da Alma interior. É então que adoecemos e caímos no desespero. A verdadeira saúde depende não apenas do bom funcionamento do exterior físico de nosso ser, mas também da vitalidade, força e sensibilidade desses planos internos sutis.

A maioria de nós acha que o "corpo" é tão somente nossa forma física – pele, ossos, músculos e órgãos internos. Para a ioga, porém, essa é apenas a camada mais externa do corpo, ou *annamaya kosa*. É esse corpo anatômico que envolve os quatro outros corpos sutis, ou *kosas*.

Os *kosas* são como as camadas de uma cebola ou como aquelas bonecas russas que se encaixam no interior umas das outras. Compreendem o corpo energético (*pranamaya kosa*), o corpo mental (*manomaya kosa*), o corpo intelectual (*vijnanamaya kosa*) e, por fim, o corpo extático ou espiritual (*anandamaya kosa*). Quando esses corpos ou invólucros estão fora de alinhamento ou entram em conflito uns com os outros, inevitavelmente deparamos com a alienação e a fragmentação que tanto afligem nosso mundo. Quando, por outro lado, conseguimos alinhar os vários invólucros do corpo e harmonizá-los, desaparece a fragmentação, alcançamos a integração e a unidade se instala. O corpo físico (*annamaya kosa*) deve conectar-se com o corpo orgânico e energético (*pranamaya kosa*) e, assim, deixar nele suas impressões; o corpo orgânico, por sua vez, deve estar em harmonia com o corpo mental (*manomaya kosa*); o corpo mental, com o intelectual (*vijnanamaya kosa*); e o corpo intelectual, com o corpo espiritual (*anandamaya kosa*). Do mesmo modo, se não há comunicação entre o corpo espiritual e o corpo físico, o primeiro não pode transmitir sua luz para os movimentos e as ações do segundo, e então há escuridão na vida, e não luz.

A demarcação dos diferentes invólucros é hipotética. Somos seres únicos e integrais. No entanto, para chegar à integridade e totalidade que desejamos, o interno deve se comunicar com o externo, e o externo deve se comunicar com o interno, já que cada invólucro se mescla ao seguinte. Só então estamos unificados como seres humanos funcionais. Do contrário, experimentamos a dissolução e a fragmentação, que tornam a vida desconfortável e confusa.

É essencial que o adepto da ioga entenda a necessidade de integrar e equilibrar os *kosas*. Por exemplo, os corpos mental e intelectual (*manomaya* e *vijnanamaya kosa*) devem funcionar bem para que possamos observar, analisar e refletir o que está acontecendo nos corpos físico e energético (*annamaya* e *pranamaya kosa*) e fazer ajustes.

Em outras palavras, o corpo físico não está separado da mente e da Alma. Não devemos negligenciar ou negar o corpo, como sugerem alguns ascetas. Tampouco devemos nos fixar nele – nosso eu mortal. O objetivo da ioga é descobrir nosso Eu imortal. A prática iogue nos ensina a viver plenamente – tanto física quanto espiritual – pelo cultivo de cada um dos vários invólucros.

Espero que, ao avançar na leitura, você comece a entender que, se viver e praticar a ioga da maneira certa e com a atitude correta, conhecerá benefícios ainda maiores e mudanças mais radicais do que a mera flexibilidade física. Não há como progredir rumo à liberdade suprema sem transformação; essa é a grande questão na vida de todas as pessoas, quer pratiquem ioga, quer não. Se entender como funcionam a mente e o coração, você terá chance de responder à pergunta: "Por que estou sempre cometendo os mesmos erros?"

O mapa que os antigos nos deixaram é o que dá forma aos capítulos deste livro. Seu conhecimento e tecnologia compõem o conteúdo. O ser humano é um *continuum* – não há fronteiras tangíveis entre os *kosas*, assim como não há fronteiras entre o corpo, a mente e a Alma. Contudo, por uma questão de conveniência, e para auxiliar nossa jornada, a ioga nos retrata com essas camadas distintas – que se mesclam umas às outras como as cores do arco-íris. Com base nessa descrição tradicional dos cinco corpos ou *kosas*, dividimos o texto em cinco capítulos principais: "Estabilidade – O corpo físico" (*annamaya kosa*), "Vitalidade – O corpo energético" (*pranamaya kosa*), "Clareza – O corpo mental" (*manomaya kosa*), "Sabedoria – O corpo intelectual" (*vijnanamaya kosa*) e "Beatitude – O corpo espiritual" (*anandamaya kosa*).

Nesses capítulos, discorremos sobre os estágios da jornada interior à medida que descobrimos a Natureza (*prakrti*), que inclui o corpo físico, e a Alma (*purusa*). É importante lembrar que a exploração da Alma ocorre dentro da Natureza (o corpo), pois é aí que estamos e é isso que somos. Nosso campo específico de exploração somos nós mesmos, desde a pele até o centro desconhecido. A ioga diz respeito a essa fusão da Natureza com a Alma, porque essa é a essência da vida humana, com seus desafios, suas contradições e suas alegrias.

Vivendo entre a terra e o céu

Como eu já disse, nós seres humanos vivemos entre duas realidades: o céu e a terra. A terra representa tudo que é prático, material, tangível e corpóreo. É o mundo cognoscível, objetivamente reconhecível por meio de viagens de descoberta e observação. Todos partilhamos este mundo e seus conhecimentos por meio do vasto repertório de experiências coletivas acumuladas. Há um nome para tudo isso: Natureza. Em sânscrito, Natureza se chama *prakrti*. Compõe-se de cinco elementos: terra, água, fogo, ar e espaço (antes denominado éter). Consequentemente, e coincidentemente, o corpo é formado por esses mesmos cinco elementos, e é por isso que também recebe o nome de *prakrti*. Quando os cientistas estudam as rochas trazidas da Lua pelos exploradores do espaço, estão estudando a Natureza. Quando calculamos a temperatura da superfície do Sol, estamos observando a Natureza. Quer se trate da natureza planetária ou da natureza cósmica, é tudo Natureza, e seu estudo é tão fascinante porque ela é cheia de diversidade. Não só é cheia de diversidade, como está em constante mutação, e assim há sempre algo novo para ver. Nós também fazemos parte da Natureza e, como ela, estamos em constante mutação; por isso sempre a olhamos de um ponto de vista diferente. Somos um pequeno fragmento de mudança contínua olhando para uma infinita quantidade de mudança contínua. Não admira que seja tão empolgante. A coisa mais importante que podemos aprender sobre a Natureza são as leis inerentes e inatas que regem seu funcionamento.

Centenas de anos antes de Patanjali escrever os *Yoga sutras*, os iogues indianos já tentavam distinguir algum padrão nas flutuações aparentemente caóticas da natureza. A infinita variedade de fenômenos naturais cria uma aparência de caos; "mas seria possível", indagavam eles, "que as leis que governam a turbulência interminável da natureza fossem metódicas"? Seria possível compreendê-las? E, se pudéssemos entender como funcionam, seria possível para nós emergir do caos para a ordem? Nenhum jogo faz sentido se você desconhece as regras. Mas, quando as conhece, pode ser muito divertido. Mesmo que leve alguns golpes e perca algumas partidas, você está participando, está no jogo. A ioga diz que você está jogando com o corpo e com o eu. É jogando que se aprendem as regras, e, se observá-las, você terá melhores chances de sucesso na vida e de alcançar a iluminação e a liberdade.

Assim, a humanidade está com os pés bem plantados na terra, como em *Tadasana* (postura da montanha), e a cabeça no céu. Mas o que significa dizer céu? Não me refiro, obviamente, à biosfera terrestre ou a qualquer lugar que tenha uma existência física, por mais distante que seja. Eu poderia ter dito: "Com os pés plantados na terra e a cabeça no plano celestial"*. Nesse contexto, a palavra "celestial" é útil porque sugere algo que não é físico. Isso abre possibilidades: a) é algo perfeito, pois nada físico pode ser perfeito, já que todos os fenômenos são instáveis; b) é universal, isto é, uno, ao passo que a natureza é múltipla, como nos mostra sua diversidade; c) está em toda parte, é onipresente, uma vez que, não sendo físico, não é limitado nem definido por localização; d) é extremamente real ou eterno. Diz-se na ioga que o corpo é feito de substância real, enquanto a mutação do eu e a revelação do incomensurável céu interior são denominadas *cit-akasha*, literalmente, a visão do próprio espaço.

Tudo que é físico está sempre mudando, portanto sua realidade não é constante, eterna. Nesse sentido, a natureza é como um ator que desempenha diferentes papéis. Ela nunca tira as roupas e a maquiagem e vai para casa; apenas troca de papel, sempre e sempre. Assim, com a natureza, nunca sabemos bem onde estamos, principalmente porque também somos parte dela.

A realidade imaterial, embora difícil de compreender, tem a vantagem de ser eterna, sempre a mesma. Há uma consequência nisso. Tudo que é real e imutável deve nos oferecer um ponto fixo, uma orientação, como o norte absoluto na bússola. E como funciona a bússola? Pela atração entre o norte magnético e o ímã contido nela. A bússola somos nós. Podemos deduzir, portanto, que existe uma Realidade Universal em nós que nos alinha com a Realidade Universal que está em toda parte. Não esqueça a palavra "alinhar". É pelo alinhamento do corpo que descubro o alinhamento da mente, do eu e da inteligência. O alinhamento que parte do corpo ou invólucro (*kosa*) externo para o interno é o caminho para que nossa realidade pessoal estabeleça contato com a

* Em inglês, "*Our feet on the earth and our head in the heavens*". Na língua inglesa, a oposição entre *sky* e *heaven* é muito marcante, mas em português poderíamos usar o vocábulo "céu" nas duas situações. (N. E.)

Realidade Universal. O *Vastasutra upanishad* diz: "O alinhamento correto dos membros é glorificado como o conhecimento de Brahman (Deus)". Ainda mais antigo é o verso que vem do *Rig veda*: "Toda forma é uma imagem da forma original". Vimos que essa realidade não muda com o tempo nem é limitada pelo espaço. Está fora do alcance de ambos. Assim, embora nossa jornada ocorra no tempo e no espaço, se porventura chegarmos ao final dela e encontrarmos a suprema realidade imaterial, não será no tempo-espaço que conhecemos.

A Alma Universal (*purusa*) e a Natureza (*prakrti*)

Até agora evitei usar a tradução usual de realidade imaterial porque ela geralmente impede as pessoas de pensar por si mesmas. Em sânscrito, a palavra é *purusa*, que pode ser traduzida por Alma Cósmica ou Universal. O termo "alma" carrega tantas conotações religiosas que as pessoas costumam aceitá-lo ou rejeitá-lo sem mais reflexão. Elas se esquecem de que se trata apenas da palavra que usamos para nos referir a uma realidade permanente. Esta, embora lógica, não passa de um mero conceito para a mente, até que a experimentemos concretamente dentro de nós.

Com razão associamos essa realidade permanente ao amor altruísta, que se baseia na percepção da unidade, não da diferença. A força do amor de uma mãe provém de sua unidade com a criança. Na unidade não há posse, já que a posse é um estado dual: abrange eu e o outro. A Alma é imutável, eterna, constante; é sempre uma testemunha, enraizada na origem divina e na unicidade. Toda a prática da ioga visa explorar a relação entre *prakrti* e *purusa*, entre a Natureza e a Alma. Retomando nossa imagem inicial, trata-se de aprender a viver entre o céu e a terra. Essa é a provação humana, nossa alegria e nosso infortúnio, nossa salvação e queda. Natureza e Alma se misturam. Alguns dizem que são casadas. É pela prática correta de ássana e pranaiama, e dos outros membros da ioga, que o praticante (*sadhaka*) experimenta a comunhão e a conexão entre elas. Para uma pessoa comum, o casamento da Natureza com a Alma pode parecer cheio de disputas e incompreensão mútua. Porém, quando há comunhão, elas se aproximam para alcançar uma união abençoada. Essa união remove o véu da ignorância que encobre a inteligência. Para atingi-la, o *sadhaka* precisa olhar para dentro e para fora da estrutura da Alma, o corpo. Ele precisa entender uma lei fundamental; do contrário, continuará preso aos grilhões da Natureza e a Alma continuará sendo um mero conceito. Essa lei diz que tudo que existe no macrocosmo existe também no microcosmo, ou indivíduo.

As oito pétalas da ioga

A ioga tem oito pétalas que se revelam gradualmente ao praticante. Consistem em disciplinas éticas externas (*yama*), observâncias éticas internas (*niyama*), posturas (*asana*), controle da respiração (*pranayama*), controle e recolhimento dos sentidos (*pratyahara*), concentração (*dharana*), meditação (*dhyana*) e absorção no êxtase (*samadhi*). Chamam-se pétalas porque se combinam como as pétalas de uma flor de lótus para formar um bonito todo.

À medida que viajamos pelos invólucros interiores (*kosas*) do corpo, da pele exterior ao Eu profundo, encontramos e exploramos cada uma das oito pétalas ou estágios da ioga descritos nos *Yoga sutras*. Para os que buscam a Verdade, esses estágios conservam hoje a mesma importância que tinham no tempo de Patanjali. Não é possível entender e harmonizar os invólucros sem os preceitos e práticas prescritos nas oito pétalas. Farei aqui uma breve menção a eles, que serão descritos com mais detalhes nos próximos capítulos.

A jornada da ioga começa com os cinco mandamentos éticos universais (*yama*). Dessa maneira, aprendemos a desenvolver controle sobre nossas ações no mundo externo. A jornada prossegue com cinco etapas de autopurificação (*niyama*). Estas estão associadas ao nosso mundo interno e aos sentidos da percepção e nos ajudam a desenvolver a autodisciplina. Conheceremos essas etapas ao longo do livro, mas em princípio elas servem para refrear nosso comportamento em relação a nós e aos outros. Esses preceitos éticos estão sempre presentes, do início ao fim da jornada iogue, pois a realização espiritual de uma pessoa se revela na maneira como ela age e interage com seus semelhantes.

Afinal de contas, embora o objetivo da ioga seja a liberdade suprema, antes mesmo de alcançá-la experimentamos um gradual aumento de liberdade à medida que vamos conquistando maior autocontrole, sensibilidade e consciência, que nos permitem viver a vida a que aspiramos. Uma vida de decência, de relações humanas honestas e transparentes, de boa vontade e camaradagem, de confiança e autoconfiança, de alegria pela felicidade alheia, de equanimidade diante de nossos infortúnios. De um estado de bondade humana podemos progredir para uma liberdade maior. Da dúvida, da confusão e do vício, não. O progresso na ioga é de ordem ética, e não por uma questão de juízos, mas por uma razão prática. É quase impossível saltar de "mau" para "melhor" sem passar pelo "bom". Além disso, conforme a ignorância retrocede, o "bom" se torna um lugar infinitamente mais confortável que o "mau". O que chamamos de "mau" é ignorância no agir e, como estratégia de vida, só floresce na escuridão.

A terceira pétala da ioga é a prática das posturas (*yogasana*), que será o tema do próximo capítulo. O ássana conserva o vigor e a saúde do corpo, sem o que as chances de progresso são poucas. Também mantém o corpo em harmonia com a natureza. Todos sabemos que a mente afeta o corpo. Por que não tentar, sugere a ioga, fazer o contrário – acessar a mente por meio do corpo? "Queixo erguido" e "Ombros para trás, postura ereta" expressam essa abordagem. O aprimoramento pessoal pelo ássana é o grande portão que conduz aos recintos internos que precisamos explorar. Em outras palavras, vamos tentar usar o ássana para esculpir a mente. Precisamos descobrir qual é o anseio de cada invólucro da existência e nutri-lo de acordo com seus apetites sutis. Afinal, é o *kosa* interior, mais sutil, que sustenta as camadas exteriores. Por isso dizemos na ioga que o sutil precede o grosseiro, ou seja, o espírito precede a matéria. Mas a ioga também diz que devemos lidar primeiro com o exterior, ou o mais manifesto – isto é, pernas, braços, coluna, olhos, língua, tato –, para desenvolver sensibilidade ao movimento interno. É por essa razão que o ássana abre todo o espectro de possibilidades da ioga. Não pode haver realização espiritual e existencial sem o suporte do veículo encarnado da Alma, o corpo de carne e osso, desde os ossos até o cérebro. Se tivermos ciência de suas limitações e compulsões, poderemos transcendê-las. Todos temos alguma percepção do que é o comportamento ético, mas, para chegar aos níveis mais profundos de *yama* e *niyama*, devemos cultivar a mente. Necessitamos de contentamento, tranquilidade, serenidade, altruísmo, qualidades que precisam ser conquistadas. É o ássana que nos ensina a fisiologia dessas virtudes.

A quarta pétala da ioga diz respeito às técnicas de respiração, ou pranaiama (*prana*, energia vital ou cósmica; *ayama*, extensão, expansão). O alento é o veículo da consciência; por meio de sua observação e distribuição lenta e regulada, aprendemos a deslocar nossa atenção dos desejos externos (*vasana*) para uma percepção perspicaz e inteligente (*prajna*). Como a respiração acalma a mente, nossas energias ficam liberadas para desatrelar-se dos sentidos, voltar-se para dentro e lançar-se na busca interior com uma consciência mais aguçada e dinâmica. O pranaiama não se realiza com o poder da vontade. É preciso seduzir, cortejar a respiração, do mesmo modo que se faz com um cavalo selvagem – sem caçá-la, mas, em vez disso, permanecendo quieto, com uma maçã na mão. É assim que pranaiama nos ensina a humildade e nos liberta da cobiça ou do anseio pelos frutos de nossas ações. Não se pode forçar nada; a receptividade é tudo.

O recolhimento dos sentidos na mente (*pratyahara*) é a quinta pétala da ioga, também chamada de eixo da busca interior e exterior. Infelizmente, usamos mal os sentidos, a memória e a inteligência. Deixamos que suas energias potenciais fluam para fora e se dispersem. Queremos alcançar os domínios da Alma, mas nos vemos diante de um constante cabo de guerra. Não vamos nem para dentro nem para fora, e isso esgota nossa energia. Podemos fazer melhor.

Quando os sentidos da percepção se voltam para dentro, experimentamos o controle, o silêncio e a quietude da mente. Essa capacidade de aquietar e aos poucos silenciar a mente é essencial não apenas para a meditação e a jornada interior, mas também para que a inteligência intuitiva funcione de maneira útil e benéfica no mundo externo.

As últimas três pétalas ou estágios são concentração (*dharana*), meditação (*dhyana*) e absorção completa (*samadhi*). Essas três constituem um crescendo, a ioga da integração final (*samyama yoga*).

A primeira etapa é a concentração. É tão fácil traduzir *dharana* como concentração que muitas vezes nem fazemos caso do seu significado. Na escola aprendemos a prestar atenção, mas não é a isso que se refere a concentração na ioga. Quando vemos um cervo na floresta, não dizemos: "Veja, ele está se concentrando". O cervo está num estado de completa e vibrante percepção, em cada célula do seu corpo. É um engano comum achar que estamos nos concentrando porque fixamos a atenção em coisas instáveis, como uma partida de futebol, um filme, um romance, as ondas do mar, a chama de uma vela –, mas não é constante o bruxulear da vela? A verdadeira concentração é um fio de percepção contínuo. Descobrir de que maneira a vontade, trabalhando com a inteligência e a consciência autorreflexiva, pode nos libertar da inevitável inconstância da mente e dos sentidos, sempre voltados para fora – é esse o objetivo da ioga. Aqui, o ássana é de grande serventia para nós.

Pense no desafio que o corpo representa para a mente num ássana. Enquanto a face externa da perna se hiperestende, a face interna perde a ação. Podemos escolher permanecer nessa situação ou desafiar o desequilíbrio fazendo uma reflexão motivada pela força de vontade. Ao manter o equilíbrio sem ceder, podemos estender nossa observação para os joelhos, os pés, a pele, os tornozelos, as solas e os dedos dos pés etc. – a lista é infindável. Nossa atenção não somente abrange como penetra. Podemos, como um malabarista, manter todas essas bolas no ar sem deixar cair nenhuma, sem desligar a atenção? Não surpreende que um ássana leve tantos anos para ser perfeito.

Quando se consegue explorar, ajustar e sustentar cada novo ponto, a percepção e a concentração se dirigem simultaneamente a milhares de pontos, e, com efeito, a própria consciência se difunde de maneira uniforme por todo o corpo. É então que a consciência se torna penetrante e abrangente, iluminada por um fluxo dirigido de inteligência e atuando como testemunha transformadora do corpo e da mente. Esse é um fluxo de concentração contínuo *(dharana)* que leva a uma percepção elevada. A vontade, sempre alerta, ajusta e refina, criando um mecanismo de autocorreção. Assim, a prática do ássana, executada com a participação de todos os elementos do nosso ser, desperta e aguça a inteligência até integrá-la nos sentidos, na mente, na memória, na consciência e na Alma. Os ossos, os músculos, as juntas, as fibras, os ligamentos, os sentidos, bem como a mente e a inteligência, são interligados. O eu é tanto o que percebe como o que faz. Quando uso a palavra "eu" com letra minúscula, refiro-me à percepção total de quem e o que somos num estado natural de consciência. O eu assume, portanto, sua forma natural, sem dilatar-se nem contrair-se. Num ássana perfeito, executado em meditação e com uma corrente contínua de concentração, o eu assume sua forma perfeita, atingindo uma integridade impecável.

Um jeito simples de frisar a relação entre o ássana e a concentração (*dharana*) é o seguinte: se você aprende uma porção de pequenas coisas, um dia acabará conhecendo uma coisa grande.

Em seguida vem a meditação (*dhyana*). O ritmo da vida moderna impõe uma dose inevitável de estresse. Na mente, esse estresse acarreta perturbações, como raiva e desejo, que, por sua vez, acarretam tensão emocional. Ao contrário do que dizem muitos professores, a meditação não elimina o estresse. Ela só é possível quando já se atingiu um certo estado de "não estresse". Para isso, o cérebro já deve estar calmo e sereno. Quando se aprende a relaxar o cérebro, pode-se começar a eliminar o estresse.

A meditação não propicia isso. Você precisa alcançar todas essas coisas primeiro para alicerçar a meditação. Sei, porém, que a palavra "meditação" costuma ser aplicada a várias formas de controle e redução do estresse. Neste livro, ela será usada em seu sentido mais puro, como a sétima pétala da ioga, à qual só se pode chegar quando todas as outras fraquezas físicas e mentais tiverem sido em grande parte eliminadas. Em termos técnicos, a verdadeira meditação, na acepção que lhe atribui a ioga, não pode ser praticada por alguém que se encontra sob estresse ou que tem um corpo frágil, pulmões fracos, músculos retesados, coluna envergada, mente flutuante, agitação mental ou timidez. Muitas pessoas pensam que sentar-se quieto é meditação. É um equívoco. A verdadeira meditação nos leva à sabedoria (*jnana*) e à percepção (*prajna*), e isso tem o efeito específico de nos ajudar a compreender que somos mais do que nosso ego. Para tanto, precisamos da preparação que nos oferecem as posturas e a respiração, o recolhimento dos sentidos e a concentração.

É por meio do ássana que conseguimos relaxar o cérebro. Geralmente identificamos a mente com a cabeça. No ássana, a consciência se espalha pelo corpo e se irradia para cada célula, criando uma percepção completa. Assim, o pensamento carregado de estresse é esvaziado, e a mente focaliza o corpo, a inteligência e a percepção como um todo.

Dessa maneira o cérebro fica mais receptivo, e a concentração se torna natural. Manter os neurônios relaxados, receptivos e concentrados – essa é a arte que a ioga nos ensina. Lembre-se também que a meditação (*dhyana*) é parte integrante da ioga, não algo separado. *Yama, niyama, asana, pranayama, pratyahara, dharana, dhyana* e *samadhi*, juntas, são as pétalas da ioga. A meditação está em tudo. Todas as pétalas requerem um estado reflexivo ou meditativo.

O ássana e o pranaiama reduzem o estresse que impregna o cérebro; com o cérebro em repouso, a tensão é liberada. Da mesma maneira, ao realizar os vários tipos de pranaiama, o corpo todo é irrigado de energia. Para praticar pranaiama, é preciso ter músculos e nervos fortes, concentração e persistência, determinação e resistência. Tudo isso se aprende com a prática do ássana. Os nervos relaxam, o cérebro se acalma, e o retesamento e a rigidez dos pulmões se desfazem. Os nervos são auxiliados a permanecer sadios. Você imediatamente alcança a unidade consigo mesmo, e isso é meditação.

O astronauta israelense Ilan Ramon, que morreu no acidente com o ônibus espacial Colúmbia, ofereceu-nos uma perspectiva do que a meditação pode fazer. Após dar a volta no planeta, ele fez um apelo "pela paz e por uma vida melhor para todos na Terra". Ele não foi o único astronauta a experimentar essa visão transcendente. Outros comentaram que, "após ter visto a Terra de um ponto de vista que ofusca as diferenças políticas, as pessoas que viajam pelo espaço compartilham uma perspectiva singular". Contudo, estavam olhando para um planeta onde impera a violência. A expressão bíblica "olho por olho" revela uma filosofia de vingança, não de justiça. Mahatma Gandhi já advertia que, num mundo em que olho por olho é a norma, logo todos ficarão cegos.

Não podemos viajar ao espaço para olhar um planeta em que objetivos humanos comuns podem ser alcançados mediante a cooperação pacífica. Mas, quando vemos fotos de nosso globo azul suspenso no espaço, sem fronteiras nacionais cortando sua superfície e o manto branco de nuvens que o envolve, também ficamos tocados pela unidade da Terra. Como então viver essa unidade? A dualidade é a semente do conflito. Todos, porém, temos acesso a um espaço, um espaço interior, em que a dualidade e o conflito chegam ao fim. É isto que nos ensina a meditação: a cessação do ego artificioso e o despontar do Eu verdadeiro, unificado, além do qual nenhum outro existe. A ioga diz que a mais alta experiência de liberdade é a Unicidade, a suprema realidade da unidade. Mas não podemos penetrar o interior para experimentar a beatitude imortal sem antes harmonizar os cinco invólucros que encerram a Alma.

O ássana e o pranaiama são o aprendizado para transcender a dualidade. Não só preparam corpo, coluna e respiração para o desafio da serenidade interior, mas, como explicitou Patanjali, o ássana nos ensina a transcender a dualidade, isto é, o quente e o frio, a honra e a desonra, a riqueza e a pobreza, a perda e o ganho. O ássana nos concede firmeza para viver com equanimidade nas vicissitudes deste mundo em alvoroço. Embora, a rigor, só possamos meditar num único ássana, é possível executar todos eles em estado de meditação, e é nisso que se converteu minha prática hoje em dia.

Meu ássana é meditativo, e minha prática de pranaiama, devocional. A meditação em si é a conquista final e a dissolução do ego, do falso eu, que imita o Eu Real. Quando, pela graça de Deus, se concilia e transcende a dualidade, a suprema dádiva do samádi pode ser concedida.

No estágio final de samádi (união), o eu individual, com todos os seus atributos, se funde com o Eu Divino, com o Espírito Universal. Os iogues entendem que o divino não está só no céu, mas dentro de nós também, e, nessa busca final da Alma, os que buscam se tornam os que veem. Assim, experimentam o divino no centro do seu ser. Samádi geralmente é descrito como a liberdade final, a libertação da roda do carma, da lei de causa e efeito, de ação e reação. Ele nada tem que ver com a perpetuação do nosso eu mortal. Samádi é uma oportunidade de encontrar nosso Eu imperecível antes que o efêmero veículo corpóreo desapareça, como é certo que o fará, em obediência ao ciclo da natureza.

Os iogues não permanecem nesse estágio de elevada beatitude, mas, quando retornam ao mundo, suas ações são diferentes, pois sabem, no íntimo do seu ser, que o divino nos une a todos e que uma palavra ou ação dirigida a outro é, ao fim e ao cabo, igualmente dirigida a si mesmo. A ioga classifica as ações em quatro categorias: pretas, que só trazem más consequências; cinza, cujos efeitos são mistos; brancas, que produzem bons resultados; e incolores, em que as ações não acarretam reações. Estas últimas refletem os atos dos iogues iluminados, que agem no mundo sem mais acorrentar-se à roda cármica do devir, da causalidade. Mesmo as ações brancas, realizadas conscientemente com boa intenção, atrelam-nos a um futuro em que devemos colher os bons resultados. Um advogado que, em nome da justiça, se empenhasse para salvar um homem inocente injustamente acusado é um exemplo desse tipo de ação. Mas se uma criança estivesse prestes a se lançar na frente de um carro em movimento e você, de súbito, sem nem pensar, a arrancasse do caminho do perigo, seria como a ação de um iogue, ou seja, baseada numa percepção e ação direta, instantânea. Você não se congratularia dizendo: "Fui o máximo salvando aquela criança". Você não se veria como o autor da ação, mas antes como o instrumento de algo simplesmente "correto", que existe exclusivamente no momento, sem referência ao passado ou ao futuro.

Por essa razão, o capítulo final deste livro, "Viver em liberdade", trata da ética e retoma os dois primeiros estágios da ioga (*yama* e *niyama*). Ao ver como vive neste mundo uma pessoa livre ou autorrealizada, veremos o que podemos aprender para viver não em algum destino final, mas em cada etapa da jornada interior e da jornada da vida.

Aprendendo a viver no mundo natural

Antes de iniciar a jornada para dentro, precisamos esclarecer sua natureza. Muitos interpretam erroneamente a jornada interior, ou caminho espiritual, como uma rejeição ao que é natural, mundano, prático, cheio de prazeres. Para um iogue (ou mestre taoísta, ou monge Zen), ao contrário, a senda que leva ao espírito se situa inteiramente nos domínios da natureza. Trata-se de explorá-la, desde o mundo das aparências, ou superfície, até o coração mais sutil da matéria viva. A espiritualidade não é um objetivo externo que devemos perseguir, mas uma parte do cerne divino em cada um de nós que devemos revelar. Para o iogue, o espírito não se encontra separado do corpo. A espiritualidade, como tentei elucidar, não é de natureza etérea e externa, mas algo acessível e palpável em nosso corpo. Na verdade, o próprio termo "caminho espiritual" é inadequado. Afinal, como se pode caminhar *na direção* de algo que, como a Divindade, está por definição em toda parte? Uma imagem melhor seria dizer que, se arrumarmos e limparmos bem a nossa casa, poderemos um dia perceber que a divindade esteve ali o tempo todo. É o que fazemos com os invólucros do corpo, polindo-os até que se tornem uma janela cristalina para o divino.

O cientista busca conquistar a natureza por meio do conhecimento – para a natureza externa, conhecimentos externos. É assim que ele consegue dividir o átomo e alcançar poder externo. O iogue busca explorar a própria natureza interna, penetrar o átomo (*atma*) do ser. Ele não ganha domínio sobre terras vastas e mares agitados, mas sobre o próprio corpo recalcitrante e a mente febril. Esse é o poder da verdade compassiva. A presença da verdade pode nos fazer sentir nus, mas a compaixão afasta toda a vergonha. A profunda e transformadora jornada iogue que aguarda os que procuram a Verdade consiste na busca interna de crescimento e evolução, ou "involução". Iniciamos essa involução com o que há de mais tangível, nosso corpo físico, e a prática dos *yogasanas* nos ajuda a entender e aprender a tocar esse magnífico instrumento que foi dado a cada um de nós.

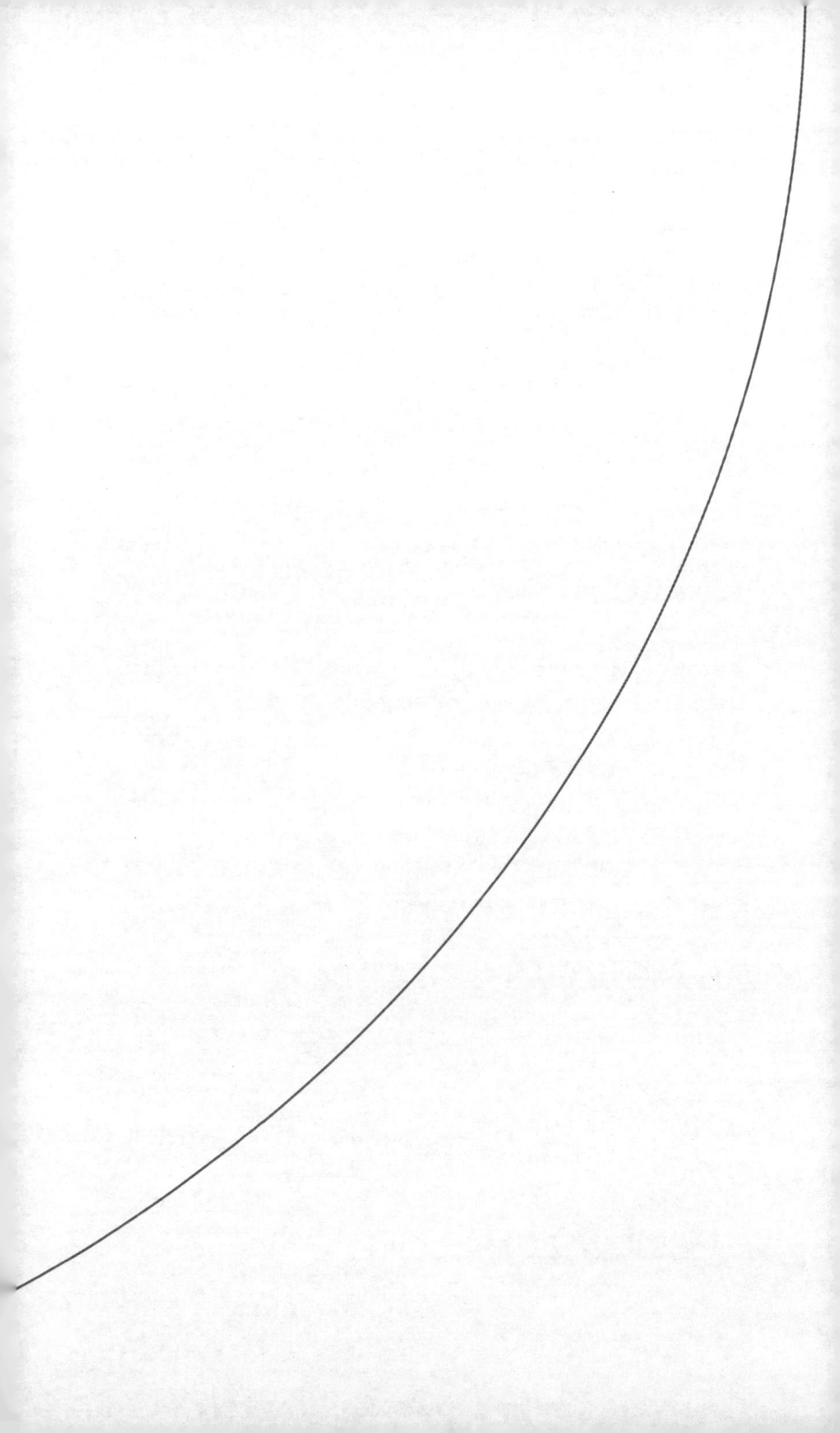

Natarajasana

2. Estabilidade
O corpo físico (*ássana*)

É aqui que o iogue embarca na jornada interior rumo ao centro do seu ser. Muitas pessoas pensam que ioga significa renúncia ao mundo, a suas responsabilidades e seus compromissos, e a uma austeridade extrema que levaria até mesmo à automortificação. Não será, porém, um desafio e uma realização maiores viver neste mundo, com todas as suas atribulações e tentações, e, ao mesmo tempo, manter o equilíbrio e o autocontrole na experiência cotidiana de um chefe de família? Ser espiritual não significa negar ou esquecer o corpo. Na jornada para atingir a meta espiritual, o corpo deve manter-se ativo. A ioga é tão antiga e tradicional quanto a civilização e persiste na sociedade moderna como um meio de alcançar a vitalidade essencial. Mas ela requer além de um corpo vigoroso, uma mente atenta e perceptiva. O iogue sabe que o corpo físico não é somente o templo da Alma, mas o meio pelo qual iniciamos a jornada interior em busca do nosso centro. Só podemos esperar realizar alguma coisa em nossa vida espiritual se primeiro prestarmos atenção no corpo físico. Se uma pessoa almeja experimentar o divino, mas seu corpo é fraco demais para suportar o fardo, de que servem sua vontade e ambição? Essa é a principal razão, portanto, para que a maioria dos que sofrem algum tipo de limitação e debilidade física se inicie o mais rápido possível na ioga, a fim de se pôr em forma para a viagem que tem pela frente.

As técnicas oferecidas pela ioga fazem que fiquemos atentos, levam-nos à expansão e ao aprofundamento, à mudança e à evolução com a finalidade de nos tornar aptos e despertar nossa sensibilidade e receptividade para uma vida da qual só temos uma vaga consciência. Começamos no plano do corpo físico, o aspecto mais concreto e acessível a todos nós. É aqui que a prática de ássana e pranaiama nos permite entender o corpo com um discernimento maior e, por meio dele, compreender a mente e chegar à Alma. Para o iogue, o corpo é o laboratório da vida, um campo de experimentação e pesquisa permanente.

Para o iogue, o corpo físico corresponde a um dos elementos da natureza, a terra. Somos barro mortal e retornamos ao pó. Todas as culturas reconhecem essa verdade, mas hoje em dia nós a encaramos como simples metáfora. É mais do que isso, no entanto. Quando explora seu corpo, você está explorando, de fato, esse elemento da própria natureza e desenvolvendo dentro de si as qualidades da terra: solidez, forma, firmeza e força.

Nos meus livros anteriores, discorri longamente sobre os *yogasanas*. Neste capítulo, discutiremos o ássana não como a técnica relativa a cada posição, mas como qualidades e atributos nos quais devemos nos empenhar em cada postura e na própria vida. À medida que aperfeiçoamos o ássana, começamos a entender a verdadeira natureza da nossa corporificação, do nosso ser e da divindade que nos anima. E quando nos libertamos das incapacidades físicas, das perturbações emocionais e das distrações mentais, abrimos os portões da Alma (*atma*). Para compreender isso, é preciso mais do que proficiência técnica; cada ássana deve ser realizado não como um simples exercício físico, mas como meio de entender o corpo e então integrá-lo com a respiração, a mente, a inteligência, a consciência e o centro. Dessa maneira, pode-se experimentar a verdadeira integração e alcançar a liberdade suprema.

A verdadeira natureza da saúde

A única coisa que a maioria das pessoas espera do corpo é que ele não as incomode. Elas se sentem saudáveis se não estão padecendo de nenhuma enfermidade ou dor, sem se dar conta de que o desequilíbrio que existe no corpo e na mente acabará por fazê-las adoecer. São três os efeitos da ioga sobre a saúde: ela mantém saudáveis as pessoas sadias, inibe o desenvolvimento de doenças e ajuda a combater enfermidades.

Mas a doença não é só um fenômeno físico. Tudo que perturba sua vida e sua prática espirituais é uma doença e, com o tempo, se manifestará em alguma enfermidade. A maioria das pessoas separou a mente do corpo e baniu a Alma da vida cotidiana, por isso esquece que o bem-estar dos três (corpo, mente e Alma) está intimamente entrelaçado, como as fibras musculares.

A saúde começa com a firmeza do corpo, aprofunda-se até a estabilidade emocional, conduz à clareza intelectual, à sabedoria e, finalmente, ao desvelar da Alma. Existem várias categorias de saúde. Há a saúde física, que todos conhecemos, a saúde moral, a saúde mental, a saúde intelectual, a saúde da consciência e, por fim, a saúde divina. Elas têm relação com o estágio de consciência em que nos encontramos e dependem dele, como veremos no capítulo 5.

O iogue, porém, jamais esquece que a saúde deve começar no corpo. O corpo é o rebento da Alma. É preciso nutrir e treinar essa criança. A saúde física não é uma mercadoria que se pode barganhar. Tampouco pode ser ingerida na forma de remédios e pílulas. Ela deve ser conquistada com suor; é algo a ser construído. Você precisa criar dentro de si a experiência da beleza, da libertação e da infinitude. Saúde é isso. Plantas e árvores saudáveis produzem flores e frutos abundantes. Do mesmo modo, numa pessoa sadia, o riso e a felicidade reluzem como os raios de sol.

A prática dos *yogasanas* com o objetivo de ganhar saúde, manter a forma ou conservar a flexibilidade é o exercício externo da ioga. Embora seja um bom ponto de partida, não é o fim. Quando penetramos mais fundo no corpo interior, a mente submerge no ássana. A prática externa inicial mantém-se monótona e periférica, enquanto a segunda prática, mais intensa, literalmente encharca o praticante de suor, impregnando-o a ponto de fazê-lo buscar os efeitos mais profundos do ássana.

Não subestime o valor do ássana. Mesmo nos ássanas mais simples, podem-se experimentar os três níveis de busca: a busca externa, que dá firmeza ao corpo; a busca interna, que dá constância à inteligência; e a busca mais profunda, que traz benevolência. Embora o iniciante geralmente não perceba esses aspectos quando está praticando o ássana, eles estão presentes. Muitas vezes ouvimos as pessoas dizerem que se sentem ativas e leves mesmo com pouca prática. Quando um principiante experimenta esse estado de bem-estar, não se trata simplesmente dos efeitos externos ou anatômicos da ioga. Trata-se também dos efeitos fisiológicos e psicológicos da prática.

Enquanto o corpo não estiver perfeitamente saudável, você ficará preso na consciência do corpo, e nada mais. Isso o desvia do objetivo de curar e cultivar a mente. Precisamos de um corpo vigoroso para desenvolver uma mente vigorosa.

Se não transcendermos as limitações do corpo e removermos suas compulsões, ele se tornará um obstáculo. Portanto, devemos aprender a explorar além de nossas fronteiras, ou seja, expandir e interpenetrar nossa consciência e ganhar domínio sobre nós mesmos. O ássana é ideal para isso.

As chaves para abrir nosso potencial são as qualidades da pureza e da sensibilidade. O objetivo da pureza – ou simplesmente limpeza, como costuma ser chamada nos textos sobre ioga – não é moral, em princípio. O fato é que a pureza possibilita a sensibilidade. Sensibilidade não significa fraqueza ou vulnerabilidade. Trata-se de clareza de percepção, o que favorece ações precisas e perspicazes.

Por outro lado, a rigidez provém da impureza, do acúmulo de toxinas, no sentido físico ou mental – quando a denominamos preconceito ou estreiteza de visão. Rigidez é insensibilidade. Mediante um processo de eliminação e autoaprimoramento, o suor do esforço e o *insight* da compreensão acarretam pureza e sensibilidade.

Os benefícios da pureza e da sensibilidade não se refletem apenas na jornada interior, mas também no ambiente fora de nós, no mundo externo. Os efeitos da impureza são extremamente indesejáveis; levam-nos a desenvolver uma couraça. Quando criamos uma couraça entre nós e o mundo externo, nos furtamos a muitas das possibilidades que a vida oferece. Interrompe-se o livre fluxo da energia cósmica. Torna-se difícil, em todos os sentidos, absorver o que é bom e expelir o que é ruim. Vivemos numa cápsula, naquilo que um poeta chamou de "vã cidadela".

Como todos os mamíferos, somos homeostáticos. Significa que mantemos constantes certos equilíbrios do corpo, como a temperatura, adaptando-nos às mudanças e aos desafios do meio. A força e a flexibilidade permitem ao ser humano manter um equilíbrio interno, mas ele prefere dominar o ambiente a controlar a si mesmo. Aquecimento central, ar-condicionado, carros que tiramos da garagem para percorrer apenas trezentos metros, cidades que ficam acesas a noite toda, alimentos fora da estação importados de todos os cantos do mundo – são todos exemplos de tentativas de fugir à obrigação de adaptar-nos à natureza e de forçá-la a adaptar-se a nós. Nesse processo, vamos ficando fracos e frágeis. Até mesmo meus alunos indianos, que hoje se sentam em cadeiras em casa, têm dificuldades para ficar na posição de lótus, de tão rígidos que se tornaram.

Imagine que você perdeu o emprego. Esse é um desafio externo que traz uma série de preocupações: como pagar a prestação da casa, como sustentar e vestir a família etc. E gera também um grande estresse emocional. Mas, se você estiver em equilíbrio, se houver uma osmose energética entre você e o mundo exterior, você se adaptará e conseguirá sobreviver arranjando um novo trabalho. Pureza e sensibilidade significam que recebemos um contracheque cósmico a cada dia vivido. Quando, por meio da prática, a harmonia e a integração começam a atingir as camadas internas do nosso ser, imediatamente começamos a sentir harmonia e integração com o mundo em que vivemos.

Um dos grandes dons da ioga, mesmo para os iniciantes, é a felicidade que ela traz, um estado de contentamento autoconfiante. A felicidade é boa em si e constitui a base do progresso. Uma mente inquieta não consegue meditar. Uma mente serena e feliz nos permite empreender nossa busca e viver com arte e talento. Vida, liberdade e busca da felicidade – não é disso que fala a Declaração de Independência dos Estados Unidos? Se um iogue a tivesse escrito, ele teria dito vida, felicidade e busca da liberdade. A felicidade às vezes produz estagnação, mas, se a liberdade é resultado da felicidade disciplinada, abre-se a possibilidade da verdadeira libertação.

Como já disse, o corpo não deve ser negligenciado nem tratado com mimos, pois é o único instrumento e o único recurso de que dispomos para embarcar na busca da liberdade. De tempos em tempos, surge uma onda de desprezo pelo corpo, como se ele fosse algo não espiritual. No entanto, ninguém pode se dar ao luxo de negligenciá-lo. Em outros períodos, vira moda ser permissivo com o corpo e desprezar o que não é físico. Contudo, ninguém pode negar que a vida é mais do que meramente prazeres físicos e dor. Se abandonarmos o corpo ou formos complacentes com ele, as doenças virão, e o apego a ele será maior. Seu corpo já não poderá servir de veículo para a jornada interior e pesará como um fardo amarrado ao pescoço na estrada real que leva à Alma. Se você pensa que é o seu corpo, está enganado. Se você pensa que não é o seu corpo, está enganado também. A verdade é que, embora o corpo nasça, viva e morra, só por intermédio dele você poderá ter um vislumbre do divino.

Para a ioga o corpo é muito diferente de como o veem os esportes ocidentais, que o tratam como a um cavalo de corrida, tentando forçá-lo a se tornar mais e mais rápido para competir com outros corpos em velocidade e resistência. Existem hoje na Índia as "olimpíadas" iogues, em que os praticantes podem competir entre si. Não censuro isso. Durante a minha vida, viajei pelo mundo fazendo demonstrações com a finalidade de popularizar a ioga. Embora isso fosse considerado uma mostra de arte, a essência da ioga não tem que ver com exibições externas, mas com o cultivo interno. A ioga é tão bela quanto o Divino. O iogue busca dentro de si tanto a luz como a beleza, a infinitude e a libertação. Certa vez um jornalista disse que eu era "de ferro", e tive de corrigi-lo, pois não sou duro como o ferro, mas duro como o diamante. A dureza do diamante faz parte de seus atributos, mas seu verdadeiro valor está na luz que irradia através dele.

Como então devemos nos aproximar do ássana e praticá-lo de forma que ele nos conduza à saúde e à pureza? Qual é o caminho que leva da flexibilidade à divindade? Os *Yoga sutras* do sábio Patanjali fornecem os fundamentos da vida iogue. O interessante é que há ali somente quatro versos que tratam especificamente do ássana. Cada menção, por isso, requer leitura atenta e profunda compreensão. Patanjali disse que os ássanas trazem perfeição ao corpo, beleza à forma, graça, resistência, solidez e a dureza e o brilho do diamante. Sua definição básica do ássana é "*Sthira sukham asanam*". *Sthira* significa firme, fixo, constante, resistente, duradouro, sereno, calmo e tranquilo.

Sukha significa deleite, conforto, alívio e beatitude. *Asanam* é o plural de ássana em sânscrito. Um ássana deve ser praticado, portanto, sem agitação, perturbação e excitação em todos os níveis do corpo, da mente e da Alma. Ou, tal como o traduzi antes: "Ássana é a firmeza perfeita do corpo, a constância da inteligência e a benevolência".

Quando todos os invólucros do corpo e todas as partes de uma pessoa se coordenam durante a execução do ássana, as flutuações da mente cessam e ela se liberta das aflições. No ássana, você deve alinhar e harmonizar o corpo físico e todas as camadas do sutil corpo emocional, mental e espiritual. Isso é integração. Mas como alinhar esses invólucros e experimentar essa integração? Como encontrar tão profunda transformação em algo que, visto de fora, parece simplesmente um corpo que se estica e contorce em posições incomuns? Tudo começa com a *percepção.*

Percepção: cada poro da pele deve ser um olho

Achamos que a inteligência e a percepção ocorrem exclusivamente no cérebro, mas a ioga ensina que eles devem permear o corpo. Cada parte do corpo deve literalmente ser tragada pela inteligência. Devemos casar a percepção do corpo com a da mente. Quando as duas partes não cooperam, ambas ficam infelizes. Isso produz uma sensação de fragmentação e doença. Por exemplo, só devemos comer quando a boca espontaneamente começa a salivar, pois é a inteligência do corpo a nos dizer que estamos realmente com fome. Do contrário, estamos nos forçando a comer, o que certamente acarretará a doença.

Hoje em dia as pessoas usam tão pouco o corpo que perdem a sensibilidade da percepção corporal. Saem da cama para o carro, do carro para a mesa de trabalho, da mesa de trabalho para o sofá, do sofá para a cama, sem nenhuma percepção dos movimentos, sem nenhuma inteligência. Não há ação. *Ação é movimento com inteligência*. O mundo está repleto de movimento. O que ele precisa é de mais movimento consciente, mais ação. A ioga nos ensina a infundir inteligência aos movimentos, transformando-os em ação. De fato, a ação que se introduz num ássana deve atiçar a inteligência, ao passo que, em geral, apenas a mente é atraída e instigada pelo movimento. Um exemplo disso é quando você fica arrebatadamente preso a uma partida de futebol. Isso não é ioga; ioga é quando você inicia uma ação no ássana e, se em algum outro lugar do corpo algo se move sem a sua permissão, a inteligência questiona e pergunta: "Isso está certo ou errado? Se está errado, o que posso fazer para corrigi-lo?"

Como desenvolver essa inteligência no corpo? Como aprender a converter movimento em ação? Esse aprendizado começa no ássana. Desenvolvemos uma sensibilidade tão intensa que cada poro da pele funciona como um olho interno. Ficamos sensíveis à interface da pele com a carne. Dessa forma, nossa percepção se espalha pela periferia do corpo e pode sentir se, em determinado ássana, o corpo está alinhado. Com a ajuda desses olhos, você pode corrigir e equilibrar suavemente o corpo, de dentro para fora. Isso é diferente de ver com seus dois olhos normais. Na verdade, você está sentindo, está percebendo a posição do seu corpo. Quando fica na postura do guerreiro, com os braços estendidos, você vê os dedos da mão à sua frente, mas também pode senti-los, pode perceber sua posição e sua extensão bem na ponta dos dedos. Além disso, pode atentar para a posição da perna de trás e saber se ela está reta ou não, sem olhar para trás ou num espelho. Você deve observar e corrigir a posição do corpo (ajustando-o dos dois lados) com a ajuda dos trilhões de olhos que são as células. É assim que se começa a trazer percepção ao corpo e fundir a inteligência do cérebro e a do músculo. Essa inteligência deve habitar todas as partes do corpo durante todo o ássana. No momento em que você deixa de sentir a pele, o ássana se torna tedioso, e o fluxo ou corrente da inteligência se perde.

A percepção sensível do corpo e a inteligência do cérebro e do coração devem estar em harmonia. O cérebro pode instruir o corpo a fazer uma postura, mas o coração também precisa senti-la. A cabeça é a sede da inteligência; o coração é a sede da emoção. Ambos precisam trabalhar em cooperação com o corpo.

Há um exercício da vontade, mas o cérebro deve estar disposto a ouvir o corpo e ver o que é razoável e prudente de acordo com a capacidade deste. A inteligência do corpo é um fato, é real. A inteligência do cérebro é apenas imaginação. Assim, a imaginação tem de se tornar real. O cérebro pode sonhar em fazer hoje uma difícil extensão da coluna, mas não pode forçar o impossível nem mesmo a um corpo cheio de boa vontade. Estamos sempre tentando progredir, mas a cooperação interna é essencial.

Pode ser que o cérebro diga: "Podemos fazer isso". Mas então o joelho reage: "Quem é você para me dar ordens? Cabe a mim dizer se posso ou não fazê-lo". Assim, é preciso ouvir o que o corpo diz. Às vezes ele coopera com você; outras, ele reflete sobre o momento. Se necessário, use a inteligência para refletir. As soluções surgem, mesmo que, de início, seja na base da tentativa e do erro. Então você alcançará um verdadeiro entendimento entre o corpo e a mente, mas isso requer humildade no cérebro e compreensão no corpo. O cérebro não sabe tudo. Se ele ganha conhecimento do corpo, poderá aumentar a inteligência corporal mais tarde. Dessa maneira, cérebro e corpo começam a trabalhar juntos para dominar o ássana.

Esse é o processo de entrelaçamento e interpenetração, em que os invólucros ou camadas do ser trabalham em harmonia. Entrelaçamento significa que todos os fios e fibras do nosso ser, em todos os níveis, entram em contato e comunhão uns com os outros. É assim que o corpo e a mente aprendem a trabalhar juntos. Nossa pele constitui a camada mais externa da inteligência. No nosso âmago se encontra a sabedoria mais profunda. Dessa forma, os conhecimentos oriundos da percepção externa e da sabedoria interna devem estar sempre em contato nas posturas. Nesse momento não há dualidade; você é um, é completo, e existe sem a sensação de existir. O desafio que parte da pele deve estimular o Eu, nossa Alma, e o Eu deve perguntar: "O que mais tenho de fazer?" O conhecimento externo incita o Eu a agir.

Como disse, ao praticar ioga, é o corpo que deve lhe dizer o que fazer, não o cérebro. O cérebro tem de cooperar com a mensagem que recebe do corpo. Sempre digo aos alunos: "Seu cérebro não está no seu corpo! É por isso que não conseguem realizar o ássana". Quero dizer, é claro, que a inteligência deles está na cabeça, e não preenchendo o corpo. Pode ser que o cérebro se mova mais rápido que o corpo, ou que corpo não consiga cumprir as instruções do cérebro, por falta de uma orientação correta da inteligência. Você precisa aprender a mover o cérebro um pouco mais devagar, para que ele acompanhe o corpo, ou fazer que o corpo se mova mais rápido, para alcançar a inteligência do cérebro. Deixe que o corpo faça e que o cérebro observe.

Depois de agir, reflita sobre o que você fez. O cérebro interpretou corretamente a ação? Se o cérebro não observa corretamente, a ação fica confusa. Ele deve receber conhecimento do corpo e então guiá-lo para aprimorar a ação. Entre um movimento e outro, pare e reflita. Isso é atenção progressiva. Então, na quietude, você pode ser preenchido pela percepção. Pergunte-se: "Cada parte do meu corpo fez o seu trabalho?" O Eu precisa descobrir se este foi bem feito ou não.

Parar para refletir no movimento não quer dizer que você não reflita durante o movimento. Deve haver uma análise constante durante toda a ação, não apenas depois. Isso leva à verdadeira compreensão. O real significado do conhecimento é a sincronia da ação com a análise. O movimento lento possibilita a inteligência reflexiva. Permite à mente observá-lo e resulta numa ação hábil. A arte da ioga reside na acuidade da observação.

Quando perguntamos "O que estou fazendo?" e "Por que estou fazendo isso?", nossa mente se abre. Isso é autopercepção. É preciso assinalar, no entanto, que os alunos devem ser autoperceptivos, não autoconscientes. Autoconsciência é quando a mente constantemente se preocupa e se indaga sobre si mesma, duvidando e se absorvendo em si mesma. É como ter um anjo e um demônio pousados em seus ombros discutindo o tempo todo sobre o que você deveria fazer. Quando está autoconsciente, você fica exausto. Tensiona os músculos desnecessariamente porque está pensando no ássana e no quanto pretende alongar-se, em vez de sentir o ássana e alongar-se de acordo com sua capacidade.

Autopercepção é o oposto de autoconsciência. Quando está autoperceptivo, você está completamente em si mesmo, e não olhando de fora para dentro. Está atento ao que faz, sem ego nem orgulho.

Quando não se consegue manter o corpo quieto, não se consegue manter o cérebro quieto. Se você não conhece o silêncio do corpo, não pode compreender o silêncio da mente. A ação e o silêncio têm de vir juntos. Se há ação, deve haver silêncio. Se há silêncio, pode haver ação consciente, em vez de apenas movimento. Quando ação e silêncio se combinam como o pedal da embreagem e a alavanca de câmbio num carro, significa que a inteligência está engrenada.

Ao fazer as posturas, sua mente deve estar num estado de consciência interior que não é o mesmo que dormir; significa silêncio, vazio, espaço que pode ser preenchido por uma percepção aguda das sensações trazidas pela postura. Você se observa de dentro. É um silêncio absoluto. Ao praticar o ássana, mantenha uma atitude de desapego em relação ao corpo e, ao mesmo tempo, não negligencie nenhuma parte dele nem demonstre pressa, mas permaneça alerta. A pressa esgota a resistência, seja em Nova Déli, seja em Nova York. Faça as coisas com ritmo e com a mente calma.

É difícil explicar em palavras o que é a consciência corporal. É mais fácil experimentá-la, descobrir o que é. É como se os raios de luz da inteligência irradiassem por todo o corpo, desde os braços até a ponta dos dedos, descendo pelas pernas até a sola dos pés. À medida que isso acontece, a mente se torna passiva e começa a relaxar. Mas não é uma passividade tediosa, vazia; é uma passividade alerta. O estado de repouso alerta regenera a mente e purifica o corpo.

Enquanto está fazendo o ássana, você tem de recarregar sua percepção intelectual o tempo todo; isso significa que a atenção flui sem interrupção. No momento em que você desmorona, deixa de se recarregar, e a atenção se dispersa. Dessa forma, a prática do ássana vira um hábito, não um revigorante exercício criativo. Mas, quando você concentra sua atenção, está criando algo, e a criação tem vida e energia. A percepção nos permite vencer o cansaço e a exaustão nas posturas e na vida. Os iogues que se desviam do seu caminho para ajudar aqueles que os procuram são sempre consumidos pela fadiga. São os ossos do ofício de um professor de ioga. Assim, temos de aceitar a fadiga e nos empenhar de novo, com uma percepção intensa, para regenerar o corpo e recuperar a energia. A percepção na ação devolve-nos a energia e rejuvenesce o corpo e a mente. A percepção traz vida. A vida é dinâmica, e assim também devem ser os ássanas.

Expansão dinâmica: partindo do centro do seu ser

O objetivo ao praticar os ássanas é começá-los no centro do seu ser e expandi-los dinamicamente a toda a periferia do seu corpo. Quando você se alonga, a periferia, por sua vez, remete as mensagens ao centro. Da cabeça aos calcanhares, você precisa encontrar o seu centro e, a partir dele, estender-se e expandir-se em longitude e latitude. Se a extensão começa na inteligência do cérebro, a expansão parte da inteligência do coração. Ao fazer o ássana, tanto a inteligência intelectual como a emocional têm de se unir e trabalhar juntas. Costumo dizer que extensão é atenção, e expansão, percepção. É levar a atenção e a percepção até as extremidades do corpo e ativar a pele.

Enquanto pratica o ássana, é muito importante desenvolver sensibilidade na pele. É preciso criar espaço entre a pele e o tecido subjacente para que não haja fricção entre eles. Os tecidos contêm os nervos motores, e a pele, os nervos sensórios. Para fazer a inteligência circular livremente pelo corpo, sem interrupção, eles precisam funcionar entendendo um ao outro. É como uma lontra que só está colada a sua pele pelo nariz, pelas patas e pela cauda, e parece mover-se sem impedimentos.

A extensão e a expansão estão sempre firmemente arraigadas no centro do ser. É aí que elas se originam. A maioria das pessoas, ao se alongar, simplesmente se estica *até* o ponto que deseja alcançar, mas esquece de se estender e expandir a partir do ponto onde está. Quando você se estende e expande, não está se alongando *até*; está também se alongando *a partir de*. Tente manter o braço na lateral do corpo e estenda-o. Sentiu que o tórax todo se moveu com ele? Agora tente centrar-se e estenda seu braço até a ponta dos dedos. Notou a diferença? Percebeu o espaço que você criou e como se alongou a partir do centro? Agora tente alongar seu braço para fora em todas as direções, como se ampliasse a circunferência. A extensão deve produzir sensibilidade e a sensação de criar espaço em todas as direções.

A hiperextensão ocorre quando se perde contato com o centro, com o núcleo divino. O ego quer simplesmente esticar-se mais, alcançar o chão, ignorando sua capacidade, em vez de alongar-se gradualmente desde o centro. Cada movimento deve ser uma arte – uma arte da qual o Eu é o único espectador. Mantenha a atenção dentro, não fora, sem se preocupar com o que os outros veem, mas sim com o que o Eu vê. Não se fixe em quanto gostaria de se alongar, mas em alongar-se corretamente. Mantenha o foco não em onde quer chegar, mas até onde pode ir com a extensão dinâmica.

A extensão não deve ser nem demais de menos. Se uma coisa se estica demais, outra se estica de menos. Se a hiperextensão vem de um ego inflado, a extensão insuficiente vem da falta de confiança. Ambas estão erradas. Alongue-se sempre a partir da fonte, do centro, do fundamento de cada ássana. Essa é a arte da extensão dinâmica. Não é a ioga que causa lesões; é o jeito de praticá-la que as provoca. Se o espaço momentâneo se torna estreito, significa que você está se machucando. No ássana correto, não há estreiteza. Mesmo que o seu corpo esteja retesado, você precisa criar espaço.

Tente sempre *estender e expandir* o corpo. A extensão e a expansão abrem espaço, e o espaço traz liberdade. Liberdade é precisão, e a precisão é divina. Da liberdade do corpo vem a liberdade da mente e, então, a Liberdade Suprema. A Liberdade Suprema na qual se empenha a ioga pode ser experimentada no corpo, à medida que cada membro ganha independência, flexibilidade e liberdade dos membros vizinhos. Viver num corpo rígido e retesado é, certamente, como usar uma camisa de força ou passar a vida na prisão.

O movimento da pele permite compreender o ássana. Você deve sentir a extensão até os limites da pele. Como já disse, a pele é o cérebro do corpo; é ela que conta o que está acontecendo em todas as partes. Como um espelho, ela reflete o nosso estado mental: se estamos tensos, desanimados, flácidos, inchados, hesitantes ou frustrados. Por isso, observe a qualidade da sua pele ao praticar.

Quando você se estende até a sua pele, suas terminações nervosas também se estendem. Com isso, elas se abrem e podem eliminar as impurezas armazenadas. É por isso que ensino extensão e expansão. Os nervos se soltam e relaxam. Você tem a sensação de estar estendendo a pele, os músculos e até os ossos do corpo. Pratique os ássanas criando espaço nos músculos e na pele, para que o corpo se encaixe no ássana. Para isso, o corpo inteiro tem de agir. Para estender a parte, você precisa estender o todo.

Se a extensão é uniforme, envolvendo todo o corpo, não há nenhuma tensão. Isso não significa que não há esforço. Há, mas esse esforço produz alegria. Não há nenhuma tensão ou estresse indevido, e sentimos uma exaltação interna. Quando há tensão, a prática da ioga é meramente física e leva ao desequilíbrio e a erros de julgamento. Somos tomados pelo cansaço e pela fadiga, ficamos irritados e indispostos. Quando a tensão se vai e o cérebro está passivo, a ioga se torna espiritual. Depois que tiver alcançado o máximo de extensão, viva nesse ássana e sinta nele a alegria da liberdade. Ao se alongar, você deve sempre criar espaço e estender-se a partir do seu centro. Contração é servidão; expansão é liberdade.

A expansão horizontal e a extensão vertical devem sincronizar-se para que você se alongue em todas as direções. Liberdade numa postura é quando cada articulação está ativa. Devemos estar inteiros em qualquer postura que façamos, assim como devemos estar inteiros em tudo que fazemos na vida. Ao realizar as posturas, é importante observar até onde nossa percepção se estende, até onde ela penetra, a partir do centro. Do mesmo modo que o rio flui para o mar sem interrupção, nossa extensão deve ser uma ação contínua com atenção contínua. Assim como o rio, os movimentos devem estar nessa ação contínua, do começo ao fim. Então, a energia no sistema nervoso fluirá como o rio. À medida que se alonga, veja se a energia flui sem interrupção ou não. Para todos os lados que você se alonga, está indo em direção ao cosmo. Sua energia se estende até a superfície da pele e mais além. Esse é o segredo utilizado pelas artes marciais para gerar uma força extraordinária. Seus praticantes não golpeiam um tijolo; golpeiam através dele. Estenda a energia do ássana através de suas extremidades. Deixe que o rio flua através de você.

Extensão é liberdade, e a liberdade permite relaxar. Quando há relaxamento no ássana, não há fadiga. Contudo, é preciso saber distinguir entre relaxamento e lassidão. Na lassidão, reinam o caos, a desatenção, o desleixo, e, portanto, o fluxo de energia é errático. No relaxamento, há um ajuste meticuloso, por isso a energia é rítmica. Quando estamos relaxados no ássana, nos movemos para fora mas ao mesmo tempo estamos centrados; a extensão é externa, e a penetração, interna. Foi isso que Patanjali quis dizer no segundo sutra sobre o ássana, ao afirmar: "Atinge-se a perfeição quando o esforço para executá-lo se torna sem esforço e o ser infinito interior é alcançado".

Relaxamento: em cada postura deve haver repouso

Na posição certa, há sempre relaxamento, embora estejamos totalmente alongados. O ego é um capataz inflexível; não sabe que o ássana requer equilíbrio entre atividade e passividade, esforço e relaxamento. Quando há extensão e relaxamento, nem o corpo nem a mente oscilam. O equilíbrio entre atividade e passividade transforma o cérebro ativo em testemunha. Para isso, é preciso manter o cérebro passivo e as células do corpo ativas, sem tolher os músculos. Quando só há esforço, a carga nos músculos é constante; eles se cansam devido ao excesso de estiramento, e sobrevém a lesão. A mente não se equilibra quando há esforço.

Relaxar significa liberar a desnecessária tensão muscular do corpo, o que produz firmeza no corpo interior e serenidade na mente. Mas como experimentar essa paz quando se está brigando com o corpo? De que forma experimentar essa serenidade quando o aprendizado do ássana traz dor e sofrimento? Retomaremos esse tema mais tarde, quando discutiremos como é possível enfrentar a dor com equanimidade, firmeza e serenidade. A seguir, darei algumas dicas de como relaxar no ássana, deixar o corpo leve e evitar a rigidez e o retesamento.

Comece o ássana soltando a respiração até sentir nas células e no Eu um estado de silêncio. Inspiração é tensão; expiração é liberdade. Todos os movimentos devem ser feitos na expiração. A expiração elimina o estresse e a tensão do corpo.

Após fazer o ássana, se quiser alongar-se um pouco mais, expire e estenda os músculos de novo. O reajuste do ássana depois da expiração trabalha o corpo orgânico, interno, ao passo que, se realizado durante a inspiração, atua sobre o corpo físico, externo. Embora só se possa avaliar um ássana objetivamente vendo-o de fora, é dentro que ele se sustenta. Ao atingir a postura final, deve-se aprender a soltar o esforço e o retesamento dos músculos e transferir a carga para os ligamentos e as articulações, de modo que mantenham a estabilidade do ássana sem que nem mesmo a respiração faça o corpo oscilar.

Enquanto sustenta o alongamento, concentre-se não em segurar-se, mas em relaxar e abrir-se. Isso relaxa o cérebro e o corpo. Relaxe o pescoço e também a cabeça. Se mantiver a pele da nuca passiva e a língua solta, não haverá tensão no cérebro. Isso é silêncio na ação, relaxamento na ação. Assim que aprender a relaxar a língua e a garganta, você aprenderá a relaxar o cérebro, pois existe uma conexão entre essas três partes. De acordo com a ioga, a garganta é a região do chacra *vishuddhi*, a roda da purificação. Tensão indica uma intoxicação que induz a mais impurezas. Enquanto a garganta estiver tensa por dentro, em vez de relaxada, essa roda será impura. Olhe para o Eu, não para o ego. Se a garganta estiver tensa durante o ássana ou o pranaiama, significa que você está praticando com seu cérebro egoísta, não com o corpo. Não cerre os dentes, pois então você estará "cerrando" também o cérebro. São coisas que você pode perceber não só quando está praticando os *yogasanas*, mas também quando está trabalhando no escritório.

Ao manter o alongamento, observe ainda os seus olhos. A tensão nos olhos afeta igualmente o cérebro. Se os olhos estão serenos e silenciosos, o cérebro fica tranquilo e passivo. O cérebro só pode aprender quando começa a relaxar. Quando ele está tenso e nervoso, o caos se instala e ele não consegue entender coisa alguma. Os olhos estão perto do cérebro, e seu comportamento reflete o estado cerebral. Quando estamos confusos, o cenho se franze e os olhos se mostram instáveis e se estreitam. Quando os olhos se contraem, o cérebro se fecha e o estresse aumenta. Se os olhos estão bem abertos, o cérebro se torna perspicaz e receptivo. Se os seus olhos estão tensos, significa que você está ansioso: é o cérebro que está fazendo o ássana, não o corpo. Se há tensão no seu olhar, então seus nervos já estão exaustos e você está se alongando inutilmente, o que produz perda de energia. Ao praticar o ássana, tentamos gerar e estabilizar energia – conservá-la em vez de desperdiçá-la desnecessariamente. Relaxe o olhar, senão você desperdiçará muita energia.

Os olhos devem estar serenos e voltados para dentro. Durante a prática, mantenha-os abertos e relaxados, enquanto olha para trás. Esse olhar para trás educa os olhos a olhar para dentro e lhe permite observar o corpo e o cérebro. Deixe que os olhos desabrochem como flores. Sentir é olhar; olhar é sentir. Você tem de sentir com os olhos abertos. Se os olhos estão voltados para fora, não há integração.

Quando dirigimos os olhos para a frente a partir da lateral da têmpora, no campo normal de visão, a parte anterior do cérebro funciona analiticamente (*vitarka*). Mas, quando ampliamos a consciência ocular desde a parte de trás da têmpora, próxima à orelha, a porção posterior do cérebro entra em ação e trabalha com a síntese (*vicara*). A parte frontal do cérebro pode desmantelar-se por causa de sua intensa compreensão. Já a parte posterior é holística e reagrupa. Se não consegue imaginar isso, pense no que acontece quando você entra numa catedral medieval. Pode parecer que seus olhos se dirigem para o que está diante deles, o altar, por exemplo, mas sua percepção real assimila todo o imenso volume do espaço à sua volta, sua grandiosidade e o zumbido do seu silêncio antigo. Isso é visão meditativa holística.

Se, durante a prática do ássana, a ação é realizada somente a partir do cérebro frontal, a ação reflexiva do cérebro posterior fica bloqueada. A forma de cada ássana precisa refletir-se no corpo da sabedoria (*vijnanamaya kosa*) para permitir o reajuste e o realinhamento. Sempre que o ássana é feito mecanicamente, a partir da parte frontal do cérebro, a ação só se faz sentir no corpo periférico, e assim não há sensação interna, não há luz interna. Se o ássana parte do fundo do cérebro, mantendo-o como referência constante, cada ação desencadeia uma reação, e há sensibilidade. Então, não só a vida se torna dinâmica, como é energizada pela força vital.

A luz e a vida da nossa visão devem irradiar por toda parte. Por fim, o olho da Alma, conhecido como "terceiro olho", se encontra entre as sobrancelhas, mas um pouco acima delas. Se ele está sereno, sua Alma está serena e, como uma testemunha, observa tudo sem se deixar afetar nem envolver. Por isso, a pele das sobrancelhas também deve estar relaxada.

O relaxamento começa na camada externa do corpo e penetra as camadas profundas da existência. O detalhe e a precisão do corpo levam ao domínio da arte do relaxamento. Aquele que conhece a arte do relaxamento conhece também a arte da meditação. Não importa se vivemos no Oriente ou no Ocidente, no Norte ou no Sul, todos padecemos de estresse e ansiamos por repouso e relaxamento. Quando totalmente alongados, estamos totalmente relaxados. Observe os gatos, mestres do alongamento e do relaxamento. O "esforço sem esforço" descrito por Patanjali se caracteriza também por outra qualidade importante: a leveza.

Leveza: pense leve e sinta-se leve

Quando o ássana é feito corretamente, os movimentos do corpo são suaves; há luz no corpo e liberdade na mente. Quando o ássana produz sensação de peso, está incorreto. Você deve tentar transmitir a sensação de leveza para todo o corpo. Para isso, é preciso estender-se mentalmente para fora a partir do centro do corpo, ou seja, pensar alto e agir rumo ao alto. Pense não apenas em erguer os braços, mas em estendê-los para fora no sentido físico, e, ao mantê-los imóveis, pense de novo em estender a inteligência, alongando-se mais além do seu corpo. Não pense em si mesmo como alguém pequeno, contraído, que sofre. Pense em si mesmo como alguém gracioso e em expansão, por mais improvável que isso pareça no momento.

Quando se perde a leveza, o corpo se retrai. No instante em que ele se retrai, o cérebro se torna pesado e vagaroso, e você não enxerga nada. As portas da percepção estão cerradas. Você deve imediatamente erguer a inteligência do peito e abrir a mente. As laterais do tórax são como pilares: devem estar sempre firmes. A má postura é como um narcótico para o corpo. Quando os pais dizem aos filhos para corrigir a postura, é porque instintivamente sabem que o peito afundado faz desmoronar o Eu. A Alma se retrai porque a mente se retrai. É tarefa da coluna manter a mente alerta. Para isso, ela precisa manter o cérebro na posição correta. A coluna nunca deve afrouxar-se, deve alongar-se até o Eu. Do contrário, a luz divina dentro de nós se obscurece.

Ao se alongar no ássana, mantenha essa leveza. É por essa razão que costumo dizer que, em todos os ássanas, é preciso subir para descer e descer para subir. Se quisermos tocar os dedos dos pés, por exemplo, precisamos primeiro estirar-nos para cima e abrir a dobradiça no meio do corpo; então podemos descer. Do mesmo modo, descemos para subir. O que estamos tentando fazer é completar um círculo, tal como no famoso desenho das proporções humanas de Leonardo da Vinci, o *Homem vitruviano*. Nosso objetivo não é romper um cordão puxando-o em duas direções opostas. O que estamos buscando é o equilíbrio da polaridade, não o antagonismo da dualidade.

Quando há flexibilidade no corpo e leveza na mente, o ássana está correto. Rigidez e peso demonstram que o ássana está errado. Sempre que há tensão, o cérebro exagera na reação e você fica preso nessa armadilha; aí não há liberdade. O ássana executado a partir do intelecto do coração, com leveza, firmeza e, ao mesmo tempo, suavidade, significa alongamento total, extensão total e expansão total. O ássana feito a partir do cérebro nos deixa pesados; quando feito do coração, nos deixa leves.

Quando o ássana deve ser flexível e quando deve ser rígido? No movimento, todos os músculos devem ser como as pétalas de uma flor: abertos e flexíveis. Nunca fique rígido ao se mover; enrijeça apenas depois que atingiu a posição. Assim como o agricultor lavra o campo para amainar o solo, o iogue lavra os nervos para que possam germinar e viver melhor. Praticar ioga é remover as ervas daninhas do corpo para que o jardim floresça. Se o terreno for muito árido, que tipo vida poderá medrar ali? Se o corpo for rijo demais e a mente muito rígida, que tipo de vida os aguarda?

Ao contrário da rigidez, a tensão não é boa nem má. Ela precisa estar presente no momento certo, na quantidade certa.

Pesá-la ou equilibrá-la de maneira uniforme é vida. Para os iogues, não há nada nesse mundo que não carregue alguma tensão. Até os cadáveres têm tensão. Você precisa descobrir a dose certa de tensão em seu corpo; ela manterá toda a energia corporal. Tensão demais é agressão. As lesões resultam da agressão, de movimentos agressivos, não da prática da ioga. Mas tensão de menos é fraqueza. Deve haver no corpo uma tensão correta. Esta é a tensão saudável. Todas as partes do corpo devem ser trazidas à vida. Lembre-se: nunca enrijeça durante o movimento. Extensão é tensão, mas não é a mesma coisa que rigidez. A rigidez nos deixa frágeis e nos faz perder o equilíbrio. Devemos alcançar o equilíbrio em todos os níveis do corpo e da existência.

Equilíbrio: uniformidade é harmonia

Por meio da ioga pode-se desenvolver um equilíbrio perfeito entre os dois lados do corpo. Todos nós começamos em desequilíbrio, favorecendo um ou outro lado. Quando um lado está mais ativo que o outro, o lado ativo deve atuar como guru do lado inativo para que este se torne igualmente ativo. Devemos prestar atenção e dedicar mais cuidado ao lado mais fraco. Mostramos um interesse mais vívido em ajudar um amigo lento e esforçado do que um amigo perspicaz e inteligente. Assim, você tem de demonstrar essa mesma compaixão e atuar sobre o lado mais fraco ao mesmo tempo que se compraz com as realizações do lado ativo.

A precisão na ação advém de contrapor a um dos lados um desafio igual ao que foi proposto ao outro lado. Isso inflama a luz do conhecimento. Mantenha o equilíbrio recorrendo à inteligência do corpo (seja ela instinto, sentimento ou capacidade), mas não à força. Quando se mantém o equilíbrio à força, a ação é física; quando ele é mantido pela inteligência do corpo, trata-se de relaxamento na ação. Uniformidade é harmonia, e somente em harmonia se pode aprender.

Busque o equilíbrio da percepção em todas as posturas observando as diferenças à direita e à esquerda, bem como a intensidade do alongamento de um plano a outro, de um membro a outro, de um músculo a outro, de uma articulação a outra, de baixo para cima, de lado a lado, de trás para a frente. Crie um alongamento igual, uma estabilidade igual, uma distância igual, a mesma intensidade de movimento. Para alinhar corretamente uma parte do corpo, você precisa trabalhar com o corpo inteiro, com cada uma e todas as partes. Em cada ássana ou pranaiama, é preciso saber qual deve ser a função ou o estado de cada região e cada parte do corpo – se ativa ou passiva, estável ou móvel. Ao executar os ássanas, nenhuma parte do corpo deve estar ociosa, nenhuma parte deve ser negligenciada. Se está alongando a perna direita, por exemplo, você não pode esquecer da esquerda. Ao contrário, você precisa alertar a perna esquerda a permanecer estável. Essa ação complementar libera a perna direita para mover-se com facilidade. Estenda a parte do corpo que não está se movendo. Se transpirar de um lado, você deve igualmente transpirar do outro. Quando transpira mais de um lado, é sinal de que não usou plenamente a outra parte. A transpiração deve ser uniforme, mas não excessiva.

Se o contato entre o corpo e o chão – o alicerce – for bom, o ássana será bem executado. Fique sempre de olho na base: esteja atento à parte mais próxima do chão. Corrija-se primeiro na raiz. As posturas em pé têm o objetivo de fornecer esse fundamento para a vida. Elas fortalecem os tornozelos e os joelhos. Quando uma pessoa está mentalmente confusa ou desanimada, ela não consegue manter-se firme nos pés. Essas posturas ensinam-na a permanecer ereta para que o cérebro possa flutuar na posição que lhe é própria. Os pés são como a raiz de uma árvore. Se alguém não se sustenta em pé corretamente, acaba desenvolvendo uma atitude negativa diante da vida e sua ioga também se torna instável. Essas posturas ajudam a manter a estabilidade em momentos de dificuldade e mesmo em face de acontecimentos catastróficos. Quando a estabilidade se converte num hábito, seguem-se a maturidade e a clareza. A estabilidade requer equilíbrio.

O equilíbrio não se limita ao corpo. O equilíbrio no corpo é o fundamento do equilíbrio na vida. É preciso encontrar equilíbrio em qualquer posição ou em qualquer circunstância da vida. O equilíbrio é o estado do presente: aqui e agora. Se você se equilibra no presente, está vivendo na eternidade. Quando o intelecto é estável, não há passado nem futuro, somente o presente. Não viva no futuro; só o presente é real. A mente, com seus planos, preocupações e indagações, leva-nos constantemente para o futuro. A memória, com suas ruminações e arrependimentos, leva-nos ao passado. Somente o Eu nos traz para o presente, pois só no agora podemos experimentar o divino. Passado, presente e futuro se integram em cada ássana, pois o pensamento, a palavra e o ato se tornam um.

Precisamos encontrar a linha média de cada ássana para que a energia se distribua adequadamente. Quando oscilamos em relação ao meridiano, somos lançados para o passado ou para o futuro. No eixo vertical ascendente está o futuro; no eixo vertical descendente está o passado. No horizontal está o presente. O presente é o ássana perfeito. Quando nos abrimos horizontalmente, o futuro e o passado se encontram no presente. É assim que a expansão dinâmica no permite encontrar o equilíbrio e viver plenamente no presente através do corpo. No ássana encontramos equilíbrio e integração nas três dimensões do espaço, mas também encontramos equilíbrio e integração na quarta dimensão do tempo.

Os sábios antigos diziam que a chave da vida era o equilíbrio – equilíbrio, como enfatizei, em cada camada do nosso ser.

Mas o que devemos equilibrar? A resposta está nos três atributos da natureza, chamados de *gunas*. Esses atributos precisam ser equilibrados na prática do ássana e no corpo, na mente e na Alma. São traduzidos, de maneira aproximada, como solidez, dinamismo e luminosidade.

Vimos que a essência da natureza é a mudança, a infindável expressão e reexpressão de si mesma. Devemos indagar o que provoca essa mudança constante. Por que as coisas simplesmente não permanecem como são? É por causa dos *gunas*, as três forças complementares que, segundo a filosofia indiana, brotam da própria raiz da natureza no momento da criação. Entender os *gunas* é importante para que você seja bem-sucedido na prática dos *yogasanas* e na sua jornada interior rumo à Alma Universal.

Tão logo a natureza se manifesta, essas três forças se deslocam. Perdem o equilíbrio e criam instabilidade. A instabilidade é muito fértil. Os matemáticos dizem que os números progridem do um ao dois, do dois ao três e do três a uma infinidade de outros. É o número três que descerra a possibilidade da diversidade infinita. A origem infinita, não manifesta, é o um. A dualidade é o dois. Dualidade é a ideia ou conceito de separação, de divisão, mas sozinha ela não pode se manifestar em fenômeno. O três é uma onda, uma curva senoidal, uma vibração semelhante à luz ou ao som. Quando duas ondas colidem, um novo fenômeno é criado. Essa é a criatividade inerente da natureza. Mesmo no nível mais sutil da vibração e das partículas subatômicas, a oscilação intrínseca da natureza desencadeia um ciclo infinito de criação, destruição e recriação. Do três se originam muitos.

Como disse, os *gunas* se compõem de três forças complementares: *tamas* (massa ou inércia), *rajas* (vibração ou dinamismo) e *sattva* (luminosidade ou qualidade da luz).

Vejamos um exemplo prático. No ássana, tentamos transpassar a massa do nosso corpo denso, romper as moléculas e dividi-

-las em átomos que permitirão à visão penetrar seu interior. O corpo resiste a nós. Ele é teimoso; não arreda pé. Por quê? Porque *tamas* predomina no corpo. É assim que deve ser. O corpo precisa de massa, os ossos precisam de densidade, os tendões e músculos precisam de solidez e firmeza. O que se deseja é um corpo robusto, não músculos frouxos.

A densidade nos ossos é uma virtude, mas no cérebro é um vício. Porque no cérebro e no sistema nervoso é *rajas* (dinamismo e vibração) que deve predominar, e a densidade aí é um risco. Se a mente é naturalmente rápida, inconstante e astuta, o corpo tende a ser pesado, inerte, preguiçoso. O excesso não é bem-vindo; um corpo que se limita aos músculos é como um carro pesado com motor pequeno: só se moverá lentamente. Mais do que isso, ele requer mais energia para vencer a inércia do que para ganhar velocidade. Por exemplo, é mais difícil empurrar um carro parado até que ele atinja um quilômetro por hora do que empurrá-lo para que passe de um para dois quilômetros por hora.

Na prática do ássana, isso significa que precisamos esforçar-nos mais quando a resistência é maior. Entre os dois aspectos do ássana – o esforço físico e a penetração da mente –, o último é o mais importante. Penetrar a mente é o nosso objetivo, mas no começo, para imprimir o movimento, não há nada como o suor. Uma vez, no entanto, que se instale o movimento, e então o impulso, pode ter início a penetração. Quando o esforço se torna sem esforço, o ássana atinge seu nível mais alto. Trata-se, inevitavelmente, de um processo lento, e, se interrompermos a prática, a inércia se restabelecerá. O que fazemos, na verdade, é infundir na matéria densa energia vibrante. É por isso que a prática bem-feita traz uma sensação de leveza e vitalidade. Embora a massa corporal seja pesada, fomos feitos para caminhar leves sobre a Terra.

É preciso ficar claro que os principais aspectos aqui são a proporção adequada e o equilíbrio dos *gunas* de acordo com o fenômeno material em ação. Por exemplo, é adequado que uma mesa seja muito *tamásica*. Se quisermos que ela seja mais *rajásica*, precisamos acrescentar-lhe rodas e chamá-la de carrinho. *Tamas* confere densidade e massa, e quando essas qualidades excedem nossas necessidades o resultado é entorpecimento e inércia. Não se pode energizar uma massa inerte com *rajas*.

O aspecto negativo de *rajas* é a turbulência, o frenesi, a agitação. O que desejamos é uma mente ágil, não agitada. Queremos também que ela seja calma e clara, o que nos leva a *sattva*. Essas palavras expressam mais um valor que uma realidade explícita. A verdade é que experimentamos muito pouco de *sattva* para conhecer bem essa força. A solidez de *tamas* e o atraente movimento de *rajas* eclipsam a nossa visão. Num mundo de objetos e de excitação dos sentidos, *tamas* e *rajas* reinam. Mas, se você se aproxima da ioga com o desejo de aprender a relaxar de verdade e ao mesmo tempo permanecer alerta, então o que você está buscando é que *sattva* desempenhe um papel mais proeminente na sua vida. Para descrever *sattva*, usamos a palavra "luminosidade", que se refere à qualidade interior, serena, da luz. É essa qualidade que tentamos elevar e integrar dentro de nós. A luminosidade é clara, alerta e tranquila.

A interação das três forças dos *gunas* tem importância crucial para a prática da ioga. Você tem de aprender a identificá-las e observá-las a fim de ajustar e equilibrar-lhes as proporções e, à medida que penetra seu mundo interior, trazer à superfície a beleza de *sattva*. Você é como o artista que tem em sua paleta três pigmentos básicos, que ele mescla e mistura o tempo todo almejando obter o efeito adequado de cor, forma e luz na tela. É a sua capacidade de fazer isso que lhe permitirá evitar a dor e curar doenças, qualquer que seja o plano em que se manifestem: mental, emocional ou físico. Como a dor é um elemento inevitável da prática do ássana, devemos agora lhe dedicar a merecida atenção.

Dor: encontre conforto mesmo no desconforto

Muitas pessoas vivem no passado ou no futuro para evitar a experiência do presente, já que este é às vezes doloroso ou difícil de suportar. Nas aulas de ioga, vários alunos pensam que devem simplesmente "ranger os dentes e aguentar" até que o professor lhes diga que podem sair do ássana. A ioga para eles é como a calistenia*, mas estão enganados. A dor está ali para nos ensinar, porque a vida é repleta de dor. Somente no esforço há conhecimento. Só quando há dor você consegue ver a luz. A dor é o seu guru. Assim como nos entregamos alegremente aos prazeres, devemos também aprender a não ficar infelizes quando a dor surge. Assim como o prazer nos parece bom, precisamos aprender a encarar a dor como algo bom. Aprenda a encontrar conforto mesmo no desconforto. Não devemos tentar fugir da dor; em vez disso, precisamos atravessá-la e superá-la. Isso é cultivar a tenacidade e a perseverança; é assumir uma atitude espiritual perante a ioga. É também assumir uma atitude espiritual perante a vida.

Assim como os códigos de ética da ioga purificam nossas ações no mundo, os ássanas e o pranaiama purificam nosso mundo interno. Essas práticas nos ajudam a aprender a suportar e subjugar as dores e aflições inevitáveis da vida. Por exemplo, para saber se temos diabete, fazemos um teste para descobrir qual o grau de tolerância do nosso corpo ao açúcar. De modo semelhante, as práticas da ioga revelam quanta dor o corpo pode suportar e quanta aflição a mente é capaz de tolerar. Já que a dor é inevitável, o ássana é o laboratório no qual descobrimos como tolerar a dor que não podemos evitar e como transformar a que podemos evitar. Embora não busquemos

* Método ou conjunto de exercícios físicos – espécie de ginástica rítmica –, sem uso de aparelhos, para dar beleza, força e vigor ao corpo. (N. E.)

a dor intencionalmente, não fugimos da dor inevitável que faz parte de todo crescimento e de toda mudança. Os ássanas nos ajudam a desenvolver uma tolerância maior no corpo e na mente para que possamos lidar mais facilmente com o estresse e a tensão. Em outras palavras, o esforço e suas dores inevitáveis são parte essencial do ensinamento dos ássanas. Extensões da coluna, por exemplo, permitem ver a coragem e a tenacidade de uma pessoa, saber se ela pode resistir à dor. Ássanas de equilíbrio sobre os braços ensinam e cultivam a tolerância. Se consegue se adaptar e equilibrar num mundo sempre instável e em movimento, você aprende a ser tolerante com a permanência da mudança e da diferença.

É necessário resistência para manter-se no ássana. Para dominá-lo, é preciso paciência e disciplina. Não é fazendo caretas que se consegue realizar o ássana. Então, como aprender a tolerar a dor? Já vimos que é preciso criar repouso durante a postura; é preciso criar relaxamento mesmo quando a dose certa de tensão está presente. Pode-se iniciar o relaxamento liberando o estresse que reside nas têmporas e nas células do cérebro. Essa liberação distensiona a carga do cérebro, relaxando os olhos e as têmporas. Isso, por sua vez, elimina o estresse dos nervos e das fibras musculares. É assim que se pode converter um dor insuportável numa dor suportável, o que nos dará tempo e espaço para finalmente dominar o ássana e erradicar a dor por completo.

Para alcançar a liberdade, você tem de resistir à dor. O mesmo se aplica à vida. Uma aluna certa vez me disse que, ao praticar o pranaiama, sentia agulhadas e alfinetadas nos pés, o que fazia que toda sua concentração se dirigisse para os pés. Expliquei-lhe que isso também fazia parte da prática correta. Ela achava que, se o exercício não fosse sereno, estava incorreto. Mas a prática não se limita apenas a sensações prazerosas. Trata-se de percepção, e a percepção nos leva a distinguir e entender ambos, prazer e dor.

No começo, a dor pode ser intensa porque o corpo resiste a nós. Quando nos rendemos a ela, amolecemos o corpo, e ele gradualmente se acalma. Porém, se depois que ganhamos mais proficiência a dor aguda reaparece num momento em que não deveria, é prudente abandonar o ássana por um tempo e refletir sobre o que pode estar errado. A dor só se manifesta quando o corpo não entende como fazer o ássana, o que é comum no início. Na postura correta, não há dor. Para aprender a postura correta, você tem de enfrentar a dor. Não há outro jeito.

A inteligência deve ter intimidade com o corpo. Deve estar em contato próximo com ele e conhecê-lo bem. Quando não existe intimidade entre corpo e mente, há dualidade, separação, e a integração não acontece. Quando sente dor, você entra em contato com a parte dolorida, para poder ajustá-la e assim amenizar a dor e sentir a leveza. A dor é um grande filósofo, porque está o tempo todo pensando em como se livrar de si mesma, o que exige disciplina. O outro termo da equação da dor é a compreensão de como ela dirige o foco da atenção para a região afetada. Se liberamos a tensão do cérebro, a atenção nos mostra qual é o caminho para mitigar e então erradicar a origem da dor. Assim, a dor pode ser um grande professor, que nos ensina a viver com ela e, por fim, dar-lhe adeus.

Não é só a ioga que causa toda essa dor; ela já existe. Está oculta. O que acontece é que simplesmente aceitamos conviver com ela, ou aprendemos a ignorá-la. É como se o seu corpo estivesse em coma. Quando você se inicia na ioga, as dores desconhecidas vêm à superfície. Quando conseguimos usar a inteligência para purificar o corpo, então as dores ocultas se dispersam. Enquanto houver retesamento no corpo e na mente, não haverá paz. Erros internos, como forçar, agir sem observar, tensionar a garganta e bloquear os ouvidos, criam hábitos que, por sua vez, geram falta de percepção, constrição, peso, tensão, desequilíbrio e dor. Por exemplo, quando os músculos que se atrofiaram retornam à vida, as dores agudas do renascimento se fazem sentir. Só há dois modos de confrontar a dor: viver com ela para sempre ou trabalhar com ela e ver se podemos extirpá-la.

Devemos reconhecer a existência e a importância da dor, mas não glorificá-la. Há sempre um motivo para a dor. O objetivo não é sustentar a todo custo um ássana doloroso nem tentar realizá-lo prematuramente. Foi assim que, ainda um principiante, me machuquei quando, por exigência do meu professor, tentei fazer *Hanumanasana* – que requer um alongamento extremo da perna – sem o treinamento e o preparo adequados. O objetivo é fazer o ássana com o máximo de inteligência e amor. Para isso, devemos aprender a distinguir entre a dor "certa" e a dor "errada".

A dor certa não só é construtiva como traz alegria, além de representar um desafio; a dor errada é destrutiva e provoca um sofrimento aflitivo. A dor certa leva ao crescimento e à transformação física e espiritual. Geralmente se manifesta como uma sensação de alongamento e fortalecimento gradual, ao passo que a dor errada consiste numa súbita e lancinante sensação de advertência que o corpo utiliza para nos dizer que fomos muito além da nossa capacidade momentânea. Além disso, quando a dor é persistente e se intensifica durante o exercício, é provável que seja uma dor errada.

O desafio na ioga é ultrapassar nossos limites – *usando a razão*. Estamos continuamente expandindo a moldura da mente por meio da tela do corpo. É como se esticássemos mais a tela para criar uma superfície maior para a pintura. Mas devemos respeitar a forma presente do corpo. Se puxarmos muito ou rápido demais de uma só vez, rasgaremos a tela. Se a prática de hoje prejudica a prática de amanhã, ela está incorreta.

Muitos professores de ioga pedem que se realizem os ássanas com facilidade e conforto, sem nenhum estresse ou esforço real. Isso acaba levando o praticante a viver dentro dos limites da mente, com seu inevitável medo, apego e mesquinhez. Esses professores e seus alunos julgam doloroso o tipo de prática exata e intensa que descrevo aqui. Sim, é um fato que às vezes sentimos dor durante a prática, ao trabalharmos a nós mesmos. A ioga visa a purificação do corpo e sua exploração, bem como ao refinamento da mente. Isso requer força de vontade para observar e, ao mesmo tempo, suportar a dor física sem agravá-la. Sem uma certa dose de estresse, é impossível sentir o verdadeiro ássana, e a mente continuará com suas limitações e não avançará além das fronteiras existentes. Esse estado limitado da mente pode ser descrito como pequenez, mesquinhez.

Lembro-me de dois alunos que eram excelentes bailarinos. Podiam realizar qualquer posição sem encontrar nenhuma resistência ou tensão, de tal modo que a jornada até a postura final não lhes acrescentava nada. Minha tarefa foi fazê-los retroceder nas posições e mostrar-lhes como criar em si mesmos mobilidade com resistência para que pudessem trabalhar no ponto de equilíbrio entre o conhecido e o desconhecido. Quando estendemos e expandimos a consciência corporal além de suas limitações, estamos operando na fronteira do conhecido rumo ao desconhecido, por meio de uma expansão inteligente da percepção. O problema que os bailarinos enfrentam é oposto ao da maioria das pessoas, pois, graças à excessiva flexibilidade, sua capacidade física excede sua consciência intelectual.

Quando começamos a praticar os ássanas, a dor que sentimos é tanto física como mental. Assim como no caso da dor física, precisamos igualmente aprender a distinguir entre a dor mental certa e a errada. A dor mental certa também deve ser gradual e permitir que nos fortaleçamos, mas sem trancos. Levantar-se às seis da manhã para fazer ioga antes de sair para o trabalho pode parecer doloroso, mas é construtivo e nos desafia a ir além dos limites. É importante lembrar, no entanto, que a prática deve ser progressiva e gradual. Se tentar levantar-se tão cedo a ponto de que essa dor faça seu corpo se rebelar – às quatro da manhã, por exemplo –, você não conseguirá levar a prática adiante. Além disso, se levantar a essa hora deixa você sonolento e irritado com a família, você está sendo egoísta e, mais do que isso, transferindo seu sofrimento para os outros. A dor certa é como uma vacina contra a dor e o sofrimento inevitáveis que a vida coloca em nosso caminho, mas deve ser administrada na dose correta. Os ássanas oferecem a oportunidade de encarar os obstáculos na prática e na vida e descobrir como lidar com eles.

Muitas pessoas intelectualmente cultas ainda são imaturas emocionalmente. Diante da dor, tentam esquivar-se. É raro que estejam preparadas para enfrentá-la e atravessá-la quando se manifesta intensamente numa postura. A dor durante a prática nos coloca face a face com a real natureza do nosso corpo. Devemos encarar as emoções, não fugir delas. Não fazemos ioga somente pelo deleite que nos proporciona; o que buscamos nela é a emancipação suprema.

A maior parte das pessoas quer experimentar regozijo sem passar pelo sofrimento. Eu quero ambos; quero saber até onde a dor me leva. Quando não resistimos ao sofrimento, nos solidarizamos com outras pessoas que sofrem. Meu corpo já padeceu muito. Hoje em dia, quando alguém me conta de suas dores, sei no meu corpo de que sofrimento se trata. Minha experiência pessoal me enche de amor e compaixão, então digo: "Meu amigo, deixe-me tentar ajudar". A dor está aí para guiá-lo. Quando conhece a dor, você se torna compassivo. As alegrias que compartilhamos não nos podem ensinar isso.

Contudo, compaixão não quer dizer pena. Um cirurgião opera os pacientes depois de anestesiá-los, sem o que a intervenção seria muito dolorosa. Como professor de ioga, tenho de operar o paciente enquanto ele está consciente, e isso obviamente é doloroso. Mas só assim aprendemos a agir, a viver, a crescer. Quando as coisas vão bem, temos presença de espírito, mas também precisamos ter presença de espírito quando algo sai errado. Se enfrentamos o sofrimento e o aceitamos como algo necessário, toda a ansiedade desaparece.

Toda doença, na verdade, faz parte do que somos, da nossa manifestação. De acordo com a filosofia iogue, as enfermidades e o sofrimento são fruto de ações passadas. Nesse sentido, somos responsáveis por aquilo que criamos. Se enfrentamos as aflições com a ioga, desperta em nós uma nova percepção de tolerância e resistência, assim como uma verdadeira empatia com as aflições alheias. Essas qualidades indicam o grau de desenvolvimento que atingimos. Então, por que não considerar a adversidade como algo positivo? Ela é, sem dúvida, um sinal de alarme, mas também encerra a semente de sua superação e transcendência.

Minha saúde precária na infância, a pobreza, a falta de instrução e a severidade do meu guru estão entre as maiores bênçãos da minha vida. Não fossem essas privações, é provável que jamais tivesse me dedicado tão fervorosamente à ioga. Quando nos despimos de tudo, o essencial se revela.

Quando se é jovem, é particularmente difícil saber ao que se dedicar e ter determinação e perseverança para fazê-lo. Durante minha penosa juventude em Puna, aferrei-me à prática da ioga. Como já disse, qualquer um que aspirasse a uma carreira como professor de ioga era tido pela sociedade como um louco, alguém que não se prestava a nada. Segundo a opinião geral, tornar-se um sacerdote ou um renunciante era algo aceitável, mas abraçar a ioga como profissão estava fora de questão. Motivo ainda maior de dor para mim era a desaprovação da minha família e o ostracismo a que me sujeitavam. Por exemplo, tendo recebido uma formação ultraortodoxa, eu era obrigado a usar o *shendi,* um longo cacho de cabelo que pende do alto da cabeça raspada. Na moderna e ocidentalizada cidade de Puna, isso era objeto de escárnio. Meus colegas de classe, todos muito fortes, inteligentes e em excelente forma, zombavam e riam de mim sem piedade. Até que, por fim, decidi raspar o *shendi* e adotar um corte de cabelo mais moderno – o que acarretou a ira da minha família. Eles não comiam mais comigo nem me deixavam entrar na cozinha.

Os hindus também são proibidos, por tradição, de cruzar o oceano. Após minha primeira viagem como professor à Inglaterra, em 1954, fiz uma parada em Bangalore para cumprimentar meu tio materno. Ele se recusou a me receber em sua casa. Assim, desenvolvi na juventude um escudo de arrogância para me proteger. O tempo cuidou de me abrandar, mas a minha arrogância juvenil era a única forma que conhecia de me preservar num mundo que se mostrava hostil. No entanto, essa mesma hostilidade também serviu de motivação para que eu persistisse firmemente no caminho da ioga.

Todos se veem certas vezes diante do terrível dilema de que todo ato ou comportamento parece errado. Arjuna, no capítulo 2 do *Bhagavad gita*, está nas garras de um desses dilemas. Não agir é também uma ação que inevitavelmente traz consequências; por isso, não é uma opção para escaparmos à dor e ao sofrimento. Com a ajuda de Krishna, Arjuna segue o caminho do darma, da ciência do dever religioso, e assim concilia o que está nos planos humano e material, irreconciliáveis. Quando eu era jovem, achava que meus alunos e minha família jamais me aceitariam. Porém, ao perseverar no caminho da ioga, atingi um nível no qual conquistei não só a aceitação como o respeito da família e dos alunos. Isso teria sido impossível sem a evolução propiciada pela ioga.

Num aspecto particular, meu infortúnio rapidamente se converteu numa grande bênção. Como as minhas aulas eram frequentadas por muitas mulheres e meninas, fui acusado de imoralidade. Cheguei a ter uma discussão com meu guru a respeito dessa falsa acusação que pesava sobre mim, mas então decidi me casar, embora não estivesse numa situação financeira favorável. Devo dizer que meu casamento com Ramamani foi de fato minha maior bênção. Assim, quando enfrentamos a adversidade e o sofrimento, aceitando-os como circunstâncias necessárias, a ansiedade se desfaz e desaparece. Se permanecemos fiéis ao caminho que estamos trilhando, nossa vida melhora, e a luz da distante perfeição vem iluminar nossa jornada.

Rumo à perfeição: alegre-se a cada pequeno avanço

Que o seu objetivo seja chegar à perfeição, mas desfrute cada pequeno progresso em direção a ela, todo dia. A ambição excessiva pode destruir a continuidade do progresso. Afinal de contas, a perfeição cabe somente a Deus. Assim sendo, qual o valor da perfeição se só se pode encontrá-la em Deus? Somos criaturas que sonham com a perfeição, e é esse sonho que nos inspira a melhorar. É esse sonho que inflama o esforço necessário para a nossa transformação. A perfeição desperta o interesse pela arte e pela vida. O instinto que nos arrasta rumo ao sonho da perfeição é, na verdade, o anseio por Deus.

Às vezes, o corpo está bem disposto, mas a mente está fraca e diz: "Você não tem tempo", ou "Deixe para lá, não vale a pena tanto esforço". Às vezes, é a mente que está bem-disposta, e o corpo, fraco, diz: "Estou muito cansado para toda essa dificuldade". O praticante deve centrar-se entre a mente e o corpo e ouvir o conselho de cada um, mas deixando que a inteligência e a Alma tomem a decisão certa, pois é aí que habitam a real força de vontade e a real dedicação. Pratique de acordo com a sua capacidade, mas sempre buscando expandi-la. Dez minutos hoje; daqui alguns dias, doze minutos. Adquira domínio sobre isso e então, de novo, expanda. É melhor praticar o mínimo numa boa postura do que o máximo numa postura ruim.

Não diga que está desapontado consigo. Todos os dias, encontre tempo para fazer algo que sustente a prática dos ássanas. Às vezes, corpo e mente se rendem ao poder da vontade; outras vezes, eles se rebelam. Alguma parte do seu corpo dificulta a prática para você? Uma lesão no joelho? Tensão nas costas? Essa é a sua criança-problema. Aprenda a lidar com ela, a nutri-la, assim como faria com um filho que tivesse dificuldades e precisasse de mais amor e atenção. Não se incomode com os fracassos. Os fracassos na vida levam à determinação e à necessária abordagem filosófica. Livre-se do apego. Veja o meu caso; não tenho medo, e sei que não há como me esquivar das dificuldades. Para mim, se uma dificuldade veio ontem, tanto melhor. Se virá daqui a vinte anos, está bom também. Tudo está bem.

Não tenha medo. Não se apegue ao corpo. Se tiver medo, aceite-o e encontre a coragem para atravessá-lo. Quando sentir medo, pratique sem apego ao corpo, encarando-o objetivamente como uma oportunidade de trabalho criativo. Quando não há medo, você pode tratar o corpo de maneira mais subjetiva, como uma parte de si mesmo que, no entanto, requer prática e cultivo.

A prática prolongada e ininterrupta dos ássanas e do pranaiama, se feita com percepção, estabelece alicerces firmes e leva ao sucesso. Jovens, idosos, muito idosos, até mesmo doentes e enfermos alcançam a perfeição na ioga por meio da prática constante. O sucesso vem ao encontro dos que praticam. Não se chega ao sucesso na ioga pela simples leitura dos textos sagrados. Eles são uma ajuda que se torna cada vez mais essencial, mas sem a prática não passam de teoria. Uma filosofia só se comprova se puder ser aplicada – e, sobretudo, se puder ser aplicada agora, na sua vida. Até mesmo Patanjali, um gênio espiritual nato, dizia que só mediante a prática persistente e contínua, feita com zelo e determinação, se pode chegar a ter domínio da ioga.

Quando um jardineiro planta uma macieira, ele acaso espera que as maçãs brotem imediatamente? É claro que não. Ele rega a semente, cuida dela todo dia e fica feliz de vê-la crescer. Trate o corpo da mesma maneira. Regamos a prática do ássana e do pranaiama com amor e alegria ao reconhecer cada pequeno progresso. Mesmo sabendo que a meta é a iluminação, não é para ela que devemos dirigir o foco. Sabemos que, quando a prática estiver madura, a iluminação virá. É a paciência, aliada com práticas disciplinadas, que faz surgir a força de vontade necessária.

A força de vontade é concreta, não etérea. Ao fazer algo, você demonstra a sua força de vontade, e então se torna mais fácil evocá-la da próxima vez. Quando pratica seu ássana, você está fisicamente demonstrando força de vontade pela expressão dos músculos. A força de vontade não está só na mente, mas também no corpo. Já me viram bater na coxa de um homem e dizer: "A força de vontade está aqui". Com o poder da vontade, você alonga os músculos e adquire elegância. A força de vontade nos permite manifestar paz, satisfação e desapego do corpo enquanto expandimos a mente. Ela nada mais é que a disposição de fazer.

Usando a inteligência e a força de vontade, você precisa se perguntar se é possível melhorar o que está fazendo. Quando expandimos nossa percepção um pouco além do que parece possível, a luz se acende. A limitação vem da acomodação. Quando dizemos "Não quero ir além disso, porque assim está bom", estamos vivendo na velha mente. Veja se pode se empenhar um pouco mais, e imediatamente perceberá o movimento se aproximar. Se estiver consciente, você ouvirá o sussurro da consciência: "Tente avançar um pouco mais". Quando a meta é alcançar o ponto máximo, o resultado é o autoconhecimento. Isso porque, à medida que a mente e a inteligência penetram mais fundo o corpo interno, a mente chega mais perto do Eu – o coração do ser. No momento em que avançamos um pouco além do que o corpo deseja, ficamos mais próximos do Eu. No instante em que dizemos "Estou satisfeito", a luz da percepção e da atenção gradualmente se extingue.

A função da memória na prática dos ássanas é permitir comparar a prática de ontem com a de hoje e assim verificar se estamos progredindo na direção certa. Muitas pessoas, porém, repetem o que aprenderam no passado, e seus ássanas se tornam mecânicos, o que leva à estagnação do corpo e da mente. O ássana jamais pode ser feito mecanicamente. Ele requer reflexão e, portanto, inovação e improviso, para que se possa alcançar no final um equilíbrio entre movimento e resistência. Jamais se repita: a repetição embota a mente. Você deve sempre cobrar ânimo e criar interesse pelo que está fazendo. À guisa de exemplo, às vezes realizo um ássana em pé diante dos alunos e digo-lhes que acabei de fazer um ássana perfeito. Ninguém consegue apontar-me nenhum defeito. No entanto, apesar da aparência perfeita, está morto por dentro; minha mente está em outro lugar. Então, refaço o ássana com a mente totalmente presente. Crio unidade dentro de mim e faço a classe observar a atenção das pernas, do tronco e dos sentidos da percepção, que agora são nitidamente diferentes.

Não permita que as experiências passadas fiquem gravadas em sua mente. Cada vez que executar um ássana, faça-o com a mente arejada e com uma nova abordagem. Se repetir o que já fez antes, você estará vivendo na memória e, portanto, no passado. Isso significa que você não quer ultrapassar a experiência do passado. Reter essa memória é o mesmo que dizer: "Ontem eu fiz assim". Quando perguntamos "Fiz algo novo hoje?", então há progresso. Vou seguir em frente ou caminhar para trás? É então que entendemos como é possível imprimir dinamismo num ássana estático. A memória deve ser usada como um trampolim para a nossa indagação: "O que posso fazer hoje que não fiz ontem?" Isso vale tanto para a vida quanto para a prática do ássana. Geralmente, quando alguém consegue dominar um ássana, ele se torna desinteressante. É por isso que muitas vezes vemos as pessoas agindo mecanicamente, uma e outra vez, enquanto a mente vagueia por outros lugares. Pontos cegos aparecem, e não podemos saborear o ássana. Essa não é a abordagem correta. As pessoas acham que chegaram ao fim. Como podem saber? Talvez estejam apenas começando. Assim, veja sempre se é possível cruzar a fronteira das experiências passadas. Você precisa criar dentro de si o sentimento de beleza, libertação e infinitude, pois só se pode experimentá-los no presente.

À medida que nos tornamos mais aptos e realizamos os ássanas com facilidade, caímos na tentação de manter a prática dentro dos limites da complacência competente. Chamo isso de "*bhoga* ioga", isto é, ioga voltada exclusivamente para o prazer. Já não usamos o espelho da inteligência reflexiva para detectar e corrigir imperfeições; só o utilizamos com o propósito de satisfazer nossa vaidade pessoal. A jornada ióguica entra na zona da calmaria. Se não há vento para enfunar as velas, a única saída é remar. Isso significa empenhar-nos de novo na prática diligente, esforçada e constante, para assim estabelecermos um novo desafio. O que está errado? Onde e como posso melhorar? É então que a chama da prática (*tapas*) acende a lâmpada da inteligência, e o autoconhecimento (*svadhyaya*) desponta. A palavra *tapas* denota o calor intelectual interno, que queima nossas impurezas.

Quando passamos a nos sentir apartados dos outros ou superiores a eles, mais puros ou mais elevados por causa da ioga, é certo que entramos na calmaria ou estamos à deriva, sendo arrastados de volta a um estado de ignorância. Foi o santo e filósofo Ramanuja, mais de novecentos anos atrás, que denunciou o equívoco bramânico de que podemos estar "acima" dos outros. Ao contrário, a prática e a pureza da vida nos colocam "entre" as pessoas, não acima delas. A integração que ocorre dentro do nosso corpo, como já vimos, leva naturalmente à integração com outras vidas. Integridade significa unidade. O número um pode penetrar todos os demais números. O ser plenamente sensitivo e sensível se torna não "alguém", mas o denominador comum da humanidade. Isso só acontece quando a inteligência do cérebro é transformada pela humildade e pela sabedoria do coração, acendendo a compaixão.

Se há um fim, então não há Deus. A criação de Deus nunca termina, assim como nunca cessa a criação dos movimentos. No momento em que diz "Consegui", você perde tudo que conquistou. Assim que chega a algum lugar, você tem de dar um passo adiante. Então há evolução. No instante em que diz "Estou satisfeito com isso", a estagnação se instala – você chegou ao fim do seu aprendizado, fechou as janelas do seu intelecto. Assim, faça o que você não pode fazer, não o que pode. Sempre faça um pouco mais do que pensa que pode, tanto em qualidade como em quantidade. É isso que o levará à beleza e à grandeza.

Enquanto se esforça para aprender, persista com devoção naquilo que aprendeu. Aprender é muito difícil, mas é duas vezes mais difícil conservar o terreno conquistado. Os soldados dizem que é mais fácil vencer uma batalha do que ocupar o território subjugado. Ao mesmo tempo que continuo tentando melhorar minha prática, faço o melhor que posso e me alegro com o que sou capaz de alcançar. Mesmo quando o corpo envelhece e já não consegue fazer tantas coisas, há sutilezas que se revelam e que seriam invisíveis a corpos mais jovens ou mais atléticos. Você precisa desenvolver amor e afeição por seu corpo, por aquilo que ele pode fazer por você. O amor deve incorporar-se a cada poro da pele, a cada célula do corpo, para que se tornem inteligentes e possam colaborar com os demais na grande república do corpo.

Esse amor deve irradiar de você para os outros. Os que se dedicam somente à prática dos ássanas esquecem que a ioga se destina ao cultivo da cabeça e do coração. Patanjali falava da amizade, da compaixão, da satisfação, da alegria. Nas aulas de ioga, os alunos parecem sempre tão sérios e tão distantes uns dos outros... Onde está a amizade? A compaixão? A satisfação? A alegria? Sem essas coisas, não podemos atingir a verdadeira ioga de Patanjali.

Antes de apontar falhas nos outros, você precisa se purificar. Quando vê alguém errando, tente descobrir se não está cometendo o mesmo erro. É assim que convertemos o julgamento em aprimoramento. Não olhe para os outros corpos com inveja ou superioridade. As pessoas nascem com constituições diferentes. Nunca se compare com ninguém. As capacidades de cada um correspondem à força pessoal interna. Conheça as suas capacidades e continue a aperfeiçoá-las.

À medida que o tempo passa, a prática ganha mais intensidade. A ioga identifica quatro níveis de intensidade na prática, que se relacionam com dois aspectos: esforço e profundidade. O esforço, ou empenho na prática, gera a energia necessária para que a jornada avance até o centro do seu ser. O primeiro nível de intensidade é conhecido de todos nós; é quando nos exercitamos pouco, frequentando talvez uma aula por semana, sem encontrar motivo para praticar em casa. Todos temos de começar a ioga de algum lugar. A prática amena não é ruim, e é melhor persistir no que conseguimos fazer do que nos abater e desistir. Esse investimento tímido, naturalmente, não paga grandes dividendos, e, no que tange ao aprofundamento na percepção, o processo permanece rudimentar e periférico. Saberemos, por exemplo, que podemos tocar os tornozelos, mas não os dedos do pé.

Se nos empenhamos mais e dedicamos mais tempo e esforço à prática, podemos nos considerar praticantes sérios, ainda que nem sempre assíduos; mesmo assim, a estrutura interna do corpo e dos órgãos começará a se revelar. Sentiremos a fibra e o tendão, o estiramento do fígado (como nas extensões da coluna) e o repouso do coração.

O estágio seguinte é determinado e intenso. Nosso olhar interno se torna refinado, penetrante, judicioso e perspicaz. Percebemos o vaivém dos pensamentos e o movimento da respiração instigando ou acalmando a consciência. Nossa inteligência se aviva e passa a ver as coisas sob sua verdadeira luz, podendo assim fazer inúmeras escolhas significativas na vida e na prática.

O nível mais alto se caracteriza pela inflexível, inexorável e total dedicação à prática. É muito difícil encontrar alguém capaz de atingir esse nível desde o começo. É provável que as circunstâncias da vida não o favoreçam de início, mas com o tempo pode-se alcançá-lo. A percepção pode finalmente penetrar todas as tortuosas sutilezas do ego astuto, a sabedoria amadurece e tocamos o centro do ser.

O objetivo dessa escala ou hierarquia de intensidade não é nos fazer sentir incompetentes, mas servir de referência para que possamos sinceramente identificar onde de fato estamos e como progredimos. É semelhante à parábola bíblica dos talentos de prata que um senhor distribuiu a seus servos. Os que investiram seus talentos com energia e sabedoria conseguiram multiplicá-los por dez e devolvê-los a seu senhor, e por isso foram devidamente honrados. O servo que escondeu seu talento sob a terra só conseguiu devolver o que recebeu, para grande decepção do amo. Todos recebemos talentos dados por Deus, e é nosso dever desenvolvê-los com energia para realizar o potencial que encerram; do contrário, é como se estivéssemos dando as costas para os presentes da vida. Mais do que isso, porém, quando realizamos plenamente nossos talentos – por mais diferentes que sejam de um indivíduo para outro –, forma-se o elo que há de nos unir de novo ao divino.

A ioga divina: coloque sua Alma no ássana

Ao praticar o ássana e o pranaiama, a impressão que temos é de estar trabalhando com a realidade externa para nos aproximar da realidade interna da existência. E isso é verdade. Trabalhamos da periferia para o centro. O corpo material tem uma realidade prática acessível. Está aqui e agora, e podemos fazer coisas com ele. No entanto, é preciso lembrar que a parte mais íntima do nosso ser também está tentando nos ajudar. Ela quer vir à superfície e manifestar-se.

Em *Trikonasana*, por exemplo, percebemos que, devido à relação da postura com a nossa anatomia, caímos todos nas mesmas armadilhas. O corpo parece tentar pender para a frente. Ele não quer se abrir tal como vemos no ássana realizado com perfeição. Assim, nos dedicamos a aprender os ajustes que permitirão ao corpo se abrir. Esticamos e corrigimos o braço, alongamos o peito e abrimos a pelve. Mas não é só isso. Durante esse processo de aprendizado aplicado, abrimos também a mente e a inteligência. Uma abertura é como uma porta, e não existe porta que seja só de entrada. Sim, estamos tentando entrar, mas o que está tentando sair para vir ao nosso encontro? É a luz do invólucro mais profundo, o da beatitude (*ananda*), que deseja irradiar-se. Somos como uma lanterna apagada: não se pode ver a luz em nosso interior. Quando criamos essa abertura, o botão da lanterna é acionado e a luz da lâmpada se acende.

Nesse sentido, devemos ainda considerar que o coração da Natureza (*prakrti*) também está disposto a nos ajudar. A própria força da natureza é uma energia geradora (*prerana*), um motor, um impulso à criação. Ela escuta o nosso chamado e atende a ele de acordo com o vigor e a determinação do intento com que a invocamos. Ela responde ao exercício da nossa força de vontade. Assim, quanto mais dedicado o aspirante, maiores são os benefícios que recebe. Há um ditado que diz: "Deus ajuda quem cedo madruga". Isso se aplica também à Natureza.

Quando você pratica o ássana corretamente, o Eu se abre sozinho – essa é a ioga divina. Nesse ponto, é o Eu que está fazendo o ássana, não o corpo nem o cérebro. O Eu envolve cada um dos poros da pele. A disciplina espiritual tem início quando os rios da mente e do corpo submergem no oceano do coração. Não existe uma disciplina espiritual específica. Quando corpo e mente ficam passivos, contemplativos e tranquilos, não se prenda a isso; prossiga. É aí que começa a experiência espiritual na ioga. Alguns diriam, é claro, que ler os livros sagrados é uma prática espiritual. Mas o que ensino é o exercício da prática espiritual. Como eu disse no início deste capítulo, uso o corpo para disciplinar a mente e tocar a Alma. Quando feitos com a intenção correta, os ássanas ajudam a transformar uma pessoa, levando-a da mera percepção do corpo para a consciência da Alma. Costumo dizer que o corpo é o arco, o ássana é a flecha, e a Alma, o alvo.

O ássana deve ser honrado e virtuoso. "Honrado" aqui significa que deve ser sincero. Você não deve fingir nem trapacear. Cada centímetro do corpo deve ser tomado pelo ássana, desde o peito, os braços e as pernas até a ponta dos dedos dos pés e das mãos, para que ele irradie do centro do corpo e ocupe todo o diâmetro e a circunferência dos seus membros. Você deve sentir a inteligência, a percepção e a consciência em cada centímetro do corpo.

"Virtuoso" significa que ele deve ser feito com a intenção correta: não para o ego ou para impressionar, mas para o Eu e para nos aproximar de Deus. Dessa maneira o ássana é uma oferenda sagrada. Estamos rendendo o nosso ego. Essa é a suprema devoção a Deus (*Isvara pranidhana*).

Não basta que a mente e o corpo estejam fazendo o ássana. Você precisa estar nele; tem de colocar nele a sua Alma. Como realizar o ássana com Alma? Isso só pode ser feito com o órgão do corpo que está mais perto da Alma – o coração. Portanto, o ássana virtuoso parte do coração, não da cabeça. Assim, você não apenas o está fazendo, como está nele. Muitas pessoas tentam *pensar* em como fazer o ássana, mas você deve *sentir* como fazê-lo, por meio do amor e da devoção.

Dessa maneira, o trabalho de criar harmonia começa no coração, não no cérebro. A serenidade do corpo é sinal de tranquilidade espiritual. Enquanto você não sentir serenidade em cada uma das articulações do corpo, não haverá chance de emancipação; você continuará na servidão. Portanto, quando estiver transpirando e sentindo dores, deixe que seu coração se ilumine e encha seu corpo de satisfação. Nesse momento, você não só estará tornando-se livre como será livre. Por que não se alegrar com isso? A dor é temporária; a liberdade, permanente.

No próximo capítulo, avançaremos do corpo para a respiração, dos músculos para a energia vital. Aprenderemos mais sobre o papel da energia e da respiração na etapa seguinte da jornada interior. O corpo energético (*pranamaya kosa*) é o invólucro no qual começamos a cultivar a respiração e também as emoções. As emoções que sentimos precisam ser controladas, da mesma maneira que, como vimos, precisamos controlar o corpo com que nascemos. Antes de desejar aquietar a mente e vislumbrar a Alma, devemos primeiro aprender as práticas respiratórias e lidar com as seis perturbações emocionais – luxúria, raiva, cobiça, obsessão, orgulho e ódio – que insistem em se colocar como obstáculos na jornada.

Vrschikasana

3. Vitalidade
O corpo energético (*prana*)

Todos queremos mais energia vital. Se fosse possível empacotá-la e vendê-la em lojas, esse seria o negócio mais lucrativo de todos. O simples fato de falar sobre a energia já é suficiente para incitar e energizar as pessoas. O que todos querem saber é onde podem obtê-la. Bem, não se encontra em pacotes nem em lojas – primeiro, porque está em toda parte, e, segundo, porque não se pode cobrar por ela.

Muitos nomes são atribuídos a Deus, mesmo que ele seja um só. Isso também acontece com a energia. Falamos em energia nuclear, energia elétrica, energia muscular, energia mental, mas todas elas são energia vital – que em sânscrito se chama "energia prânica" ou simplesmente prana. Na China, o prana é denominado *chi*, e, no Japão, *ki*. No Ocidente, a noção tradicional mais próxima de prana é o conceito cristão do espírito santo, um poder sagrado de natureza imanente e transcendente. O prana é muitas vezes chamado de vento, sopro vital. No início da descrição bíblica da criação, lê-se: "O alento de Deus se moveu sobre as águas". Prana é o alento de Deus, a energia que permeia todo o universo. É a energia física, mental, intelectual, sexual, espiritual e cósmica.

Todas as energias vibrantes são prana. Todas as energias físicas – calor, luz, gravidade, magnetismo e eletricidade – também são prana. Ele é a energia potencial oculta em todos os seres, liberada em sua carga máxima quando a sobrevivência está ameaçada. É o principal motor de toda atividade. É a energia que cria, protege e destrói. Os hindus costumam dizer que Deus é o criador, o preservador e o destruidor*. A inalação é o poder criador, a retenção é o poder preservador e a exalação – se a energia é viciosa –, o destruidor. Assim é a ação do prana. Vigor, força, vitalidade, vida e espírito são formas de prana.

Prana é geralmente traduzido como "respiração", embora essa seja apenas uma de suas manifestações. De acordo com os *Upanishads*, é o princípio da vida e da consciência. Equivale à Alma (*Atman*). É o alento vital de todos os seres do universo. Nascemos e vivemos graças a ele, e, quando morremos, nosso alento individual se dissolve no alento cósmico. É o aspecto mais essencial, real e presente em cada momento da vida e, no entanto, o mais misterioso. O propósito da ioga, e principalmente do pranaiama, é penetrar no coração desse mistério.

O prana, na forma de respiração, é o ponto de partida. O sufixo *ayama* quer dizer distensão, extensão, expansão, longitude, amplitude, regulação, prolongamento, contenção e controle. Em sua acepção mais simples, portanto, pranaiama significa prolongamento e restrição da respiração. Como o prana é energia e força vital, pranaiama significa extensão e expansão de toda a nossa energia vital. Cabe esclarecer que não se pode simplesmente aumentar o volume de algo tão volátil e explosivo como a energia pura sem tratar de contê-la, refreá-la e dire-

* Em inglês, "*GOD is Generator, Organizer, and Destroyer*". Como o jogo de palavras não faria sentido em português, optamos por descrever os atributos de Brahma, Vishnu e Shiva. (N. E.)

cioná-la. Se você de repente triplicasse a força da corrente elétrica que circula por sua casa, nem por isso a chaleira ferveria três vezes mais rápido que o habitual e as luzes triplicariam de intensidade. Você sabe, na verdade, que isso queimaria imediatamente todos os circuitos e não restaria nada. Por que seria diferente com o corpo? É por essa razão que Patanjali claramente dizia que é preciso haver uma transição entre a prática do ássana e a do pranaiama. Por meio do ássana, os circuitos do corpo ganham força e estabilidade para resistir ao aumento da corrente provocado pela prática do pranaiama.

Ao longo dos anos, fui muitas vezes procurado por pessoas que, por não respeitarem essa precaução elementar, estavam mergulhadas num estado de profunda melancolia. Sem saber da importância de construir uma fundação sólida, elas haviam se matriculado em vários cursos na esperança de pegar um atalho para a espiritualidade. No entanto, traídas pela fraqueza do corpo e da mente, viram-se em dificuldades. Patanjali já advertia que a falta de uma base firme resulta em tristeza, desespero, instabilidade física e respiração trêmula. A depressão mental e os tremores que a acompanham são um problema sério. São extremos, e Patanjali diz claramente, no seu terceiro sutra sobre o ássana, que a prática das posturas nos protege dos perigos e vicissitudes dos extremos (era assim que ele chamava as dualidades). Isso significa que precisamos construir, no corpo e na mente, uma força moral que nos permita ter um controle sensato sobre nós mesmos. Empanturrar-se num dia e jejuar no outro não é sensato. Se uma palavra áspera no trabalho faz que mergulhemos no desânimo, na raiva ou no ressentimento, isso não é sensato. Se ainda ricocheteamos entre os extremos comportamentais, emocionais e mentais, não estamos prontos para o pranaiama. Se temos uma razoável firmeza no corpo e nos nervos e estabilidade emocional e mental, então, sim, estamos prontos.

A jornada interior requer muita energia e, além disso, uma energia muito sutil e de alta qualidade. Para essa exploração, ocupação e iluminação incessantes, precisamos da energia especial do prana. O prana é especial porque carrega a percepção. Ele é o veículo da consciência. Se desejar enviar sua percepção para as células mais longínquas do dedo do pé, o prana a conduzirá até lá. Se tiver fluxo de prana suficiente, você poderá espalhar sua consciência por todo o interior do corpo. Para isso, você tem de gerar muito prana. Para gerar prana, você deve cultivar a extensão, a expansão, o controle e a contenção da respiração normal. Se no último capítulo usamos esses mesmos termos para nos referir à prática voltada para o invólucro mais externo do ser, o físico (*annamaya kosa*), aqui os aplicamos ao segundo invólucro, o corpo fisiológico ou orgânico (*pranamaya kosa).* Fortalecidos pelo ássana, estamos agora acrescentando uma segunda corda ao nosso arco, pelo cultivo da respiração. Ao fazer isso, geramos mais energia. Com mais energia, podemos explorar e penetrar mais, e mais fundo.

Qualquer que seja o invólucro de que falamos – se o mais externo ou um mais interno –, estamos sempre introduzindo a luz da percepção. Prana está constantemente ocupado em transportar a luz da percepção; somente no agora podemos gerá-lo e direcioná-lo conscientemente. Na filosofia iogue, acredita-se que ambas, energia (*prana*) e consciência (*citta*), são emitidas diretamente pela inteligência cósmica (*mahat*). *Mahat* é a inteligência universal da natureza. As pedras têm inteligência universal. Cada folha também. E cada célula de cada criatura. Ela é infinita e a tudo permeia. O gênio da inteligência da natureza é a autoexpressão. Daí sua infinita variedade, sua infinita criatividade. O prana é o nosso elo com essa inteligência infinita. É uma pena ter tal acesso e não saber usá-lo nem desenvolvê-lo. Somos como uma pessoa que possui vasta fortuna encerrada numa conta bancária e esqueceu o número, por isso tem de se virar na pobreza. Vivemos dentro da nossa consciência individual e sua limitada inteligência, sentindo-nos muitas vezes sozinhos e insignificantes, quando temos à disposição um conduto que leva diretamente à consciência e à inteligência cósmicas. Através desse conduto corre o prana, ligando cada um de nós ao supremo princípio original da natureza. O pranaiama cuida de restaurar esse conduto para que a inteligência que porta a energia do macrocosmo possa iluminar nosso microcosmo.

Respiração e pranaiama

Só iniciei a prática do pranaiama em 1944, quando fazia vários anos que ensinava *yogasana*. Talvez seja um alívio para você saber que, por pior que seja o seu pranaiama, dificilmente será pior que o meu nos primeiros anos. Acordava às quatro da manhã e tomava café com minha esposa. Geralmente, acabava voltando para a cama. Quando não, depois de três ou quatro minutos, começava a arfar e tinha de parar. A capacidade dos meus pulmões ainda estava afetada em virtude da tuberculose na infância; além disso, eu sempre exigira demais de mim nas extensões de coluna. Ganhara flexibilidade com elas, mas não resistência. Por alguma razão eu perseverava, apesar do meu peito retesado e das dores musculares. Mesmo com as costas apoiadas na parede, minha respiração era pesada e difícil. Aos poucos, comecei a perceber que, enquanto as extensões fortaleciam os músculos internos da coluna, as flexões para a frente desenvolviam seus músculos externos. Passei então a fazê-las, medindo o tempo para ganhar resistência. A dor era intensa, como se um malho atingisse minhas costas, e a sensibilidade persistia por horas depois disso. Concentrei-me também nas torções, para construir os músculos laterais. Tudo isso era muito frustrante, e, ainda que evitasse o abatimento que pode resultar da prática, eu me sentia terrivelmente inquieto. Não se pode fazer o pranaiama com a mente agitada. Às vezes, sentia-me renovado; outras, desalentado e tenso, já que nunca conseguia relaxar o cérebro na inspiração nem entender a necessária arte do controle no processo de expiração. A tenacidade consiste em sustentar a postura do pranaiama de modo a permitir flexibilidade interna e evitar que o movimento do ar perturbe a postura. Felizmente, eu sabia manter a coragem e a determinação diante de sucessivos fracassos.

Meu guru, de início, fora categórico ao dizer que eu não era talhado para o pranaiama. Antigamente, o conhecimento espiritual era considerado um assunto esotérico, que os mestres guardavam a sete chaves. Tratavam seus discípulos de maneira ríspida e nunca achavam que tinham mérito suficiente. Não se podia lhes falar abertamente e com franqueza, como fazemos hoje. Mesmo Ramana Maharishi reservava sua filosofia a um círculo íntimo de eruditos altamente qualificados. Há quem diga que, naquela época, a Índia empenhava-se na luta pela democracia política, mas posso assegurar que, no campo espiritual, não havia democracia. Muitos me consideram um professor severo e autoritário, mas não têm ideia do quanto reagi ao regime rigoroso e cheio de segredos no qual fui criado. Sou aberto a tudo que aprendi, e minha severidade nada mais é, na verdade, que a paixão pela precisão, pois não queria que meus alunos sofressem com erros e adversidades que tive de suportar.

Por fim, meu guru voltou atrás e permitiu que eu praticasse a inspiração profunda, a retenção e a expiração profunda, mas sem me oferecer nenhuma orientação técnica. Consequentemente, vi-me exposto à instabilidade física e à respiração irregular e difícil das quais advertia Patanjali. Foi por graça, como disse, que escapei ao desespero ou abatimento que pode resultar disso, mas sentia-me inquieto e agitado. Todos precisam de um professor para aprender o pranaiama. Como não tinha quem me ensinasse, caí no vazio entre o "saber" e o "fazer".

Sabia que precisava respirar fundo e devagar, mas não adiantava. Não conseguia *fazê-lo*.

O que me manteve nos trilhos foi a prática dos ássanas. Continuei a adaptar e transformar meu corpo para capacitá-lo ao pranaiama, e foram muitos anos até conseguir dominá-lo. Esse processo de tentativa e erro foi de grande valor no meu desempenho como professor, mas não recomendaria tal método a ninguém. A razão dos meus fracassos iniciais foi a falta de orientação, além dos meus próprios pontos fracos. No seu caso, porém, dois ou três anos devem ser suficientes para que desenvolva uma boa prática, desde que persevere nela pelo menos dez minutos por dia e tenha um bom professor. Assim como eu, por meio da ação e da observação você começará a conhecer as energias ascendentes e descendentes da inteligência e a dominar a arte de desalojar a inteligência e a força de vontade, que ora se encontram na cabeça, para lhes dar assento no coração. Ao aprender, pela prática do ássana, a alongar o sistema nervoso e mantê-lo elástico e ágil, você será capaz de suportar qualquer carga, e já não haverá tensão.

O pranaiama não é a respiração normal – nem simplesmente a respiração profunda. É a técnica de gerar energia vital pela fusão de dois elementos antagônicos: fogo e água. O fogo é o atributo da mente, e a água, o elemento que corresponde ao corpo fisiológico. A água apaga o fogo, e este evapora a água; não é fácil, portanto, combiná-los. O ar que corre pelos pulmões é o que gera a corrente dinâmica que funde água e fogo e produz um fluxo energético de prana. Este se espalha pelo sistema nervoso e pela corrente sanguínea e assim se distribui pelo corpo, rejuvenescendo cada célula. O elemento terra, que compõe o corpo, fornece o local físico para a produção de energia, e o quinto e mais sutil elemento, o espaço ou éter, oferece o meio necessário para a sua distribuição. A necessidade de um espaço harmonioso e simétrico explica a importância da coluna – pilar central do sistema nervoso – e sua musculatura de sustentação. Ao erguer e separar as 33 articulações da coluna vertebral e abrir as costelas como as garras de um tigre, aprofundamos e prolongamos a respiração.

O exemplo da produção de energia por uma hidrelétrica pode ser proveitoso aqui. A água parada não pode gerar energia, ou seja, se você não está respirando, está morto. Se está respirando normalmente, há um certo fluxo, e você produz energia suficiente para as exigências do momento. Mas não há excedente para investir em outros projetos. Somente com as técnicas do pranaiama, que regulam, canalizam e (ao reter a respiração) represam o fluxo para melhor controlar e extrair sua energia inerente, é que produzimos energia suficiente para vitalizar todo o sistema. Devemos viver plenamente antes de morrer. Devemos gerar energia suficiente para realizar todo o nosso potencial. A jornada para o centro infinito da existência é árdua. Só a energia prânica pode nos levar até lá.

Ao observar o fluxo da respiração, também aprendemos a estabilizar a consciência, o que possibilita a concentração. Não há método mais refinado. A capacidade de concentração permite investir a nova energia com discernimento. No sistema iogue, o melhor uso que se pode fazer da concentração e do poder de visão é na meditação. Quando aprendemos a reconhecer o valor da respiração, aprendemos a reconhecer o valor da própria vida. O presente da respiração é o presente da vida. Quando ganhamos um presente, sentimos gratidão. Com o pranaiama aprendemos a ter gratidão pela vida e por sua incógnita e divina fonte. Examinemos agora mais de perto os movimentos da respiração, bem como seus efeitos e implicações.

As técnicas de respiração iogues são meditativas na origem e nos efeitos. Consistem basicamente em quatro partes: inspiração (*puraka*), retenção após a inspiração (*antara kumbhaka*), expiração (*recaka*) e retenção após a expiração (*bahya kumbhaka*). A inspiração deve ser longa, sutil, profunda, rítmica e uniforme. Os elementos energizantes da atmosfera se infiltram nas células dos pulmões e rejuvenescem a vida. Ao retermos a respiração inalada, a energia é totalmente absorvida e se distribui por todo o sistema pela circulação sanguínea. A lenta descarga do ar durante a expiração elimina as toxinas acumuladas. A pausa depois da expiração, de acordo com a capacidade de cada um, remove e libera todas as tensões. A mente permanece silenciosa e tranquila. Se a pausa for muito prolongada, você sentirá um súbito acesso de pânico e acabará inspirando com avidez. É o nosso apego instintivo à vida mais uma vez se manifestando. A inspiração é a extensão e a expansão do Eu (*purusa*). Por meio dela, o Eu cinge os seus invólucros até a pele do corpo, como um amante abraçando sua amada. A retenção após a inspiração é a união do amante com a amada. Na expiração, o Eu leva a amada para casa, onde é ela que abraça o amante, o Eu. A retenção depois da expiração é a união da amada com o amante em total entrega ao supremo. Assim, o pranaiama é mais do que um exercício respiratório fisiológico. Respiração é vida, por isso a arte de respirar de maneira atenta, refletida e comedida é uma prece de gratidão que oferecemos à própria vida.

É impossível prestar atenção ao movimento interno da respiração e, ao mesmo tempo, dirigir os sentidos para fora. Não se pode ficar pensando que é preciso passar no supermercado ao voltar do trabalho. O pranaiama é o início do recolhimento da mente e dos sentidos de suas ocupações externas. Daí a sensação de paz que ele nos traz. Ele é o dispositivo que regula a extroversão e a introversão. Quando começa a praticar os ássanas, você ganha mais confiança, postura e segurança, além de uma saúde radiante. Afinal, a energia, por si, é uma qualidade atraente. Usufrua esses benefícios nas suas relações com o mundo, porém – é o que pede a ioga – invista parte do que ganhou internamente. Esse é o sentido positivo da introversão: não uma fuga retraída do mundo por algum sentimento de inadequação, mas o desejo de explorar o mundo interior. Atuando no invólucro do corpo fisiológico, a respiração serve de ponte entre o corpo e a mente.

Você não pode contemplar a mente com os olhos. No ássana, os olhos devem estar ativos para ajustar a postura, mas na respiração o importante são os ouvidos – é preciso escutar o som da vibração da mente para ajustar sua harmonia. A mente também é uma vibração no espaço. O som de sua vibração só pode ser captado pelos ouvidos. Esse é o alcance da introspecção. Ela nos aproxima não da ruidosa atividade de pensar do cérebro (ao contrário, esse órgão é pacificado), mas da faculdade intuitiva da mente. Nada pode ser forçado no pranaiama. É assim que ele nos ensina a humildade. O prana e sua companhia natural, a percepção intuitiva superior (*prajna*), têm de ser convidados, cortejados. Quando as circunstâncias são propícias, eles aparecem. Aplica-se bem aqui a metáfora do cavalo selvagem. Não se consegue capturá-lo correndo atrás dele. Mas, se ficar quieto e estender-lhe uma maçã, o cavalo virá até você.

Em certo sentido, o pranaiama requer o poder da vontade – vontade de praticar, vontade de vencer sua monotonia. Embora seja, por si, fascinante, ele oferece menos variedade que o ássana e, como já disse, é uma prática introvertida. Por mais ardoroso que você seja, como eu era e ainda sou, não tente reter a respiração com a força da vontade. No momento em que o cérebro fica tenso, os ouvidos internos enrijecem, e se olhos estão pesados ou irritados você está forçando os seus limites. Fique atento à pele do tronco enquanto ela se move para o interior do corpo. Se você conhece a extensão e a expansão do corpo, conhece também a extensão e a expansão da mente. Se os nervos do corpo estão sobrecarregados, o cérebro se contrai. A sensibilidade, a aderência e o estiramento da pele devem ser como uma criança disciplinada que é ao mesmo tempo audaciosa e cautelosa. Deixe que a respiração e a inteligência se movam simultaneamente. Se a inteligência se move primeiro, você está usando a força.

No aspecto físico, os movimentos do pranaiama envolvem a ascensão vertical, a expansão horizontal e a extensão circular da caixa torácica, da parede do tórax e dos pulmões. Durante a inspiração, se a pele acima do centro do esterno se move para cima e para baixo e se expande circularmente de um lado para o outro, então os pulmões estão sendo preenchidos em toda a sua capacidade.

O movimento normal da respiração não é ritmado. Cada inspiração voluntária é uma ação com esforço, e cada expiração, uma ação sem esforço. A inspiração normal, involuntária, não é feita pelos pulmões, mas pelo cérebro e as outras partes do corpo. É fácil notar que a inspiração normal movimenta o corpo todo. Os músculos ficam inflados, e com a expiração pode-se perceber claramente que eles se contraem. Em outras palavras, durante a respiração normal, o corpo inteiro inspira, o corpo inteiro expira. Na respiração iogue, o cérebro e as extremidades do corpo permanecem passivos, e somente os pulmões são ativados. O papel do tórax, do diafragma, das costelas, dos músculos intercostais, do abdome e dos pulmões é, portanto, diferente, já que acolhemos a respiração em vez de tragá-la. Como é o invólucro fisiológico ou orgânico que liga e integra o corpo e a mente, é preciso cultivá-lo com o adequado suprimento de sangue e energia. Para isso, todo o sistema respiratório entra em ação, mas sem forçar o sistema nervoso.

Na inspiração normal, o cérebro não apenas puxa a energia, mas também o sangue. Na expiração, o sangue é liberado. Essa respiração nada mais é que o bombeamento de sangue para dentro e para fora do cérebro. A própria palavra "inspiração" – que significa inalar e também captar um sentimento na forma de ideia – expressa os efeitos que esse processo tem sobre o cérebro. Mas esse tipo de inspiração gera tensão no cérebro, uma vez que as células continuamente se enchem e se esvaziam. Assim, em vez de se energizarem, o corpo e o cérebro dissipam a energia disponível. O pranaiama começa pela observação dos movimentos da respiração normal, tornando-os aos poucos mais calmos e suaves e eliminando assim a carga das células cerebrais. Para que isso aconteça, é preciso aprender a soltar o diafragma. Situando-se entre os invólucros mental e fisiológico, o diafragma se enrijece cada vez que registra o estresse e as tensões da vida cotidiana.

É necessário mergulhar na respiração que entra e sai e na sua retenção natural, sem provocar nenhuma tensão nas células cerebrais nem perturbações ou espasmos desnecessários nos nervos e órgãos vitais. Afinal, os nervos são semicondutores líquidos e, assim como os computadores, não reagem bem a bruscas oscilações de corrente. Para domesticar o cérebro, você tem de domesticar a respiração e deixar-se absorver, momento a momento, no fluxo sereno do movimento circular da inspiração e da expiração. O fluir da respiração deve ser como a corrente de um rio caudaloso e imponente que se move imperceptivelmente.

Se, durante a inspiração, é a mente que predomina, o pranaiama é egotista. Se a mente recua, sob o predomínio do coração, então o pranaiama é humilde, verdadeiro. Quando aprende a distribuir o prana, você consegue unir sua energia individual com a do universo. A inspiração abarca todo o corpo, expandindo-se do centro para a periferia. Durante a expiração, a maré reflui de volta ao centro. A inspiração se move em direção à consciência periférica; a expiração se move para o coração da consciência.

Assim como as folhas se movem ao vento, a mente se move ao sabor da respiração. Quando a respiração se torna regular e tranquila, tem o efeito de neutralizar a mente. Quando você sustenta a respiração, sustenta a Alma. Ao reter totalmente a inspiração, você retém a divina infinitude que habita o seu interior e realiza todo o potencial da sua individualidade. Trata-se, porém, de uma individualidade divina, não da criatura pequena e egoísta com a qual você normalmente se identifica. Ao expirar, você generosamente compartilha seu eu individual com o mundo universal. Expirar significa exalar e também morrer. O que morre é o sentido de eu que conhecemos, que se agarra fervorosamente à própria identidade e existência. Na retenção que sucede a expiração, experimentamos a vida após a morte. Assim enfrentamos e dominamos aquilo que o ego mais teme. O véu da ilusão que encobre o eu é então removido.

A inspiração impregna de vida o corpo. A expiração sujeita essa vida à fonte da vida, Àquele que dá a vida. O corpo se move para dentro, rumo ao coração da existência, assim como um filhote busca o aconchego da mãe, seguro e confiante. Se a retenção causa tensão ou dor na cabeça, é o cérebro que a está comandando, não os pulmões, e por isso é egotista. A retenção deve ser natural. A Natureza é energia. Ela supre todas as nossas necessidades. O ego é finito. A energia da Natureza é infinita. Quando negamos a Natureza, negamos nossa energia. Deixe que esse oceano de energia dê vida aos pulmões, purifique o corpo e refine a consciência.

As possibilidades contidas na relação entre prana e *citta* (consciência) levaram o grande iogue Svatmarama a concluir, no livro *Hatha yoga pradipika*, que a respiração é a chave para a derradeira emancipação. Além disso, a respiração acumula toda a imensa força de que o praticante necessita para contemplar a luz infinita quando a graça se manifesta. Ao recolher a mente dos sentidos de percepção e dos órgãos de ação, a retenção da respiração põe a consciência para repousar no colo da Alma. A retenção após a inspiração é a realização do potencial do indivíduo para a divindade. Essa "taça cheia" se ergue para incorporar-se à energia universal. A expiração e a retenção esvaziam a taça do potencial individual para a divindade num ato de entrega à força cósmica. Por meio desse nobre gesto de abnegação, a identidade do iogue se funde totalmente na sua origem divina. Nesse aspecto, para mim, o pranaiama atua como *bhakti marga*, o grande caminho iogue da devoção, do amor e da entrega. Há registros, na história, de algumas pessoas que, ao renunciar a si mesmas, conseguiram dar esse salto para um estado de ausência de ego. Estou certo, porém, de que, na sociedade moderna, na qual somos encorajados desde a infância a desenvolver uma personalidade egoica, essa transição é impossível sem o longo e árduo aprendizado propiciado pela prece viva do pranaiama.

O *Hatha yoga pradipika* afirma que os sentidos são governados pela mente, a mente é governada pela respiração, e esta, por sua vez, é governada pelos nervos. Os sentidos informam a mente e trazem dados sobre o mundo que nos rodeia, mas, se não tivermos cuidado, eles também podem controlar a mente e a nós. O iogue aprende a usar a mente para governar os sentidos e utiliza a respiração para governar a mente. No entanto, a mente e a respiração nem sempre estão calmas e sob controle. Na verdade, as tensões e estresses que experimentamos na vida impõem-lhes um frequente estado de agitação. É esse estresse que muitas vezes torna a respiração mais curta, pois a ansiedade faz o abdome contrair-se. A respiração então cessa e nossa energia vital se esgota.

Estresse

O estresse sempre fez parte da vida, mas hoje em dia estamos sujeitos também ao estresse gerado pela cultura em que vivemos e pelas nossas necessidades pessoais. A competição nessa "corrida de ratos" deu origem a uma tensão desnecessária, que nos atinge por dentro e por fora. Esse ritmo de vida acelerado nos leva a negligenciar o corpo e a mente. Corpo e mente fazem força em direções opostas, dissipando nossa energia. Como não sabemos recarregar nossas baterias de energia, tornamo-nos desleixados e empedernidos.

O progresso industrial e a urbanização certamente imprimiram à vida um ritmo mais veloz. A ciência e a tecnologia brindaram-nos com o conforto físico e o lazer, mas não damos à mente um minuto de descanso e reflexão. Atiramo-nos de uma obrigação a outra, acreditando que velocidade e movimento são as únicas coisas da vida. Assim, o estresse se acumula no corpo, produzindo enfermidades psicossomáticas, como úlceras e problemas cardíacos. O estresse emocional fica gravado nos corpos físico, orgânico e neurológico, assim como a música num CD. Até os animais adoecem e morrem por causa do estresse emocional.

Não podemos eliminar o estresse e a tensão da nossa vida – nem esse é o caso. A vida em si é cheia de estresses. As pessoas vão ao cinema para relaxar, mas até isso é estressante. No sono também há estresse: é ele que nos faz mudar de uma posição para outra. Sentamos para meditar e lá está o estresse. Se relaxamos a postura durante a meditação, adormecemos, por isso temos de manter a coluna ereta, e isso é estressante. Andar, comer, ler – tudo causa estresse. Não há nada no mundo que esteja livre de estresse, do nascimento à morte. Em vez de perguntar se é possível libertar-nos completamente do estresse, devemos questionar até que ponto ele é aceitável. O mais importante é saber qual é o efeito do estresse sobre o sistema nervoso. O estresse positivo é uma reação adequada aos desafios da natureza; é construtivo e não prejudica os nervos. Quando destrutivo, o estresse é negativo e, portanto, nocivo. Em resumo, nossa meta é lidar com o estresse no momento em que ele surge, sem deixá-lo imprimir-se e acumular-se nos vários sistemas do corpo, entre os quais a memória consciente e inconsciente.

A solução para vencer o estresse é acalmar e fortalecer o sistema nervoso. Os olhos se localizam tão perto do cérebro que refletem quão tensos e irrequietos os nervos se tornaram por causa da sobrecarga. Se o seu único propósito é a saúde, ou a saúde como prelúdio da meditação, esses padrões desordenados de energia que chamamos de estresse precisam ser apaziguados e eliminados do corpo. Do contrário, o progresso para os níveis superiores da ioga e para um estilo de vida mais harmonioso não ocorrerá.

As principais causas do estresse negativo são a raiva, o medo, a pressa, a cobiça, a ambição desmedida e a competição, que têm um efeito deletério sobre o corpo e a mente. Quando alguém realiza um bom trabalho sem motivos egoístas, embora não esteja livre do estresse, este é positivo e bem menor do que o produzido pela cobiça e ganância. A prática de ássana e pranaiama não apenas libera o estresse, como energiza e revigora os nervos e a mente, deixando-nos prontos para lidar com o estresse oriundo dos caprichos da vida.

Considere a seguinte analogia. Quando chove forte, a água nem sempre penetra a terra. Se a superfície do solo estiver seca e dura, a água cai e escorre. Mas, se chover gradualmente por vários dias consecutivos e o solo estiver úmido, a água se infiltrará pela terra, favorecendo o plantio e a vida. É mais ou menos isso que acontece conosco. Devemos umedecer os músculos e os nervos pela expansão e extensão dos vários ássanas. Dessa maneira, o estresse que impregna o cérebro se espalha pelo resto do corpo, deixando o cérebro descansado e livre de tensões; o corpo, por sua vez, se desfaz do estresse e da tensão por meio do movimento. De modo semelhante, os vários tipos de pranaiama irrigam o corpo com energia. Os nervos se acalmam, o cérebro se tranquiliza, e o retesamento e a rigidez dos pulmões acabam. Os nervos devem permanecer saudáveis. Existe uma certa vibração que, pela prática dos ássanas e do pranaiama, pode se tornar mais ritmada e sutil, sem esforço nem estresse. Nesse momento, você se unifica, o que é, por si, um estado meditativo.

A busca de paz e plenitude internas por meio da ioga é a solução para o acúmulo de estresse que experimentamos na vida. Duas práticas principais, os ássanas e o pranaiama, são de grande ajuda nisso, mas a ioga oferece ainda uma solução mais abrangente. A cura para o estresse, a tensão e a pressa reside na prática dedicada e na sabedoria que resulta do conhecimento de si mesmo e do mundo, bem como na devoção – pois, ao renunciar ao que não podemos controlar, permitimos que o ego relaxe e se liberte da ansiedade de sua infinitesimal pequenez, mergulhando na infinitude do divino.

A pressa, o estresse e as tensões da vida moderna desequilibram o sistema humano. O corpo é a máquina mais precisa que Deus criou. Milhões de células nascem e morrem a cada segundo. Elas têm inteligência própria, dão força, boa saúde e tranquilidade mental. A orquestra de ossos, músculos, tecidos, nervos, vasos sanguíneos, membros e órgãos dos sistemas circulatório, respiratório, digestório e glandular toca em sintonia com a genuína dança sustentada pela energia do prana e coreografada pela consciência. Embora a ioga comece com o culto do corpo, ela leva ao cultivo da consciência. Cultivando a mente, conseguimos evitar o estresse que, do contrário, se alojaria no corpo, causando doenças e padecimentos.

Como eu disse anteriormente, não pense que a prática da meditação, por si só, removerá o estresse. Só aprendendo a relaxar o cérebro é que se pode eliminar o estresse. Este está associado aos nervos e às células. É preciso aprender a acalmar as células e resfriá-las quando estão superaquecidas por pensamentos que causam ansiedade e distração. Manter o cérebro num estado receptivo é a arte que a ioga nos ensina. Muitas pessoas acreditam que a meditação é um método para aliviar o estresse. Na ioga, deve-se resolver o estresse antes de começar a meditar. A verdadeira meditação (*dhyana*) acontece quando o conhecedor, o conhecimento e o conhecido se tornam um. Isso só é possível quando estamos num estado de ausência de estresse.

A meditação é uma parte essencial da ioga e existe potencialmente em cada aspecto ou pétala desta. Cada uma dessas pétalas requer um espírito meditativo ou reflexivo. A meditação está relacionada com a faculdade mental superior, que exige preparação. Aprender os ássanas certamente é útil. Se eu disser "Relaxe o cérebro", você não conseguirá fazê-lo. Se eu colocá-lo num determinado ássana, seu cérebro relaxará e você ficará quieto. Essa é a beleza da ioga. Se você fizer o *Halasana* (postura do arado), seu cérebro ficará totalmente quieto. Se estiver mentalmente abatido, você pode fazer o *Setu Bandha Sarvangasana* (postura em que o corpo fica arqueado como uma ponte) por dez minutos e a depressão desaparecerá, mesmo que não saiba como se deu essa transformação. É assim que usamos o corpo para cultivar a mente. Quando a mente deprimida e angustiada está curada, a luz da Alma pode irradiar-se na superfície do ser.

Quando você está emocionalmente perturbado, a insegurança e a ansiedade da mente consciente se convertem na mente inconsciente, que se esconde, na verdade, no coração, não no cérebro. O temor do futuro, a insegurança de não saber se as necessidades e exigências da vida serão atendidas e satisfeitas, o medo de perder o que se tem – essas são preocupações que afligem a todos. Dinheiro, casa, trabalho, comunidade, amigos e parentes podem ser motivos de inquietação. Seja o desejo de conquistar nome e fama (trabalho), seja o cuidado com pessoas mais próximas e queridas (família), todos enfrentamos os mesmos problemas. Os seres humanos, por natureza, resistem às mudanças, pois se sentem seguros com o que é conhecido e temem a incerteza trazida pela novidade. Preferimos viver numa rotina fixa e familiar e evitamos aceitar ou mesmo sentir o que está além daquilo que conhecemos. Mas a vida inevitavelmente oscila, se move e transita entre o conhecido e o desconhecido, e não estamos preparados para aceitar seu fluxo. Queremos a liberdade, mas estamos agarrados à servidão. Não permitimos que a vida "aconteça" e siga o seu curso. Antagonismos, oposição, conflito de interesses e ideias, confrontos de ego (pessoal e coletivo) e uma compreensão limitada são elementos inevitáveis da vida.

A solução da ioga para essas vicissitudes está em aprendermos a adaptar-nos e desenvolver-nos. É fundamental controlar os distúrbios emocionais e as flutuações da mente. O autocontrole consciente nos poupará de muitos problemas. Quando tivermos feito tudo que está a nosso alcance, estaremos prontos para encarar o futuro sem medo e lidar com qualquer desafio que ele possa trazer. Podemos também controlar nossas dualidades e conflitos internos. Dessa maneira, reservamos energia para enfrentar as inevitáveis dificuldades da vida, seus altos e baixos, tristezas e alegrias, com mais equanimidade e menos inquietação emocional.

No *pranamaya kosa,* o invólucro energético, trabalhamos não só com a respiração, mas também com as emoções. Você certamente já se deu conta de que as emoções afetam muito a respiração. O choro é o exemplo mais evidente de como a respiração se altera sob o efeito das emoções. Se queremos levar a sério o trabalho com a respiração e a energia do corpo, devemos lidar com as seis perturbações emocionais.

As seis perturbações emocionais

Por meio da ioga, conseguimos atenuar as seis perturbações emocionais que tanto nos angustiam: a luxúria, o orgulho e a obsessão, a raiva, o ódio e a cobiça. Chamadas de emoções negativas, na psicologia ocidental – ou de pecados capitais, no cristianismo –, essas reações emocionais são de fato inimigas do crescimento espiritual quando fogem ao nosso controle. No entanto, cada uma delas tem um propósito e pode ser usada com sabedoria. Por exemplo, as mesmas emoções são transformadas e expressas em sentimentos, gestos e posturas na composição da dança clássica indiana. Na verdade, os sentimentos são carregados de energia, que, quando não dirigida para fora, para o mundo, pode ser cultivada em benefício da jornada interior.

As religiões pregam que devemos nos livrar das emoções, mas não conseguimos. São reações humanas, e, querendo ou não, estamos sujeitos a elas. Suprimi-las não adianta. George Stevenson inventou a locomotiva a vapor ao observar que o vapor emitido por uma chaleira com água fervente fazia a tampa se levantar. Sua força era irresistível. A ioga busca canalizar e transformar a energia visando um propósito superior, assim como Stevenson usou a energia do vapor para movimentar locomotivas. Dizem que a guerra é a diplomacia conduzida por outros meios. Seria mais correto dizer que a guerra é a encenação da cobiça ou do orgulho no palco da história humana. Como as emoções fazem parte da interface fisiológica entre corpo e mente, convém agora examiná-las mais detalhadamente.

Quase toda a comunicação humana é emocional, não intelectual. Muito mais que os pensamentos, são as emoções que guiam o comportamento no mundo. Elas dizem respeito não só ao que sentimos, como também ao valor que atribuímos às coisas. A vida humana consiste basicamente em trocas, e, quando discordamos sobre o valor do que estamos trocando, o desentendimento e a desarmonia se fazem presentes. Para entender as emoções, temos de reconhecer o papel que o ego desempenha nelas, como explicarei mais adiante. As pessoas geralmente se tornam prisioneiras dos distúrbios emocionais e se veem lançadas de um lado para o outro como bolas de bilhar. A ioga nos ajuda a sair dessa sinuca emocional, ensinando-nos a controlar as emoções para que elas não nos controlem. Dessa maneira, podemos sublimá-las e nos tornar senhores da situação, não seus escravos.

A busca espiritual exige que se desenvolva o corpo até que ele deixe de ser um impedimento, um obstáculo, para tornar-se amigo e cúmplice. Do mesmo modo, as emoções e o intelecto devem ser desenvolvidos para propósitos divinos. Como todos somos afetados por eles, a ioga tende a considerá-los doenças da mente, problemas inerentes que decorrem da própria condição humana. Afinal, não se culpa uma pessoa que vive num pântano tropical por pegar malária. Tudo que se pode fazer é procurar os meios de curá-la. O homem não é mau, o mosquito está apenas fazendo o que é da natureza dos mosquitos, e o pântano provavelmente é rico em alimento e vida, senão ninguém viveria ali. Não se trata, portanto, de achar um culpado, mas de encontrar uma solução.

Suponha que seja difícil dar partida no seu carro nas manhãs de inverno. Você não tem condições de comprar um carro melhor, mas sabe que, se se der ao trabalho de estender uma lona sobre o capô nas noites frias, ele funcionará bem de manhã. Em outras palavras, o carro tem um ponto fraco, um defeito, mas com alguma precaução e esforço ele não causará problema. É assim que devemos agir com as seis perturbações emocionais. Como dizem hoje em dia, devemos viver na solução, não no problema.

A maioria dos ocidentais tenta resolver suas dificuldades emocionais usando a compreensão intelectual. Contudo, elas só podem ser resolvidas por meio da compreensão emocional. Fisicamente falando, as emoções residem nos órgãos do corpo fisiológico – no plano do *pranamaya kosa*. Imagine um coronel do exército, de temperamento bilioso, irascível, que abusa do seu fígado se empanturrando de pimenta e conhaque. Da mesma maneira, as emoções positivas, benéficas, alojam-se nos órgãos saudáveis. É a saúde do corpo fisiológico que estabelece o elo principal entre a Saúde e a Salvação. As crianças, por exemplo, são inocentes porque têm órgãos saudáveis. As duas coisas andam juntas. Os órgãos fatigados se entregam aos vícios da fadiga.

Embora, como disse, as emoções tenham raízes no corpo orgânico, nem sempre permanecem ali. Elas invadem e ocupam a memória. Os cachorros podem sentir raiva, mas somente os seres humanos podem dizer "Estou com raiva do meu chefe" e registrar isso na memória. Quando dizemos que estamos com raiva, é uma percepção mental do nosso estado, e, ao registrar essa percepção, nós a gravamos na memória, onde ela passa a fazer parte do estoque e da mobília da mente. Os cachorros podem deparar de novo com o estímulo sensorial que lhes provoca raiva, medo ou qualquer outra emoção, mas trata-se de uma memória celular, um reflexo condicionado, que está ausente quando o gatilho que a dispara não é acionado. Quanto a nós, andamos por aí carregando as lembranças do rancor, do ressentimento, do ódio, da cobiça e da luxúria, mesmo quando o estímulo que os motivou não está presente. Assim, quando o nosso chefe sai de férias, continuamos a odiá-lo. Isso não o prejudica, mas certamente nos contamina e envenena, bloqueando e dissipando nossa energia vital. Quem é tão rico a ponto de esbanjar tanto? Quem é tão puro a ponto de resistir a essa toxina sistêmica?

Sentir é um verbo, algo que acontece. Todos sentimos. A *emoção* é um substantivo, uma coisa. Sentir é bonito, faz parte da condição animal e humana. Quando deixamos os sentimentos endurecer as emoções e misturar-se a elas – as quais carregamos como escravos oprimidos sob um pesado fardo –, negamos a nós mesmos o frescor da vida, seu infindável potencial de renovação e transformação. Desperdiçamos muita energia ao permitir que as emoções nos governem. Os sentimentos e as emoções estão ligados aos órgãos, à respiração e à mente. Os sentimentos que experimentamos antes de pipocarem em nossa cabeça são chamados de "viscerais" e respeitados em virtude de sua natureza instintiva. No organismo sadio, os sentimentos devem passar como nuvens diante do sol. Quando, por intervenção do pensamento, eles ficam ancorados na memória, convertem-se em emoções e já não têm mais relação com o momento, mas com o passado. Tornam-se mais densos e escuros, como nuvens de tempestade que encobrem o sol. Essas emoções estagnadas são como veneno para nós e nos impedem de ver a realidade.

O cachorro, por exemplo, fica triste quando o dono sai de casa; seu coração fica desolado. Quando o dono volta, ele guarda algum ressentimento? Não, ele se enche de alegria ao vê-lo. Quem está mais perto da realidade: o dono ou o cachorro?

Achamos que a vida é cheia de pressão, dor, tensão, estresse e esforço. Quando entendemos as seis perturbações emocionais que abatem a humanidade, temos a chance de transformá-las e transformar-nos.

Luxúria

Nada dispersa tanto a mente como a luxúria. No entanto, ela é o ímpeto para a procriação. É a cola que mantém a família unida. A insatisfação sexual é a origem dos problemas no casamento. É necessário ser paciente e tolerante. O casamento progride naturalmente para um estágio em que a paixão se torna menos importante – não sem importância, mas menos importante – e gradualmente cede lugar ao amor e à amizade. A porta de entrada para o amor divino, de acordo com a minha experiência, é o amor pessoal – o amor entre duas almas encarnadas. Assim como não se pode alcançar a iluminação pulando de um guru para outro, ao sabor dos caprichos, não será fácil encontrar o amor maior de Deus se você ficar olhando as imperfeições em cada criatura. De maneira geral, e reconheço que existem diferenças culturais, vale a pena perseverar naquilo que começamos. Sei que o pranaiama é enfadonho às vezes. Para uma mente dispersa, a fidelidade sexual também é. Mas amar o indivíduo é acessar o todo. Confiança e fé nos unem não somente uns aos outros, mas ao Universal. Quando a respiração é suavemente exalada na direção do coração, este se purifica dos desejos e das emoções que o atormentam. O amor que transcende a particularidade da atração individual e percebe a Alma dentro do outro é o grande caminho para chegar a Deus.

É claro que dizer isso aos 86 anos é fácil. Quando jovem, tive de lutar para manter minha integridade. A virtude é um ideal; a integridade, uma realidade. Não queria me dividir. O radical *di* em sânscrito é o mesmo para as palavras "divisão" e "demônio". Significa fragmentação e perda de si mesmo. Eu sabia que, se cedesse à tentação de uma prostituta, teria de me casar com ela ou perderia minha integridade. Certa vez, num momento de raiva, escrevi isso ao meu guru e fui injustamente tachado de imoral. O grande sábio Ramakrishna, que viveu no século XIX, entrava em estado de samádi quando era apresentado a prostitutas, já que só reconhecia nelas a divindade interior, e nada mais.

Mais tarde, já casado e dando aulas fora, vi-me exposto às tentações. É normal que as alunas coloquem o professor num pedestal, mas naquela época eu já conhecia um pouco mais as coisas do mundo e descobri um jeito de intimidá-las e mantê-las à distância. Minhas sobrancelhas vistosas e o olhar impassível me foram muito úteis.

O desejo sensual, quando acompanhado do amor, é uma parte importante do matrimônio. Tive um casamento apaixonado, e se minha esposa Ramamani ainda estivesse viva a intensidade dos nossos sentimentos em nada teria diminuído. Muitas vezes, no casamento, um dos cônjuges começa a seguir a ioga, ou outro caminho espiritual, e deixa o parceiro para trás. Isso não deve acontecer. Ambos devem fazer o que for preciso para acompanhar o parceiro ou retornar a ele. Essa é a única forma de manter o casamento forte.

A sexualidade é natural e sagrada, como no mundo natural. É o modo como a usamos, canalizamos e direcionamos que estabelece a diferença entre o sagrado e o profano, entre o aumento da devoção e o que Shakespeare descreveu em um soneto: "A dissipação do espírito na perda do pudor é luxúria em ação".

A ioga não costuma utilizar a palavra "poder"; no entanto, ela está implícita em todas as menções ao ego. O ego busca o poder porque deseja se perpetuar; ele quer, a todo custo, evitar sua inevitável extinção. Para alcançar esse fim impossível, ele inventa milhares de estratagemas. A sexualidade é essencialmente a beleza dos pássaros se acasalando na primavera. Ela é essa alegria da natureza ou pecado? Mas o que fez o ego com a procriação, a união harmoniosa dos opostos? Ele a deturpou, transformando-a num ato de autoafirmação egoísta. Luxúria é uma forma de legitimação pessoal por meio do consumo, de controle pelo exercício do poder. Quando o ego humano fez sua aparição no mundo, ele alterou o ato da procriação, convertendo-o num testemunho existencial do ser mediante um ato de consumo, não de consumação.

Orgulho e obsessão

As seis perturbações emocionais se tornam um problema quando o ego se envolve com elas. Sem o ego, você pode odiar a injustiça, tal como fez Gandhi na África do Sul*. Sem o ego, você pode se orgulhar de suas realizações. Yehudi Menuhin era

* Quando jovem, Gandhi foi advogado e professor na África do Sul. Ele chegou a ser preso, em 1913, ao liderar uma marcha de mineiros indianos que trabalhavam no país. (N. E.)

humilde perante sua arte, assim como eu em relação a minha, mas isso não nos priva do direito de ter orgulho do que realizamos. O fato é que simplesmente não associamos isso ao ego; é um talento que tivemos a graça de compartilhar. A obsessão pode traduzir-se como presunção ou vício – estados em que o ego se encontra escravizado. Outra palavra para obsessão é fanatismo. Yehudi Menuhin e eu nos dedicamos fanaticamente a nossa arte. Mas éramos fanáticos? Não em relação aos outros. Nosso ego não tinha a fixação de forçar e controlar as pessoas. Paixão pela excelência é uma coisa; querer impingir aos outros nossas crenças e práticas é outra. Isso é ego, é orgulho.

O caminho da ioga não é fácil e requer um compromisso que a muitos pode parecer extremo ou fanático. Sou fanático com respeito a mim quando pratico ioga. É verdade. Você deve ser fanático quando se trata de você, mas não com os outros. Meu guru era fanático em relação a todos, a mim inclusive. Ele impunha seus padrões a todo mundo. Tento conhecer as habilidades dos alunos e ajudá-los a atingir o máximo do seu potencial, não do meu. Discorrerei mais longamente sobre o ego e o orgulho no capítulo 5, já que ambos estão entre as cinco aflições essenciais para a compreensão da ioga. A obsessão, no sentido de padrões viciados de comportamento, será aprofundada no capítulo 4.

Raiva

Todos já presenciamos momentos em que a raiva fica fora de controle ou se torna destrutiva – marido e mulher gritando no quarto, motoristas berrando com os outros na rua. A raiva fica fora de controle quando se inflama em nós como um fogo irrefreável que arde lentamente mesmo depois de as chamas se apagarem. Gritamos e xingamos as pessoas, dizendo coisas que não queríamos dizer, porque estamos enfurecidos. Por muito tempo ainda continuamos ressentido, a ruminar a ofensa que nos fizeram. Essa é a raiva que se origina no ego. Se um carro nos fecha na rua, ficamos ofendidos. "Ele *me* fechou!", dizemos. Ele fez isso *comigo*. Ele *me* ofendeu, afrontou meu ego.

À medida que praticamos ioga e começamos a meditar, desenvolvemos a equanimidade, desprendemo-nos do ego. Passamos a compreender que muito do que acontece na vida não é pessoal. O motorista não nos fechou porque não tinha respeito por nós. Percebemos que isso nada tem que ver conosco. Quando a mente se torna mais quieta, o primeiro pensamento que nos ocorre não é "Idiota!", mas "Talvez ele esteja correndo ao hospital para ver seu pai que está morrendo". No Ocidente, as pessoas levam tudo para o lado pessoal, a ponto de existir hoje a expressão "fúria ao volante" para designar os motoristas que se agridem e até mesmo se matam no trânsito. Em Puna e na maior parte da Índia, ainda não há semáforos, e as ruas são uma aglomeração de motoristas, pedestres e às vezes animais, todos tentando atravessar, e só por pouco um não bate no outro. Os motoristas buzinam sem parar, para alertar os outros de sua presença e disputar um lugar, mas ninguém encara isso como pessoal. Todos sabem que aquela multidão na rua está tentando ganhar o seu sustento e chegar ao seu destino. Isso não significa que não haja rivalidade no trânsito ou que as pessoas não recorram aos tribunais quando algum acidente acontece. Os indianos não são todos iogues, mas nossa cultura nos ensina que às vezes a vida é impessoal. Estamos todos sujeitos a forças impessoais, como o trânsito.

Muitas pessoas dizem que sou genioso porque grito na aula quando vejo que algum aluno está se arriscando ou, por outro lado, não está se esforçando. Por isso dizem que sou um professor severo. Sou rigoroso, mas não ríspido. Uso minha raiva para libertar os alunos dos seus padrões. Um aluno certa vez não parava de falar no seu medo durante o *Sirsasana*, então finalmente gritei: "Esqueça o medo. Do chão você não passará. O medo está no futuro. No presente não há medo". Ele se assustou, mas entendeu aonde eu estava querendo chegar. Um comandante que está liderando o exército no campo de batalha nem sempre pode se dirigir suavemente aos soldados. Às vezes, ele precisa gritar para motivá-los rapidamente; às vezes, precisa falar com brandura para dar-lhes coragem. A batalha da ioga é com o corpo e o ego. Você deve conquistar o ego, seu pequeno eu, para que sua Alma, seu grande Eu, saia vitoriosa.

Um jovem foi trazido a mim por seus pais. Fazia semanas que ele se encontrava desnorteado, como que em transe. Despachei os pais e perguntei-lhe qual era o problema. Ele me contou que a divina energia da *kundalini* o despertara. A *kundalini* é uma energia muito rara e sagrada. Era como se ele me dissesse que havia se iluminado. Estapeei seu rosto. Eu sabia que ele estava enganado e, por alguma razão, simplesmente pregando uma peça nos pais. De início ele se sobressaltou, mas prestou atenção. Então lhe mostrei como fazer alguns ássanas que o ajudariam a aterrissar e voltar a si. Não estou sugerindo que os professores devem bater nos alunos, ou que os pais devem bater nos filhos. Quando isso acontece, é geralmente porque o professor ou os pais perderam o controle, e essa raiva é destrutiva. Estou dizendo que há lugar para a raiva justificada – não a raiva autojustificada –, que, se habilmente utilizada, mais ajuda que fere as pessoas. Eu não estava zangado com o rapaz. Estava zangado com sua ilusão. O tapa serviu para acordá-lo dessa fantasia perigosa. Talvez o exemplo mais comum e mais simples seja o da mãe que agarra o filho pequeno quando ele está prestes a atravessar a rua. A raiva da mãe é construtiva, e ela pode ralhar com a criança para ensiná-la a manter-se em lugar seguro. Se a mãe fica ruminando sua raiva e continua a gritar com o filho pelo resto do dia, isso não é construtivo, porque ele pensará que a mãe está com raiva *dele* e não simplesmente daquilo que ele fez.

Ódio

O ódio e seus parentes, a malícia e a inveja, são as últimas perturbações emocionais citadas por Patanjali. A natureza destrutiva do ódio se evidencia em toda parte pela intolerância, a violência e a guerra. Mas ela está presente também na vida, quando desejamos mal aos outros ou invejamos o que eles têm. Achamos que, se eles forem menos, seremos mais. É como a história do fazendeiro que encontra um grande mago, que lhe diz que ele pode ter tudo que quiser. O fazendeiro então responde que deseja que a vaca do seu vizinho morra. Os consultórios psiquiátricos do Ocidente estão repletos de adultos cujos pais amavam mais um filho que outro, semeando ódio e rivalidade entre os irmãos. Como vemos, até o amor dos pais pode ser destrutivo. Devemos aplicar a inteligência a todas as emoções, não somente às negativas.

Até o ódio tem um aspecto positivo. Quando convidei viciados em drogas e sexo a viver em minha casa para curá-los, eu odiava o vício que os acometia. Odiava o que o vício fizera a eles e o modo como arruinara sua vida. Um professor sábio pode usar o ódio que sente das falhas dos alunos para corrigi-los e ajudá-los. Alunos inseguros ou deprimidos talvez demorem a perceber que o conselho é construtivo e pensem de início: "Meu professor me odeia". Mas, no fim, acabarão vendo que o professor – se este usou a inteligência – estava tentando ajudar.

Cobiça

Sempre fui um homem cheio de apetite e entusiasmo. Na juventude, eu vivia com fome, mas, numa ocasião memorável, participei de um concurso para ver quem comia mais *jalebi* e venci. O *jalebi* é uma massa bastante açucarada, que se frita no *ghee* (manteiga clarificada). Comi 76 *jalebis*. Hoje, embora consiga me sustentar sobre a cabeça durante vinte minutos, não acho que ainda conseguiria comer 76 *jalebis*. O apetite pela vida é maravilhoso – apetite por cheiros, paisagens, sabores, cores, pela experiência humana. Você só precisa aprender a controlá-lo. Qualidade é mais importante que quantidade. Absorva a essência da vida da mesma maneira que sente a fragrância de uma flor, com delicadeza e profundidade, sensibilidade e apreciação.

Se o apetite é um presente, e a gula, um pecado, então o desperdício é um crime. Desperdiçamos alimento, energia, tempo, vida. Buscamos poder acumulando o excedente; cobiçamos mais do que o justo quinhão que nos cabe. Num mundo finito, procuramos a saciedade infinita. Ter mais dinheiro do que podemos gastar numa vida inteira prolongará essa vida? Podemos comer toda a comida de uma despensa repleta quando estamos mortos? O vilão é o ego. Ele conhece a lei da intensificação, segundo a qual mais é melhor, e no próximo capítulo veremos algumas de suas artimanhas. O planeta geme sob o fardo dessa cobiça.

É fácil identificar no mundo os aspectos destrutivos da cobiça. É mais difícil percebê-los em nossa vida. Quando somos cobiçosos, nunca estamos satisfeitos ou contentes. Sempre tememos que não haja o suficiente, e assim nos tornamos avarentos. Em vez de reconhecer nossa riqueza e ser generosos com os outros, não passamos de mendigos ricos, sempre pedindo mais. Na ioga, minimizamos conscientemente nossas necessidades. Fazemos isso não para mostrar que somos santos por conseguir viver com alguns grãos de arroz. Minimizamos nossas necessidades para reduzir o apego e maximizar o contentamento. Assim conseguimos diminuir a cobiça. Uma refeição frugal para um homem pode ser um banquete para outro. Na vida é assim também. Quanto menos necessidades tivermos na vida, mais capacidade teremos de perceber sua prodigalidade.

Certa vez, quando estava na Europa, pediram-me para ensinar ioga a um homem que era muito reverenciado em todo o mundo por sua sabedoria e santidade. No entanto, ele tinha um fraco por carros. Apesar de viver da generosidade dos outros, estava disposto a aceitar, como presente de um dos seus devotos, um Rolls-Royce esportivo para duas pessoas. Alguém já me conduzira antes num carro desses, e eu sabia que era excelente, mas também muito caro. Seu devoto me contou que tivera de vender a casa para comprá-lo. Como não disfarço meus sentimentos, disse àquele homem que ele fizera mal em aceitá-lo. Disse ainda que, enquanto eu estava satisfeito com minhas camisas de algodão, ele necessitava de camisas de seda. Não por isso sou mais santo que ele. É só que, tendo necessidades menores, minha capacidade de satisfação é maior. Todo dia via esse homem respeitado polir pessoalmente o carro durante duas horas, pois não queria que ninguém mais o tocasse. O amor dele por carros e sua necessidade deles eram uma armadilha que despertavam sua cobiça.

Não são só os bens materiais que cobiçamos. Podemos igualmente cobiçar afeto e atenção. Algum tempo depois que esse homem ganhou o carro com dois assentos, outro de seus devotos comprou-lhe um Mercedes com quatro assentos. Esse aluno queria muito estar mais perto do professor e achou que poderia andar com ele no carro se este tivesse mais bancos. Digo aos meus alunos que se alguém pensa que está mais próximo de mim do que outros é porque não entendeu o que é a ioga. A cobiça tem origem no medo de não termos o suficiente – seja dinheiro ou amor. A ioga nos ensina a libertar esses medos para assim perceber a abundância que existe dentro de nós e ao nosso redor.

Lembre-se: a ioga não nos pede que nos abstenhamos do prazer. Mergulhe no delicioso perfume da flor. A ioga é contra a servidão. Servidão significa prisão a padrões de comportamento dos quais não podemos nos livrar. A repetição leva ao tédio, e o tédio é uma forma de tortura. Por isso a ioga nos diz para manter o frescor, a pureza, a virgindade da sensibilidade. É preciso, sem dúvida, vigiar o ego caprichoso, como já disse, mas há também outras técnicas. O objetivo da retenção (*kumbhaka*) é refrear a respiração. Enquanto contemos a respiração, a fala, a percepção e a audição ficam sob controle. Nesse estado, *citta* (consciência) está livre de paixão e ódio, cobiça e luxúria, orgulho e inveja. Prana e *citta* se unificam na retenção. *Citta* oscila com a respiração, ao passo que a retenção a liberta do desejo. Patanjali também descreve meios de lidar com as perturbações emocionais e os outros obstáculos que encontramos na jornada interior – aos quais nos dedicaremos agora.

Antes de tudo, é importante saber que esses conflitos internos, ou perturbações emocionais, não podem ser superados sem arbítrio (*vivecana*). Para vencer as seis causas da ilusão, temos de usar os seis raios da roda da paz. São eles: discriminação e raciocínio, prática e desapego, fé e coragem. Para distinguir entre sensações de prazer transitórias e deleites espirituais permanentes, é necessário ter discernimento e raciocínio. (*viveka* e *vicara*). Estes são desenvolvidos por meio da prática (*abhyasa*) e do desapego (*vairagya*). A prática requer *tapas* (o fogo purificador da ação), que nada mais é que disciplinar a mente através dos oito membros da ioga. A prática não é completa sem a fé (*sraddha*) e a coragem (*virya*). Estas devem ser combinadas com o estudo dos textos sagrados e o autoconhecimento (*svadhyaya*), a determinação (*drdhata*) e a meditação (*dhyana*). Para ter clareza e tranquilidade mental, é especialmente o pranaiama que tem o poder de acalmar a mente agitada e errante.

Eu disse antes que a cura de nossas fraquezas inerentes reside na prática persistente das oito pétalas da ioga. O conhecimento da ioga não substitui a prática. Uma vez que as dificuldades estão dentro de nós, aí também estão as soluções. Contudo, em sua compaixão e sabedoria, Patanjali nos ofereceu uma série de auxílios e remédios específicos que atuam de maneira muito sutil e penetrante para restaurar a consciência aflita. Essas propriedades de cura e saúde (*vrttis*) são de um refinado bom senso e agem como um bálsamo que gradualmente penetra a pele, os músculos e as fibras, aliviando a profunda dor interna.

Os *vrttis* saudáveis

Traduzo aqui, de maneira bastante livre, a primeira recomendação específica de Patanjali sobre as perturbações emocionais: "Se na sua relação com os outros você é feliz, afável e altruísta, os obstáculos diminuem. Se suas emoções são mesquinhas e sua mente é dada a julgamentos, os obstáculos aumentam". Para ser mais preciso, o que Patanjali diz é que, para ter uma consciência serena, precisamos estar dispostos a mudar a maneira de nos comportar e relacionar com o mundo externo. Para o nosso próprio bem. Certos tratamentos, conhecidos como propriedades de cura e saúde da consciência, cultivam a mente e suavizam o caminho do iogue. São eles:

1. *Maitri*: Cultivar a amizade com as pessoas felizes.
2. *Karuna:* Cultivar a compaixão por aqueles que estão tristes.
3. *Mudita:* Cultivar a alegria pelos virtuosos.
4. *Upeksa:* Cultivar a indiferença ou neutralidade em relação aos que são cheios de vícios.

Embora pareçam simples e até banais, esses quatro atributos são, na verdade, sutis e profundos. Você deve estar lembrado de que, ao introduzir as perturbações emocionais, defini-as como falhas naturais que nos fazem dissipar energia. Isso significa que é preciso atrair a energia para dentro, ampliá-la por meio de técnicas de geração, contê-la, distribuí-la e investi-la internamente. Mas o que fazemos, de fato, é deixar que a energia escoe como que por uma peneira. Sempre que tem inveja da felicidade e da sorte de alguém, você deixa vazar energia. "Eu é que deveria ter isso", você diz, "Por que ele ganhou na loteria e eu não?" O ciúme, a inveja e o ressentimento empobrecem, tanto moral quanto energeticamente. Eles literalmente diminuem você. Alegrar-se com o bem-estar alheio é participar das riquezas do mundo. Quando mergulhamos nossa taça no infinito, ficamos ricos, mas o infinito não se reduz. Quando contempla o pôr do sol, você se preenche com sua beleza, mas ele se mantém tão belo quanto antes. Quando se ressente da felicidade dos outros, você perde até o pouco que tem.

Pior do que isso. Quando julga com rigor os defeitos que vê no outro, quando condena e desdenha as pessoas dominadas pelo vício e usa sua desdita para sentir-se superior, você está envolvido num jogo perigoso. "Agradeço a Deus por não estar nessa situação", é assim que você deveria agir. Do contrário, prepare-se para o tombo. Além disso, é cansativo perder tempo reprovando os outros. Isso cria no ego uma couraça de falso orgulho e certamente não ajuda em nada a pessoa que você está censurando. A compaixão pelo sofrimento alheio é mais do que mera simpatia. A solidariedade superficial que expressamos pelo outro quando assistimos ao trágico noticiário na tevê, por exemplo, geralmente não é mais do que o desejo de nos sentir bem, uma forma de subornar a consciência. "Sou uma pessoa sensível e de bons sentimentos", dizemos. Sem ação, isso não passa de autocomplacência.

É uma ilusão dos tempos modernos imaginar que as emoções positivas, a solidariedade, a piedade, a bondade e a boa vontade geral, porém difusa, são equivalentes às virtudes. Essas emoções "ternas" podem servir como uma forma de autocomplacência narcisista. Geralmente são impotentes. Elas nos fazem sentir bem, como quando damos uma moeda a um mendigo. Criam a ilusão de saúde e bem-estar. A sensibilidade deve ser usada como instrumento diagnóstico, não como espelho para a vaidade pessoal. A verdadeira compaixão é potente, pois traz implícita a pergunta: "Como posso ajudar?" A compaixão que madre Teresa de Calcutá sentia pelos moribundos e necessitados se traduzia sempre num estímulo para a ação, o cuidado, a intervenção inteligente.

Emoções positivas e virtude são duas coisas diferentes. Virtude é valor, coragem moral, persistência na adversidade, proteção dos fracos contra a tirania dos fortes – não a solidariedade de um aperto de mãos caloroso. Compaixão é o reconhecimento de que somos iguais, idênticos aos outros. Ela é potente e prática. Costumava acolher na minha casa alcoólicos e viciados em drogas e sexo, que tinham ali um porto seguro até que sua avidez cedesse a um nível controlável. Por mais de cinquenta anos, dei várias aulas terapêuticas semanais para os casos mais difíceis de tratar. Alegro-me com o benefício que elas trouxeram aos meus pacientes. Alegro-me também com o benefício que trouxeram a mim – a oportunidade de encontrar e saudar a divindade no interior de cada homem, mulher e criança e, com abertura, energia e engenho, tentar mitigar suas dores. Do mesmo modo, a virtude dos outros não é uma censura à nossa inadequação, mas um exemplo edificante. Não só os grandes, como Gandhi, têm esse papel. Quando vê um esportista ganhar um troféu e falar de sua vitória com modéstia e gratidão, demonstrando generosidade com seus adversários, você também não se deleita com seu comportamento virtuoso? Esses atributos de cura são joias que enchem de graça nossa vida e consciência.

O pranaiama – a respiração – também pode ajudar nisso. Ao reter a respiração após expirar, podemos acalmar e aquietar a mente e as emoções. Como disse, a expiração esvazia o cérebro e pacifica o ego, trazendo-lhe uma serena humildade.

Quando esvaziamos o cérebro, também despejamos as toxinas da memória. Com a expiração e a retenção, liberamos o ressentimento, a raiva, a inveja e o rancor. A expiração é um ato sagrado de entrega, de renúncia. Ao mesmo tempo, abandonamos todas as impurezas armazenadas que se grudam ao Eu – ressentimentos, raivas, arrependimentos, desejos, invejas, frustrações, sentimentos de superioridade e inadequação e, também, a negatividade que faz os obstáculos aderirem à consciência. Quando o ego recua, elas recuam com ele. É claro que retornam, mas a lembrança da experiência de paz serve para atestar que esses obstáculos não são insuperáveis; podemos nos desvencilhar e desfazer deles. Não são permanentes nem fazem parte da consciência, são enfermidades que podem ser curadas. Carregamos muita toxina na memória, sentimentos que guardamos e deixamos estagnar e apodrecer. Estamos tão acostumados a transportar esse saco de lixo por aí que passamos a acreditar que ele é parte e parcela do nosso caráter.

Existe algo chamado expiração "com eco", que reforça ainda mais meu argumento. Expire lentamente, soltando todo o ar. Pare. Expire de novo. Há sempre algum resíduo que permanece nos pulmões. Nesse resíduo está a borra da memória tóxica e do ego. Nessa curta expiração posterior, solte-a – e sinta um estado de alívio ainda maior, de paz e vazio. Na inspiração experimentamos a individualidade plena, o potencial humano realizado a erguer-se como uma taça cheia em oferenda ou oblação à divindade cósmica. Na expiração, sentimos o Eu esvaziado, o vazio divino, o nada completo e perfeito, a morte que não é o fim da vida. Tente. Expire lentamente, soltando todo o ar. Pare. Expire de novo.

Vejamos um exemplo prático de como a expiração ajuda a acalmar a inquietação e vencer o pesar. Quando alguém recebe uma notícia que lhe causa choque ou desgosto, dizemos "Respire fundo". O motivo disso é que a inspiração profunda produz uma expiração total, também profunda, o que tem o efeito de acalmar e aquietar a pessoa aflita.

Outra cura que Patanjali recomenda é contemplar um objeto que ajude a manter a mente estável e a consciência tranquila. Do ponto de vista da ioga, essa técnica deve ser considerada um tipo de meditação terapêutica. Citarei exemplos não relacionados com a ioga para elucidar que essa técnica se baseia no bom senso. Quando está acamado e sentindo-se indisposto, se você lê um livro bom, sério, interessante, absorvente, sua concentração produz um estado de equilíbrio na mente que alivia o desconforto da doença e ajuda no processo de cura. Toda enfermidade fragmenta, e, portanto, qualquer coisa que promova a integração também é terapêutica. Um dos axiomas da ioga é que a doença tem origem na consciência. O autoaprimoramento só tem início realmente com a autoabsorção total; assim, tudo que facilite a concentração, a reflexão e a absorção interior começará a curar as fissuras e o desequilíbrio do eu.

Outro remédio é a contemplação da luz interior, isenta de mágoas. Essa forma de meditação, no entanto, às vezes ocorre de maneira espontânea nos doentes terminais. A visão de para onde estão indo pode trazer conforto e resignação durante o sofrimento intenso.

Outro antídoto é contemplar sábios divinos ou iluminados. Na cultura ocidental, esse pode parecer um remédio estranho para a cura de doenças ou angústias, mas houve época em que o único recurso de um enfermo era dirigir preces e devoção a santos como Santa Bernadete de Lourdes*. Embora as formas

* Também conhecida como Nossa Senhora de Lourdes, Bernadete Soubirous nasceu em 7 de janeiro de 1844, no povoado de Lourdes, França. Muito doente desde a infância, presenciou a aparição da Imaculada Conceição e, após ter se tornado freira, realizou diversos milagres. Foi canonizada em 8 de dezembro de 1933. (N. E.)

culturais sejam diferentes, há uma sabedoria universal e perene em ação aqui. Quando contemplamos os que têm as qualidades a que aspiramos, ficamos mais perto dessas qualidades.

A última recomendação de cura é recordar em vigília um sono calmo, com ou sem sonhos. O principal aspecto disso tudo é que se trata de formas de autossugestão. Ao contemplar um objeto auspicioso que seja mais calmo, tranquilo, permanente e elevado que nós, podemos alinhar a mente com esse estado mais pacífico e sereno.

À medida que começamos a retrair o ego e nos desapegar dos sentimentos que nos afligem; à medida que usamos os atributos de cura para acalmar o coração e a mente, também começamos a nos recolher das vicissitudes da vida. Esse recolhimento se chama *pratyahara* e é uma parte importante da experiência de paz interior.

Pratyahara

Conhecemos antes o pranaiama, a quarta pétala da flor da ioga. Vimos que ele gera energia e purifica o corpo, seus órgãos e funções, e acalma as seis perturbações emocionais. Também mencionei que, ao dirigirmos a atenção completamente para o movimento interno da respiração, os sentidos perdem sua acuidade para o mundo externo. É o mesmo que acontece quando estamos concentrados em escrever um trabalho de escola – nem sequer notamos o barulho da obra que está sendo executada na rua. Embora a prática do ássana leve a mente para dar uma espiada no interior do corpo, é no pranaiama que começamos a aprender a recolher os sentidos e a mente de seu envolvimento externo. Com isso, a percepção e a energia são investidas *dentro*. É o oposto do que acontece quando você tem um dia agitado no trabalho.

A quinta pétala da ioga (*pratyahara*) é a continuação e intensificação desse processo, levando ao domínio da mente e dos sentidos. Como eu disse, para um iniciante o esforço por meio do exercício é maior do que a penetração no seu centro, e, no pranaiama, a penetração ganha impulso. Chamei isso de eixo. Do mesmo modo, a *pratyahara* é considerada um eixo ou um movimento axial no caminho da ioga, quando as energias criadas pela prática (*abhyasa*) precisam ser harmonizadas e equilibradas pela prudência do desapego (*vairagya*). A prática gera uma força centrífuga, uma energia que gira e se expande. O problema é quando essa energia irresistível gira fora de controle. O treinamento militar funciona da mesma maneira; é por isso que os soldados de licença e os marinheiros em terra geralmente ficam inquietos. A disciplina militar e a honra são sua salvaguarda. O desapego é a salvaguarda disciplinar do praticante de ioga. É uma força centrípeta que, com propósito inabalável, reinveste as forças e habilidades que ganhamos na direção da nossa busca do centro da existência. Essa autodisciplina voluntária é papel de *pratyahara*. Sem ela, o praticante, de corpo e espírito fortalecidos, desperdiçará seus esforços e ficará apegado à atenção e atração maiores que recebe do mundo.

Em sânscrito, *pratyahara* significa literalmente "avançar na direção oposta". O movimento normal dos sentidos é fluir para fora, onde encontram os objetos do mundo e os identificam e interpretam com a ajuda do pensamento. Os pensamentos provavelmente serão de aquisição (eu quero), de rejeição (não quero) ou de resignação (não há que eu possa fazer). A chuva, por exemplo, suscitará essas três respostas em ocasiões diferentes. *Pratyahara* quer dizer, portanto, "remar contra a maré", uma retração difícil, razão por que muitas vezes é comparada à tartaruga que recolhe a cabeça, a cauda e as quatro patas dentro do casco. O iogue simplesmente observa o fato. Ele pode dizer ou pensar "Está chovendo", sem nenhum desejo ou julgamento.

Para entender como isso é difícil, imagine o simples exercício de sair para caminhar e tentar não comentar, julgar ou nomear o que você vê, ouve ou cheira. Se vir um carro, as palavras "novo", "bonito", "caro" ou "ostentoso" podem saltar à sua mente sem convite. Mesmo num passeio pelo campo, ainda que você consiga conter comentários como "lindo" ou "encantador", será quase impossível evitar nomear os objetos que vê – teca, cerejeira, violeta, hibisco, espinheiro etc. Esse quase irrefreável impulso taxinômico demonstra que estamos sempre indo ao encontro das coisas. Não somos naturalmente receptivos e polidos. Não conseguimos olhar o pôr do sol e saudá-lo com olhos brandos e receptivos. Nossos olhos são minuciosos, faiscantes e aquisitivos, como se a vida fosse uma farra sem fim no supermercado. Paradoxalmente, nosso desejo de controlar – por meio da descrição, da interpretação e do consumo – rouba-nos grande parte do aroma, do sabor e da beleza da vida. A capacidade de recolher os sentidos e assim controlar a mente ruidosa pode parecer desmancha-prazeres, mas na verdade ela restaura sabores, texturas e descobertas originais que associamos à inocência e ao frescor da infância. Esse é um exemplo real de que "menos é mais", pois se entregar demais aos prazeres pode apenas embotar e fatigar os sentidos.

O propósito do *pratyahara* na ioga é fazer a mente se calar para que possamos nos concentrar. Enquanto os sentidos nos importunarem com seu desejo de gratificação, nunca teremos um momento para nós mesmos – ou, no sentido da busca interior, para nosso Eu. É um longo aprendizado de desapego, que requer paciência. Certa vez, um sujeito espirituoso disse brincando que a única maneira de nos livrar da tentação era ceder a ela. Em tese, todos sabemos que isso é falso, mas evitar simplesmente ceder aos desejos não põe fim a eles. A maioria de nós finge acreditar que, com um autocontrole razoável, será capaz de dominar o desejo. Isso é quimera. A ausência de vícios é um passo para a virtude, não a própria virtude. A ioga situa o órgão da virtude (*dharmendriya*), ou consciência, no coração, e este deve ser puro. A idade, por exemplo, pode diminuir nossa ação viciosa, mas não a intenção ou o pensamento viciosos. São os jovens que lutam nas guerras, mas elas são deflagradas pelos velhos.

Nem mesmo se retirar para uma caverna no Himalaia faz o desejo desaparecer. Longe disso. Apenas dificulta sua gratificação. A vida solitária e simples nos torna cientes de que o desejo em si é um fenômeno mental – não importa se os objetos da gratificação sensorial estão à vista ou à disposição. Santo Antônio, do cristianismo primitivo, sofreu grandes tentações no deserto egípcio. Elas o atormentaram. Mas essa austeridade que ele impôs a si mesmo o colocou frente a frente com a raiz do próprio desejo. Essa prática extrema sempre foi comum na Índia. Patanjali reconhece que, quanto mais alto você sobe, maior a queda. As tentações de uma virtude que poderíamos descrever como celestial não devem surpreender o praticante mais audaz, nem ele deve ir de encontro a elas com apego. As sereias não abandonam facilmente seu canto. Quanto mais perto estamos da vitória, mais renhida é a batalha. Os sentidos treinados na voracidade estão fadados, no fim, a sofrer uma indigestão. Assim, precisamos submetê-los a um jejum para rejuvenescê-los. Dessa maneira, domamos os sentidos e a mente, realçando inclusive suas qualidades intrínsecas. Como não se trata de algo extremo, não há retrocesso. A involução gradual dos sentidos e a pacificação da mente com o auxílio da respiração preparam o praticante para a concentração e a meditação. Involução significa "voltar-se para dentro". Não é uma ruptura. Um aluno certa vez recitou o seguinte verso de um poema: "Como a rosa que se fechasse em botão novamente". Essa é uma boa descrição do *pratyahara*.

É por essa razão que a respiração tem um papel tão essencial. A consciência (*citta*) e a energia vital (prana) são parceiras constantes. Seja qual for o foco da consciência, lá deve estar também a energia do prana, e aonde quer se dirija a energia do prana, a consciência a segue. A consciência é impelida por duas forças poderosas: a energia (prana) e os desejos (*vasana*). Ela se move na direção da força mais intensa. Se a respiração (prana) prevalece, então os desejos são refreados, os sentidos se mantêm sob controle e a mente se aquieta. Se a força do desejo está em vantagem, a respiração se torna irregular e a mente fica agitada. São coisas que você pode observar, assim como observa a medida e o equilíbrio corretos no ássana. É então e por isso que a prática da ioga leva ao autoconhecimento (*svadhyaya*). Você não chegará ao conhecimento do Eu Divino sem conhecer a si mesmo. A prática é o seu laboratório, e os seus métodos devem se tornar ainda mais penetrantes e sofisticados. Seja no ássana ou no pranaiama, a consciência do corpo se expande para fora, mas os sentidos da percepção, a mente e a inteligência devem voltar-se para dentro.

Isso é *pratyahara* – a fusão de prática constante (*tapas*) e autoconhecimento (*svadhyaya*). Tradicionalmente, o autoconhecimento começa com a leitura das escrituras, buscando entender seu significado e observando suas verdades se manifestarem na própria vida. Também inclui os ensinamentos de um sábio mestre ou guru. E progride e se aprofunda por meio da prática dos ássanas e do pranaiama, que requer a percepção sensível das diferenças entre cada ação, bem como os necessários ajustes. Mais tarde, aprendemos a observar a própria mente e seus movimentos e, finalmente, a mantê-la estável e quieta. Mas mesmo aqui há perigo, pois quando a mente e os sentidos estão sob controle, o ego, como uma naja, eriça o corpo e sibila. O ego pode inflar-se até inebriar-se com sua proeza de controlar a mente. Somente a pétala seguinte da ioga, a concentração (*dharana*) – que veremos no capítulo 5 –, libera o conhecimento que se pode realmente chamar de sabedoria.

Eu disse antes que grande parte da vida humana se baseia em trocas; trocamos trabalho, dinheiro, bens, emoções e afeto. Esse sistema de trocas também opera dentro de nós. Hoje em dia, podemos chamar esse tipo de cooperação interna de sistema de *feedback*, ou interpenetração de um nível em outro, de um sistema corporal em outro, em mútuo apoio e interdependência. O corpo todo – que denominamos, no capítulo 1, invólucro físico (*annamaya kosa*) – é penetrado pela energia e pela mente, o segundo e o terceiro invólucros. Os três níveis dependem do alimento que comemos, da água que bebemos e do ar que respiramos. Veja o caso do fígado, por exemplo. É um órgão vital, por isso o nutrimos com comida. Mas também o enriquecemos com o prana, desde que direcionemos este último adequadamente, por meio da extensão, da contração e da inversão. Essa ação revigorante só é possível se a mente também estiver presente. Quando aplicamos a mente na ação, o caminho da circulação sanguínea muda. Por meio do prana, até as propriedades químicas do sangue podem se alterar. Não pense, portanto, que o ássana diz respeito apenas ao invólucro físico. Os três invólucros – corpo (*annamaya kosa*), energia (*pranamaya kosa*) e mente (*manomaya kosa*) – têm total participação nisso.

As técnicas da ioga nos oferecem a oportunidade de capturar a energia externa e interna e usá-la para nossa evolução pessoal. A prática do ássana limpa os canais internos para que o prana se mova livre e desimpedido. Se os nervos estão corroídos e obstruídos pelo estresse, como o prana pode circular? A prática dos ássanas e do pranaiama remove a divisão que separa o corpo da mente. Juntos eles dispersam a escuridão e a ignorância. Em certo sentido, é a prática dos ássanas que abre a porta para a perfeição. Ela rompe a rigidez e a resistência do corpo interno. Com isso, a respiração sem ritmo se torna ritmada, profunda, lenta e reconfortante. O pranaiama, por sua vez, limpa e acalma o cérebro febril, abrindo caminho para a razão e a clareza de pensamento e elevando a mente rumo à meditação.

A prática constante do pranaiama liberta do medo, até mesmo do medo da morte. Se há ansiedade no corpo, o cérebro se contrai. Quando ele relaxa e se esvazia, se desprende de seus temores e desejos. Não habita o passado nem o futuro, mas o presente. Liberdade é livrar-se dos grilhões do medo e do desejo. Quando ela se instala, não há ansiedade, não há nervosismo. Isso significa que não há carga nos nervos nem, por meio deles, na mente inconsciente. Ao remover a tensão das camadas interiores do sistema nervoso, você as converte num estado de liberdade. Vimos, no caso de *pratyahara*, que a liberdade nos oferece escolha: seguir como antes, movidos por forças externas e gratificações, ou voltar-nos para dentro e usar nossos suaves poderes para ir em busca do Eu.

Quando eu era jovem, em Puna, a comunidade cristã costumava cantar um hino que dizia: "Assim como o cervo brama pelas correntes de água no calor da perseguição, assim minha Alma suplica por ti, ó Senhor, e tua graça refrescante". Isso descreve a motivação e a inspiração para o *pratyahara*.

Muitos me perguntam se o pranaiama, ao controlar a respiração, retarda a velhice. Por que se preocupar com isso? A morte é certa. Que venha quando tiver de vir. Continue trabalhando. A Alma não tem idade. Não morre. Só o corpo declina. Contudo, não devemos nunca nos esquecer dele, pois é o jardim que devemos nutrir e cultivar. Como veremos no próximo capítulo, mesmo algo sutil como a mente depende da saúde e da energia, e elas começam no jardim do corpo.

O prana é a grande força vital do universo. Há dentro de nós uma testemunha que chamamos de Alma ou "Aquele que vê". Para permanecer no corpo, ela depende da respiração. Elas chegam juntas, no instante do nascimento, e partem juntas, na hora da morte. Os *Upanishads* dizem que essas são as únicas coisas essenciais da vida. E é verdade. Lembro-me de um ancião que, por mais de trinta anos, sentava-se na rua principal de Puna e engraxava sapatos. Era aleijado, e suas pernas, mirradas como gravetos, ficavam dobradas sobre um carrinho de madeira. Passara a juventude na indigência e no desespero. A sobrevivência parecia impossível. Então, um dia, ele começou a engraxar sapatos. Tinha um bom tronco e aos poucos seus braços se fortaleceram. Ele não só se tornou o melhor engraxate da cidade, como ganhou o respeito e a amizade de todos que por ali passavam. Os jornais escreveram um artigo sobre ele, e quando já estava velho encontrou uma boa esposa para ser sua companheira. Tudo que ele tinha era um tronco saudável, o prana, olhos sábios e cintilantes, que refletiam sua Alma, e seu equipamento de engraxate. Os *Upanishads* estavam certos. Contando apenas com a respiração, a Alma e a coragem, esse homem conquistou uma vida admirável.

Muitas vezes, o que nos impede de viver uma vida admirável é a tagarelice da mente, que nos atormenta com velhas dúvidas e desespero. A mente é, com efeito, uma das maiores criações de Deus, mas ela facilmente se desorienta e entra em parafuso. No próximo capítulo, conheceremos os princípios do funcionamento da mente e saberemos como o cultivo da consciência por meio da compreensão e do aprendizado traz a chave da emancipação.

Sirsasana

4. Clareza
O corpo mental (*manas*)

Não é possível sentir a paz ou a liberdade interior sem antes compreender o funcionamento da mente e da consciência humana. Todo comportamento, construtivo ou destrutivo, depende dos pensamentos. Ao entender como funciona o processo de pensar, descobrimos nada menos que os próprios segredos da psicologia humana. Com essa correta percepção e compreensão da mente, abre-se a porta da libertação, à medida que atravessamos o véu da ilusão e entramos no dia iluminado da clareza e da sabedoria. O estudo da mente e da consciência, portanto, reside no coração da ioga.

É evidente que a mente e a consciência participam de todos os níveis da existência, mas, em razão de sua sutileza, a ioga as localiza no terceiro e no quarto invólucro do ser, de acordo com o projeto humano descrito por ela. O iogue distingue entre o corpo mental (*manomaya kosa*), onde ocorrem os incessantes pensamentos da vida humana, e o corpo intelectual (*vijnanamaya kosa*), onde se encontram a inteligência e o discernimento. Este capítulo detalha o corpo mental e o funcionamento conjunto do cérebro cognitivo, da memória, do ego e da percepção sensorial em nossa vida, nos seus aspectos positivos e negativos. Introduzirei aqui a definição da inteligência segundo a ioga – a capacidade de fazer escolhas conscientes com base no discernimento esclarecido e no exercício da vontade –, mas retomarei o tema da inteligência e da sabedoria no próximo capítulo. É por meio da inteligência que iniciamos as mudanças e nos libertamos dos padrões de comportamento arraigados, para progressivamente nos colocar a caminho da iluminação e da liberdade. No entanto, só podemos desenvolver a inteligência quando entendemos por que somos tantas vezes impelidos a agir sem ela.

Nos *Yoga sutras,* Patanjali elegeu o funcionamento da mente e da consciência, e suas consequências positivas e negativas, como o tema central da filosofia e prática da ioga. De fato, do ponto de vista do iogue, prática e filosofia são inseparáveis. O primeiro sutra de Patanjali diz: "Agora vou apresentar o código disciplinar da conduta ética, que é ioga". Em outras palavras, a ioga é algo que você *faz.* Então, o que você faz? No segundo sutra, lê-se: "Ioga é o processo de aquietar os movimentos e flutuações da mente que perturbam a consciência". Tudo que fazemos na ioga é voltado para a realização dessa tarefa extremamente difícil. Se conseguirmos cumpri-la, segundo Patanjali, o objetivo e o fruto da ioga estarão a nosso alcance.

Dediquei toda minha vida a demonstrar que já na primeira aula, desde o primeiro *Samasthiti* (manter-se imóvel e ereto) ou *Tadasana* (postura da montanha), você está embarcando nessa tarefa. Se perseverar e se aprimorar, ganhando força e clareza e se aprofundando cada vez mais, desde o início da prática, as técnicas corporais e respiratórias oferecidas pela ioga o levarão a alcançar a grande meta estabelecida por Patanjali. No entanto, a compreensão conceitual do que estamos tentando fazer é essencial, embora não substitua a prática. Trata-se de um auxílio à prática. Uma planta arquitetônica não é o edifício, mas certamente é um elemento importante para sua construção.

A ioga tem definições precisas para a mente e a consciência, e as traduções que utilizamos nem sempre correspondem exatamente ao sânscrito. Tentarei explicá-las no decorrer do capítulo, mas basta dizer que no Ocidente é comum usar mente e consciência como sinônimos. O sânscrito é mais preciso e descreve a mente como um aspecto ou parte da consciência. A mente constitui a camada externa da consciência (*citta*), assim como o corpo esquelético e muscular forma o invólucro exterior que contém o corpo interno, composto dos órgãos vitais e dos sistemas circulatório e respiratório. Consciência significa capacidade de estar atento ao que acontece tanto dentro quanto fora – o que chamamos de autopercepção. Uma boa imagem para retratar a consciência é o lago. As águas puras do lago refletem a beleza ao seu redor (o externo), e através delas também é possível avistar-lhe o fundo (o interno). De modo semelhante, uma mente pura pode refletir a beleza no mundo que a cerca, e, quando está quieta, a beleza do Eu, ou Alma, vê-se refletida nela. Mas todos sabemos o que a estagnação e a poluição fazem a um lago. Assim como é preciso manter límpida a água do lago, a função da ioga é limpar e acalmar as ondas do pensamento, que perturbam a consciência.

O que são, portanto, os movimentos e flutuações da mente descritos por Patanjali? Na imagem do lago, correspondem às asperezas e ondulações na superfície e às correntes e movimentos nas profundezas. Todos sabemos dos pensamentos peculiares que agitam a superfície da nossa mente: "Puxa, esqueci de comprar cenouras" ou "Meu chefe não gosta de mim". Percebemos também como as perturbações externas criam perturbações internas: "Não consigo me concentrar com todo esse falatório". Na ioga, o "falatório", nosso ou dos outros, são as ondulações que nos distraem. Assim, também nossos desejos, aversões, invejas, dúvidas e medos irrompem à superfície da mente e da consciência. Os pensamentos que se originam na memória são considerados um tipo de onda, bem como os sonhos ou devaneios. Mesmo a ignorância é vista como um tipo de movimento na consciência. Falaremos sobre isso mais adiante; a questão aqui é que há um grande número de forças a perturbar o lago, turvar suas águas e agitar a superfície. Como vemos, a tarefa de devolver a ele o estado de tranquilidade e pureza límpida e cristalina é hercúlea. Assim, primeiro precisamos examinar atentamente a nossa consciência, ver quais elementos devemos combinar para restaurá-la e analisar como eles funcionam em conjunto.

O funcionamento interno da consciência

Em qualquer livraria você encontrará prateleiras e mais prateleiras de livros sobre autoajuda, crescimento interior e problemas pessoais, psicologia, caminhos e práticas espirituais. Poucos desses livros, porém, se aprofundam no recorrente problema que constitui o centro do dilema humano: a mente ou consciência – e não apenas a natureza da consciência, mas, acima de tudo, o modo como a mente funciona.

Imagine um manual que descreva eloquentemente, e com riqueza de detalhes, características de um veículo, como carroceria, estilo, cor, aceleração, conforto e segurança, sem nada dizer sobre o funcionamento do motor a combustão. Sem isso, você nunca será capaz de entender, manter e consertar seu carro. Felizmente, podemos levar o carro para a oficina, onde há mecânicos que conhecem bem os motores e sabem consertá-los. Mas aonde levar a mente para consertar? Podemos procurar a ajuda de um psicólogo, mas, no fim, só cabe a nós a tarefa de reparar a mente.

A ioga oferece métodos muito úteis para solucionar os problemas mentais que nos causam tanto sofrimento, mas primeiro precisamos entender a descrição simples que a filosofia da ioga faz da consciência. É intencional o uso aqui das palavras "filosofia" e "simples" na mesma frase. Temos a ideia de que a filosofia – que significa literalmente "amor à sabedoria" – tem de ser complicada, teórica e incompreensível para justificar seu nome. A filosofia da ioga adota outros critérios de excelência; ela é direta, prática e, o mais importante, pode ser aplicada *agora*.

Segundo a ioga, três elementos constituem nossa consciência (*citta*): a mente (*manas*), o ego ou eu com "e" minúsculo (*ahamkara*) e a inteligência (*buddhi*). A mente, como disse, é a camada mais externa da consciência. Ela é, por natureza, oscilante, instável e incapaz de gerar escolhas produtivas. Não sabe distinguir entre bem e mal, certo e errado, correto e incorreto. Isso é atribuição da inteligência, que forma sua camada mais interna. O ego ou *ahamkara* é a camada mais íntima da consciência. Literalmente, *ahamkara* significa "aquilo que forma o eu individual". O eu individual se manifesta como nossa personalidade e assume a identidade do Eu verdadeiro. É a parte em nós que anseia por tudo que atrai. Quando alguma dessas camadas da consciência está em ação, ela se expande, fazendo as outras se retraírem. A ioga descreve a relação entre essas partes e a proporção relativa entre elas, explicando como reagem quando em contato com o mundo – o que, é claro, acontece o tempo todo. A ioga mostra como elas costumam reagir ao mundo externo, formando padrões de comportamento arraigados que nos condenam a reviver eternamente as mesmas situações, embora sob uma aparente variedade de formas e combinações. Para identificar isso, basta dar uma olhada na história ou observar a ladainha de desgraças e guerras que povoam o noticiário diário. "Será que a humanidade nunca aprende?", indagamos exasperados. A "mudança" histórica desde os assassinatos com clavas, depois espadas, armas de fogo e, nos dias de hoje, armas nucleares não é, evidentemente, nenhuma mudança – e, decerto, nenhuma evolução. A constante é o assassinato, e a escolha dos meios para cometê-lo é mero resultado da inventividade ou "engenhosidade" tecnológica em sua forma mais contraproducente.

A palavra "engenhosidade" sugere aptidão e destreza técnicas que crescem exponencialmente, ao passo que "inteligência" denota clareza de visão, como as águas puras do lago, que refletem sem distorção.

Há, contudo, uma chance de romper com o passado que nos aprisiona e passa a nos exercitar individualmente para controlar esse mecanismo reativo, de tal maneira que os velhos padrões não se repitam. Então, coisas novas e mudanças reais podem de fato acontecer. Esse alvorecer da clareza é, em essência, o caminho da ioga.

O processo evolutivo que acabei de descrever pode ser resumido, no nível pessoal, na seguinte frase: "Ter mais do que realmente desejo e menos daquilo que não quero". O truque é distinguir uma coisa da outra e então agir nessa direção. Mas há um paradoxo aqui: para isso, temos de começar fazendo bem mais do que não queremos fazer e bem menos do que julgamos querer. A ioga chama isso de *tapas*, que traduzi como prática valorosa e constante. Alguém já disse que a felicidade consiste não em adquirir as coisas que acreditamos nos farão felizes, mas em aprender a gostar das coisas que não podemos deixar de fazer. Tente pensar assim quando estiver esperando um trem atrasado ou lavando a louça.

Para aprender a consertar seu carro, você precisa antes conhecer as peças que o compõem. Assim, devemos agora nos voltar para os três componentes da consciência e examinar atentamente o manual do usuário que a ioga oferece para a condição humana.

A filosofia iogue considera que os três elementos principais que formam a consciência são uma evolução da natureza.

Todos admiramos as inúmeras complexidades da longa evolução natural – o polegar preênsil, o olho do peixe e da águia, a metamorfose da rã, a asa do pássaro, o radar do morcego ou, num plano mais sutil, nossas habilidades linguísticas e gramaticais, geneticamente implantadas nas células cerebrais de todo ser humano saudável. A ioga nos convida a olhar as complexidades ainda mais sutis desenvolvidas pela consciência ao longo do caminho evolutivo – tais como a mente, o eu individual e a inteligência – e indagar o que são elas e como funcionam. A mente processa os pensamentos e as experiências vividas. O eu individual permite estabelecer a distinção entre nós e os outros, seja o outro a nossa mãe ou a pessoa sentada ao nosso lado no ônibus. É o equivalente mais próximo do conceito de ego na psicologia ocidental. Além do eu individual, ou ego, e da atividade mental, encontra-se a inteligência, por meio da qual discernimos as coisas e tomamos decisões. A consciência é formada por esses elementos e, no entanto, é maior do que a soma dos três. Examinemos agora cada um deles mais de perto.

Mente: o computador humano (*manas*)

Na concepção da ioga, a mente (*manas*) é física e também sutil. Ela abrange todo o corpo, desde o cérebro e o sistema nervoso originado na medula espinal que se conecta aos órgãos do sentido (visão, olfato, tato, audição e paladar), do qual obtém a maior parte de suas informações, até os cinco órgãos da ação (mãos, pés, língua e órgãos genitais e excretores), que ela controla e por meio dos quais age. Por isso se diz que a mente é o décimo primeiro órgão dos sentidos. A mente é tanto perceptiva como ativa. Ela computa, armazena e filtra informações, tal qual a CPU de um computador. Lida com o mundo externo e se ocupa dos assuntos cotidianos: "Meu joelho está doendo", "Sinto cheiro de comida no fogo", "Esse filme parece interessante", ou "Esqueci de fazer a lição de casa". A mente contém o aparato que nos faz brilhantes em música, péssimos em matemática, hábeis com as ferramentas, talentosos no desenho. Essas qualidades se distribuem entre as pessoas de maneira desigual, e, embora qualquer faculdade possa ser aprimorada, não há prática, por mais intensa que seja, que transforme um músico mediano num Yehudi Menuhin. Há uma realidade física associada aos talentos que residem no cérebro e nos sentidos que pode ser danificada por acidentes, como golpes na cabeça, por enfermidades ou pela deterioração geral da saúde em virtude do envelhecimento ou de um estilo de vida insalubre. O que a mente é e faz morre conosco. Por meio dela, experimentamos, percebemos e interpretamos o mundo e nos relacionamos com ele. Os sentidos percebem; a mente concebe. Dependendo de sua condição de saúde e vitalidade, desfrutamos mais ou menos o presente da vida.

A mente é, acima de tudo, esperta. Assim como macacos que saltam irrequietos de um galho para outro, a mente oscila de um objeto para outro, de um pensamento para outro. Ela é pessoal, ativa, extrovertida e perecível. Embora seja boa em esquadrinhar e classificar, não é boa em fazer escolhas.

A memória, sem a qual não conseguimos funcionar, é um aspecto da mente. As impressões causadas pelas experiências e sensações são guardadas pela memória dentro do tecido da consciência. Isso permite que a mente proponha seleções do tipo: "Gosto de camisas azuis, lilás, laranja e rosa, mas lembro que o azul me assenta melhor". O que chamamos de escolha do consumidor não é uma escolha, mas uma seleção. Não passa de uma ilusão de liberdade. A escolha de consumir já foi feita. A mente sozinha não pode analisar questões como: "Tenho condições de pagar por essa camisa?" ou "Estou precisando de mais uma?" Ela pode selecionar qual comprar, mas não consegue responder ao problema binário "Compro ou não uma camisa nova?" A mente percebe – entende – a visão, o olfato, o tato, a audição e o paladar, mas é impotente sem o seu depósito de impressões passadas. Portanto, quando se pede a uma criança para pegar o vermelho, ela recorre à impressão de vermelho que está gravada no tecido da consciência.

Há uma razão histórica para isso. A mente, seja ela brilhante ou ignorante, está equipada com uma ferramenta de sobrevivência simples e instintiva: "Repita o prazer e evite a dor". Por isso evitamos colocar a mão no fogo duas vezes ou tentar de novo saciar a sede com água do mar. O contrário de "desagradável", no sentido de perigo, é "agradável" ou prazeroso, que significa o oposto, ou seja, o que é benéfico para a sobrevivência. Um exemplo claro disso é a reprodução sexual. Se o ato sexual fosse desagradável, dificilmente favoreceria a propagação dos genes humanos ou das espécies em geral.

Observando os animais selvagens, podemos perceber que esse mecanismo, no contexto em que eles vivem, atua quase inteiramente a seu favor. Imagine um urso pardo, durante a temporada de salmão, fartando-se prazerosamente de um peixe atrás do outro. Ele precisa do excesso de gordura para atravessar o período de hibernação, e sua gulodice, longe de ser um pecado capital, é uma virtude indispensável. Mas será que nosso contexto de vida, cada vez mais distanciado da natureza, é semelhante ao do urso selvagem? No lugar do urso e do salmão, pense num ser humano que se alimente de comida industrializada. A gula, nesse caso, seria uma técnica vantajosa para a sobrevivência? Não se todos morrermos aos 40 anos por entupimento das artérias. No plano individual, o sistema que governa pássaros, ursos, morcegos ou o cérebro humano já não funciona tão claramente a nosso favor como nos estágios iniciais da evolução ou em estilos de vida mais naturais.

Em outras palavras, uma certa programação do nosso cérebro, que funcionava muito bem num passado remoto, não produz mais os mesmos benefícios de outrora. Uma provável razão para isso é o que chamei de "contexto de vida". Os animais são limitados por seu breve tempo de vida. Boas ou más, as consequências de suas ações se manifestam dentro de um curto período. Se uma gazela decidisse experimentar comida industrializada, logo viraria almoço de leão.

Para o ser humano, o intervalo entre ação e consequência, ou causa e efeito, tem se tornado cada vez maior. Nenhum animal jamais semeou um campo, esperou seis meses pela colheita e depois a armazenou para consumi-la durante o ano seguinte. É um intervalo de tempo muito longo. Quando dizemos a um filho que ele deve se empenhar nos estudos para passar de ano, é porque sabemos que as consequências podem alterar radicalmente sua qualidade de vida pelos próximos setenta anos. Mas o sentimento da criança com respeito a isso é: "Odeio matemática, prefiro ver tevê". É de novo a história da oposição entre o "agradável" e o "desagradável" e da inata propensão da mente. Esse é o problema com a vida longa, que a ioga identificou já há mais de dois mil anos. Quando os golpes da vida não são tão imediatos a ponto de nos servir de freio, ou quando as recompensas não são rápidas o bastante para servir de estímulo, tendemos a sentir e agir como crianças. Queremos gratificação instantânea.

Veja o caso da doença. Até recentemente, o maior perigo para a saúde eram doenças como a cólera e o tifo. Elas agem em um curto espaço de tempo. Basta beber água contaminada na segunda-feira para amanhecer doente na terça e morrer na quarta. Assim que descobrimos que essas doenças tinham relação com a água, rapidamente aprendemos, por meio da inteligência, a purificar o abastecimento de água. É relativamente fácil identificar e corrigir conexões rápidas. Se o martelo atinge o seu dedo, ninguém será capaz de convencê-lo de que a dor vem de outro lugar. Da próxima vez, você será mais cauteloso.

Mas e quanto às doenças que nos afligem hoje? Não é verdade que seus efeitos degenerativos se estendem por um longo período? Não é verdade que é extremamente difícil evitá-las e curá-las?

Quase todos reconhecemos que existe uma ligação entre nosso modo de vida e enfermidades como o câncer, as doenças cardíacas e a artrite; porém, como o processo de declínio é muito gradual e seus efeitos mortíferos se retardam por longo tempo, temos enorme dificuldade de corrigir nossos hábitos de vida, ainda que, de certa maneira, ansiemos por isso.

Veja o caso da aids. Desde o início da epidemia, tratei muitos pacientes com aids em minhas aulas terapêuticas, por isso conheço bem a doença e a gradual devastação que ela ocasiona. Se a morte ocorresse no dia seguinte após contrairmos o vírus, não haveria epidemia – todos evitariam os comportamentos de risco. No entanto, como a doença leva cinco, dez ou quinze anos para se instalar, o forte impulso da gratificação imediata torna-se irresistível para muitas pessoas. É extremamente difícil mudar nossos padrões de comportamento, por mais destrutivos que sejam, e isso por causa da natureza do funcionamento conjunto da mente, dos sentidos, dos órgãos da ação e do ambiente externo.

Parece impossível livrar-se desses comportamentos rotineiros, mas, como veremos aqui, graças à compreensão da consciência que a ioga nos oferece e ao autodomínio que obtemos por meio da prática, podemos realizar mudanças e reformas constantes e gradativas.

Dizer que a tendência hereditária da mente e dos sentidos geralmente trabalha contra nós não é, de modo algum, condenar esse aparato milagroso que possuímos. Só o que precisamos fazer é perceber como ele é rápido, poderoso e astuto, impulsivo como um garanhão selvagem. As informações que ele nos dá – "O fogo está aceso" ou "O arroz está pronto" – mostraram-se, desde sempre, essenciais para nossa sobrevivência. O filósofo chinês Lao-tsé dizia: "Conheça-se. Saiba o que é bom. Saiba quando parar". A ioga nos ajuda a atingir esses objetivos. A energia atômica é o fogo solar reproduzido na Terra. Calor na medida certa é bom. Mas, quando vemos a correria pela proliferação de armas nucleares, devemos indagar se temos alguma ideia de quando parar. Uma tigela de arroz é bom. Encher a barriga é bom. Mas é certo passar o dia inteiro enchendo a barriga? "Mais é melhor" – é esse o epitáfio que desejamos para a raça humana?

Cada um de nós enfrenta, na vida pessoal, o desafio de decidir entre dois tipos de ação. O primeiro é: fazer algo "agradável" agora e, em algum momento indefinido do futuro, deparar com o "desagradável". Dependendo da frequência com que o fizermos, o "desagradável" virá acrescido de juros, e veremos então que teríamos passado muito bem sem eles. Poderíamos resumir isso como "Da primeira ressaca à cirrose". O segundo é: fazer agora o que seria mais fácil não fazer (por exemplo, estudar matemática em vez de assistir à tevê ou levantar uma hora antes para praticar ássanas) e colher os benefícios mais tarde. Dependendo da frequência com que o fizermos, a colheita virá acrescida de juros no futuro. Quanto maior a distância entre a ação/inação inicial e seus efeitos secundários, mais tentados somos a fugir de nossas obrigações, a mentir para nós mesmos, a rejeitar o desafio de romper barreiras e a tomar o caminho mais fácil. Por isso, a honestidade é fundamental; sem ela, não é possível nos conhecer – negaremos o que é bom e nunca aprenderemos a parar.

Deixemos agora de lado a mente/cérebro – responsável por reunir e armazenar informações e experiência e explorar o mundo – e examinemos o segundo elemento da consciência.

A forma do eu individual

O eu individual é a percepção e a identificação de cada um com consigo mesmo, com a própria singularidade e diferença em relação ao outro, com o sentimento de estar no centro de tudo e de que tudo que "não sou eu" tem um certo grau de alteridade. Essa alteridade não é fixa, nem tampouco o eu individual. De fato, um dos aspectos do eu definido pelo vocábulo sânscrito *ahamkara* é sua forma constantemente mutável – sempre contraindo e expandindo o formato do eu. O grande céu noturno pode nos fazer sentir pequenos e solitários, mas um lindo alvorecer pode produzir a sensação íntima de que somos parte de um todo maior, sob os cuidados de um universo benevolente. Em outros momentos, a visão das estrelas e da escuridão pode nos levar a sentir que estamos perto de agarrar o próprio infinito, fonte de todas as nossas esperanças e temores. Assim, a relação entre o eu e o não eu é fluida. Nenhum deles é uma quantidade definida. Ora nos sentimos próximos e íntimos das pessoas, ora elas nos parecem inimigas. No entanto, toda vez que dizemos a palavra "eu", sentimos algo duro e monolítico dentro de nós, como um grande ídolo de pedra.

Seja qual for a forma do nosso "eu", e por mais indefesos e permeáveis que nos tornemos, sempre persiste uma separação entre o eu e o outro na consciência normal. Mesmo quando ficamos maravilhados com a beleza da natureza, sabemos que *não* somos o reluzente pôr do sol. Trata-se admiração, não de fusão.

Os primeiros filósofos da ioga identificaram uma área nebulosa entre o eu e o não eu, algo que tanto pode ser um quanto outro, ou ambos, uma interface entre a identidade do eu e o mundo externo. É o corpo. A grande atenção que a ioga e as outras práticas prestam ao corpo tem origem em sua situação paradoxal. Quando morremos, não podemos levá-lo conosco, mas não podemos viver sem ele. Se não posso levá-lo comigo, como é possível que ele seja eu? E por que, portanto, devo me incomodar em cuidar dele se, na morte, ele me trai? Mas, se não cuido, começo a decair em vida e a experimentar uma morte lenta e prematura. A ioga chama o corpo de veículo da Alma, mas, como dizem, ninguém lava um carro alugado. A ioga salienta que só temos a ganhar em cuidar desse pobre veículo em todos os seus níveis: a saúde física, a mente, o eu e a Alma. O enigma do corpo é o ponto de partida, na ioga, para desvendar o mistério da existência humana.

Qual é o propósito de haver um eu individual? Poderíamos viver sem ele como vivemos sem o apêndice? Por que essa característica evolutiva se apresenta, em maior ou menor grau, em todo o reino animal? E por que principalmente nos seres humanos?

A resposta mais natural é simplesmente que a singularidade do corpo requer uma percepção singular. Imagine um carro com dois volantes independentes e dois motoristas. Ele nunca andaria na faixa. A autolocomoção necessita de uma única percepção do "eu" conectada, por meio da mente, dos sentidos e do corpo, ao ambiente que fornece alimento, ar e água. Como cada ente biológico é sutil ou materialmente diferente e reconhece isso em si mesmo, ele precisa reconhecer a diferença nos outros. No nível mais básico, a reprodução sexual exige que diferenciemos entre masculino e feminino. A polinização pelo vento, não. Nenhum grão de areia é igual a outro, mas, como não se move de acordo com a própria vontade, não busca alimento nem se reproduz, a última coisa de que precisaria seria um ego altamente desenvolvido.

Como já disse, o eu individual é fluido. Quando nos lançamos a uma grande causa ou ideal, ou quando viajamos na companhia de outros para torcer pela seleção nas Olimpíadas, somos incorporados a uma identidade maior, deixando de lado, por um momento, o fardo da individualidade. Mas essa coletividade é parcial e temporária. Trata-se ainda de consciência do eu. É, na melhor das hipóteses, um fraco substituto da Unidade original.

A identidade do eu é um identificador. Precisamos nos identificar com uma certa particularidade a fim de manter a integridade mental e biológica. Tudo isso é para o nosso bem. Então, por que as palavras "ego" e "egoísta" têm conotações tão negativas?

É porque a superfície do eu individual é recoberta por uma cola superaderente. Lembranças, posses, desejos, experiências, apegos, realizações, opiniões e preconceitos grudam-se ao "eu" como cracas ao casco de um navio. O contato do eu individual com o mundo externo se dá por meio da mente e dos sentidos. Todas as riquezas, glórias e tormentos desse contato são retransmitidos ao ego, que os acumula e declara: "Essa totalidade sou eu". Meus êxitos, minha esposa, meu carro, meu trabalho, meu infortúnio, minhas necessidades, meu isso, meu aquilo. A identidade pura e singular sucumbe à doença da elefantíase, e o eu se torna excessivamente inchado, grosseiro, espesso.

Na Índia, há um nome adorável para as meninas: Asmita, que significa "identidade". *Aham* quer dizer "eu"; *asmi*, "sou". Essa condição de "eu sou" é *asmita*. *Aham* significa "eu"; *akara*, forma. Quando me identifico com minhas posses e atributos, é *ahamkara*. Daí derivam "mim, meu e me". Quando me identifico com a minha individualidade, isso é *asmita*, identidade. Ela expressa o bonito dom da singularidade e da originalidade que todos os seres vivos carregam. Por outro lado, também significa "orgulho". É fácil perceber essa relação: o orgulho arrogante é sintoma de um eu doentio. O corpo pode adoecer, assim como a mente. O eu também. A resposta para nossa questão inicial de por que a humanidade é tão inclinada a esse empanturramento do ego reside provavelmente em duas capacidades mentais extraordinárias: a fala e a memória. A comunicação e a memória permitem ao ego fartar-se das experiências que lhe são retransmitidas pela mente. É assim que ele engorda e adoece.

Muito tempo atrás, os iogues investigaram esse estado de coisas insatisfatório e descobriram como a tendência da mente a "repetir o prazer e evitar a dor", apesar de útil para a sobrevivência, podia ocasionar distúrbios. Onde estava a questão da "consciência do eu"? O benefício é claro: percepção singular num ente biológico singular. Seria possível, indagavam eles, que a singularidade de percepção, a identidade, não fosse a mesma coisa que o Eu verdadeiro, a essência do ser, mas simplesmente uma imitação dele, desenvolvida para atender às necessidades práticas do cotidiano e na qual, por força do hábito, tivéssemos passado a acreditar?

Eis o nó da questão. O ego é comparado ao filamento de uma lâmpada, que, por emitir luz, se considera a própria fonte de luz, a eletricidade. Na realidade, a luz emitida pela consciência do eu é transmitida por outra fonte, mais profunda, incognoscível na vida diária, mas que a humanidade sempre intuiu que existisse. Nós a associamos à nossa origem, a uma Unidade original da qual surgimos. Também a associamos ao nosso destino, a uma totalidade superior para a qual haveremos de retornar um dia. Nós a associamos ao céu, a porta invisível para o infinito. O que não conseguimos ainda, vivendo neste mundo de multiplicidade, diversidade, diferença e separação – de "ganhar e gastar", como diz o poeta –, é perceber essa fonte, essa Unidade suprema, dentro de nós mesmos e do nosso complexo dia a dia. Podemos talvez sentir sua presença e ter dela uma lembrança imprecisa, como a de um amor há muito perdido, ou vagamente concebê-la como a amante pelo qual ansiamos mas ainda não conhecemos.

Costumamos dar a isso o nome de Alma. Se o "eu" se apega à consciência, ele se torna ego (*ahamkara*). Se ele puder ser apagado, a percepção da Alma penetra a consciência. Essa não é a verdadeira realização da Alma. A Alma é uma entidade separada e não se deve confundi-la com nenhuma forma de consciência do "eu". Quando, porém, o ego se acalma, a consciência percebe a realidade da Alma, e a luz desta se expressa através da consciência translúcida.

Em certa medida, todos reconhecemos que a Alma está presente na origem e no fim da vida. Quando olhamos para o mundo à nossa volta, ficamos divididos entre sentimentos como "não pode haver Alma nisso" e "se existe Alma, ela deve estar nisso também". Intuímos que ela não é limitada pela noção de espaço e tempo. Sua existência não se define pelo intervalo de anos entre o berço e a sepultura, nem se restringe a ele. Esse breve período é jurisdição do eu individual, que nasce, cresce, floresce, murcha e morre no corpo que contém a Alma. Ela é democrática: está em nós e também nos outros. Não é pessoal; ao contrário, somos nós que pertencemos a ela.

Se não distinguimos essa isolada "percepção do eu" – necessária, porém temporária – de nossa identidade verdadeira e permanente, se a confundimos com a Alma, estamos num beco sem saída. O que mais desejamos é viver e ser parte da vida. Quando optamos por nos identificar com a parte de nós que está fadada a morrer, condenamo-nos à morte. Quando o ser humano adota uma identidade falsa e aceita a confusão sem pensar, expõe-se a uma tensão quase insuportável. A ioga chama esse estado de "ignorância" e o descreve como a principal aflição humana, a matriz de erros da qual decorrem todos os demais erros e enganos de percepção. A identificação ignorante com o ego e sua mortalidade é a origem da capacidade criativa e destrutiva do ser humano, do enaltecimento da cultura e do horror de sua história.

Embarcamos em projetos grandiosos e magníficos para atestar que o eu egoico jamais morrerá. O que são as pirâmides do Egito senão uma tentativa de ludibriar a morte? São uma proeza em termos de organização, engenharia, geometria e astronomia, mas a força que as motivou foi a ânsia dos faraós pela imortalidade pessoal e a vaidade de acreditar que havia um meio pelo qual seu ego humano e majestoso poderia escapar à sepultura.

Uma voz interior está sempre a sussurrar que essa é uma esperança vã; ainda assim, esforçamo-nos, de inúmeras maneiras, para perpetuar a parte de nós cujos dias estão contados, ou para encontrar um consolo antecipado pela perda que virá. Qual é o fascínio do luxo senão este? O consumismo não pode ser a porta de entrada para a imortalidade. Ele é um bálsamo temporário e ineficaz contra a mortalidade.

Enfrentar os temores da impermanência e lutar contra o inevitável é uma tarefa fatigante, por isso, ao mesmo tempo, ansiamos também pela perda do eu, pela fusão, pela submersão e transcendência, pela libertação do fardo do ego. O eu egoico é um companheiro de viagem cansativo, sempre a exigir a satisfação de suas fantasias, a obediência a seus caprichos (embora nunca esteja satisfeito) e o apaziguamento de seus medos (ainda que jamais se possa aplacá-los).

A adorável *asmita* – percepção individual no corpo individual – transforma-se, portanto, num tirano insaciável, paranoico e vaidoso, embora seja mais fácil perceber esse fenômeno nos outros que em nós.

O motivo dessa triste transformação é a ignorância, a percepção errônea que nos leva a tomar uma parte de nós pelo todo. Grande parte da prática e da ética iogues é voltada para a diminuição do ego e a remoção do véu de ignorância que obscurece sua visão. Isso só pode ser feito com a intervenção e a ajuda do terceiro componente da consciência.

Inteligência: a fonte do discernimento

A ioga, mais uma vez, traça uma importante distinção entre inteligência (*buddhi*) e mente (*manas*). A qualidade específica da mente é a inventividade. Todo ser humano é esperto se comparado a outras formas de vida. A ioga claramente afirma que não é por sermos menos espertos que o vizinho que somos burros. Burrice significa falta de inteligência. Pode se referir a um determinado comportamento ou à incapacidade de aprender com os próprios erros. Todos somos burros vez por outra. Relativamente falando, somos espertos o tempo todo. Um cientista espacial ou um professor de linguística pode ser mais burro que um camponês no campo ou um operário na fábrica. Ele talvez seja mais esperto, mas isso não o torna necessariamente mais inteligente. Vejamos um exemplo. As nações mais avançadas do ponto de vista científico criam armas terríveis e sofisticadas. Para isso, precisam de esperteza. Depois, vendem suas armas pelo mundo indiscriminadamente, e estas acabam caindo nas mãos de seus inimigos. Isso é esperteza ou burrice? Se for burrice, esta consiste na súbita perda da esperteza ou na falta de inteligência? A mente com certeza é muito inventiva. Mas isso é o mesmo que ser inovadora? Inovar é introduzir algo novo, envolver-se num processo de mudança. Inventar é produzir uma versão diferente do velho. Trata-se de uma distinção sutil e importante, pois frequentemente confundimos as duas coisas. Por exemplo, se alguém sempre me deixa irritado, posso expressar minha irritação de milhares de formas diferentes, inventando para isso novas palavras ou ações. No dia em que escolho não reagir com irritação, algo novo acontece. Isso é inovação, pois encerra uma mudança. A ioga tenta nos ajudar a inovar de fato, a desenvolver a inteligência que nos permite criar uma relação com o ego e com o mundo. Essa nova relação depende de percebermos o mundo de maneira objetiva e verdadeira e fazermos escolhas, discernindo o que é melhor.

A inteligência tem duas características predominantes. Em primeiro lugar, é reflexiva; pode se colocar fora do eu e perceber objetivamente, não só subjetivamente. Quando estou sendo subjetivo, digo que odeio o meu trabalho. Quando estou sendo objetivo, digo que tenho talentos para conseguir um emprego melhor. Essa primeira qualidade possibilita a segunda: a inteligência é capaz de fazer escolhas. Ela pode escolher realizar uma ação nova, inovadora. Pode iniciar a mudança. Pode decidir cair fora da rotina que nos prende e se pôr a caminho da própria evolução. A inteligência não é tagarela. É a revolucionária silenciosa, determinada e perspicaz da consciência. É a parceira quieta ou adormecida que repousa na consciência, mas, quando desperta, é a mais destacada e influente.

Examinando mais uma vez a mente (*manas*) e o eu individual (*ahamkara*), os dois adeptos conservadores da consciência, veremos que, por razões lógicas, eles são governados por mecanismos que resistem a mudanças. A mente e os sentidos que lhe transmitem informações buscam repetir o prazer e evitar a dor. Já vimos o porquê disso, mas devemos admitir também que se trata essencialmente de um padrão de comportamento de controle, enraizado em experiências passadas. Consequentemente, é provável que fujam das inovações e, assim, reprimam as possibilidades de evolução. Vimos também que o eu individual, ou ego, se define como a totalidade das experiências acumuladas no passado: minha infância, meu diploma, minha conta bancária. O eu individual, ou ego, é a somatória corrente de tudo que aconteceu até agora. Sua paixão é o passado. Por quê? O que o ego mais teme? A própria morte. Onde ela está? No futuro. Então, é claro, o que mais satisfaz o ego são as infinitas versões do passado. É cômodo trocar de lugar a antiga mobília da sala e indagar: "Não parece diferente?" Parece? Sim. Está? Não. O ego não quer se desfazer da mobília e sair da sala. Fora dela está o desconhecido. O desconhecido ressuscita os temores com respeito à sua impermanência, o medo de que um dia sua imitação do Eu verdadeiro, a Alma desconhecida, seja desmascarada – momento em que sua existência, tal como ele a conhece até agora, se extinguirá.

Os primeiros europeus que viajaram pela Índia ficavam horrorizados ao descobrir que o objetivo da prática religiosa era pôr fim à ilusão da realidade duradoura do eu egoico. Achavam que isso era uma espécie de suicídio – embora, por outro lado, respeitassem essa noção. A experiência de samádi revela que o ego não é a fonte do Eu; nela transcendemos a identificação com o ego. Após o samádi, retornamos ao ego, mas o utilizamos como ferramenta necessária para a existência, não como substituto para a Alma. O ego então já não nos impõe os limites de sua pequenez, seus medos, seus anseios.

A palavra sânscrita para filosofia, *darsan*, significa visão. A visão de si mesmo, de natureza objetiva, serve de espelho para o Eu. Essa é a qualidade reflexiva da inteligência. Já foi dito que não basta saber (isso é subjetivo): precisamos saber que sabemos (isso é objetivo). É a consciência de ser conscientes que nos faz humanos. As árvores também são conscientes. Uma aglomeração de carvalhos estende harmoniosamente seus ramos visando o benefício de cada folha, de cada uma das árvores do grupo. Mas elas não são conscientemente conscientes. A consciência da natureza é inconsciente. Pode-se descrever a história da humanidade como uma jornada da inconsciência para a consciência consciente, ou autopercepção. Se esta afirmação está correta, então devemos presumir que essa transição ocorra tanto no indivíduo quanto na espécie, já que a consciência é permeável.

Qual é a vantagem oferecida pelo espelho da inteligência? É simplesmente a de poder ver a si mesmo a distância. De repente, o eu egoico se torna um objeto – ele que normalmente é o sujeito, incapaz as ver as coisas de um ponto de vista que não o seu. Um espelho de verdade permite que nos observemos por fora e vejamos coisas que talvez não víssemos sem ele – uma mancha de comida na gravata, por exemplo. Assim, podemos mudar nossa aparência, caso não gostemos das imagens que vimos. De fato, a consciência é um espelho duplo, capaz de refletir os objetos do mundo ou a Alma interior.

Podemos escolher tirar a gravata e limpá-la. Podemos escolher iniciar a prática dos ássanas e limpar o corpo. "Podemos escolher" – esse é o segundo aspecto da inteligência. Com base em informações objetivas, podemos escolher limpar ou não a gravata. Podemos escolher iniciar a prática dos ássanas ou dormir até mais tarde. Em latim, inteligência significa "escolher entre", não apenas pensar.

Você já notou que sempre que estamos diante de um problema dizemos: "Psiu, me deixe pensar"? Mas o que queremos dizer, na verdade, é: "Psiu, deixe eu parar de pensar". Queremos ver com clareza, e, para isso, precisamos congelar o fluxo incessante de imagens, palavras e associações subliminares que irrompe da mente. A mente produz pensamento e imagem o tempo todo, como uma televisão sem botão de desligar. O pensamento se move rápido demais para ser pego e nunca para por vontade própria. É uma onda analógica sem fim que flui do cérebro para o éter. Ele não pode se corrigir. O pensamento não pode resolver os problemas causados por ele, assim como um motor quebrado não pode consertar a si mesmo sem a visão objetiva e a intervenção do mecânico. Este é o papel da inteligência: parar, discernir, discriminar, intervir.

A inteligência desempenha sua função recorrendo, em primeiro lugar, à capacidade de congelar o fluxo do pensamento. É o que chamamos de cognição. Cognição é o processo de conhecer, e inclui percepção e julgamento. A cognição nos permite perceber *no momento presente* que, no âmago de uma situação, existe uma escolha. Quando a imagem do pensamento para de oscilar, assumimos um ponto de vista objetivo que nos permite perguntar: "E agora? Faço isso ou aquilo?" O tempo se detém num instante de percepção e reflexão em que subitamente temos o destino em nossas mãos. "Tomo outra taça de sorvete ou paro por aqui?" A escolha pode ser difícil, mas pelo menos é simples. Podemos nos encontrar diante de uma encruzilhada que, por mais banal que seja, é para nós de grande importância.

Imagine que você acorde bem cedo certa manhã e se pergunte: "Levanto e pratico um pouco de *yogasana* hoje ou durmo mais uma hora?" De certa forma, desejamos as duas coisas, mas reconhecemos que isso é impossível. Há uma escolha, uma bifurcação na estrada à nossa frente. Os dois caminhos têm atrativos, mas obviamente um é mais fácil que o outro. A inteligência cognitiva nos trouxe uma clara percepção da escolha, porém, no momento da decisão, ainda ficamos paralisados. O caminho mais árduo (sair da cama) é mesmo uma opção?

Graças ao segundo aspecto da inteligência, a resposta é "sim". Esse é o atributo da vontade, ou volição. A vontade é denominada às vezes "conação", razão por que dizemos, na ioga, que a inteligência é "conativa" e "cognitiva". A vontade é o que nos faz pôr os pés fora da cama e traduzir a percepção da escolha em ação. É ela que converte em realidade a hipótese da opção mais difícil. Costumo descrever a hataioga como "ioga da vontade".

Agora você saiu da cama. A batalha está vencida, mas não a guerra. Seria bom fazer um café e ler o jornal por uma hora? Levantar-se foi uma façanha, um passo na direção correta... mas isso basta? Outro momento de cognição, de escolha, de exercício da vontade. Logo você estará praticando ioga às seis e meia da manhã. Isso é novo, original, uma iniciação, uma inovação.

Você está fazendo história, a sua história, graças ao espelho e à tesoura da inteligência: ver, escolher, agir. Mais adiante, você provavelmente avaliará o benefício da prática com base no bem-estar físico com que sai para o trabalho, na sensação de vitalidade e na satisfação que encontra na própria atividade e na autodisciplina. Além das partes do corpo, o que você também exercita é esse elemento adormecido da consciência, a inteligência.

E amanhã, quando o despertador tocar, você começará tudo de novo. Nem tudo, talvez. Se um corpo bem tonificado funciona melhor a cada dia, com certeza o mesmo se aplica a uma inteligência bem aguçada. Para o corpo, o fruto do esforço constante e inteligente será, no sentido mais amplo, a saúde. Em outro nível, porém, o que estamos ganhando de fato (e daí nossa satisfação) é autocontrole.

Esse é um aspecto de enorme importância. É lógico que, com saúde e autocontrole, somos cada vez mais capazes de comandar nossa vida. Quando estamos no comando da nossa vida, ficamos felizes porque sentimos uma liberdade crescente. Estamos explorando as possibilidades da vida na Terra por meio da libertação e realização do nosso potencial. A liberdade é o desejo mais íntimo do coração. É o único que nos leva para a unidade, não para a separação. Ela torna possível nosso anseio de amar e ser amados, e, na sua margem mais longínqua, alcança a união com o infinito, que é o fundamento e a meta da ioga. Se o infinito parece muito distante, não esqueçamos que quando tiramos os pés da cama quente para pisar o chão frio – por um ato valoroso de inteligência – estamos dando o primeiro passo rumo a ele.

Fizemos aqui um rápido passeio pela mente, pelo ego e pela inteligência, que juntos formam a consciência. Há muito mais a dizer e muito mais que você pode descobrir por si mesmo, se tomar esse modelo como guia. A consciência é maior que a soma de suas partes, e sobre isso falarei mais adiante. Já mencionei alguns dos defeitos inerentes da mente e do pequeno eu individual (consciência do eu), mas não ainda os da inteligência. Nossa primeira tarefa, antes de examinar o que pode dar errado, é despertar e vitalizar a inteligência. (Patanjali se referia a isso como *sattva-suddhi*, purificação ou depuração da inteligência.)

Quero agora descrever como a mente (e os sentidos que lhe trazem informações), o ego e a inteligência cooperam (ou não) numa situação corriqueira do cotidiano. O modelo de consciência que temos em mente é um círculo dividido em três segmentos que se comunicam entre si. Ele é estático, coisa que o mundo certamente não é, por isso lançaremos à consciência um desafio que se apresenta sob a forma de um objeto sensorial externo: um imenso pote de sorvete de creme.

Você chega em casa tarde e cansado do trabalho. No caminho, parou para comer uma pizza e, portanto, não está exatamente com fome. Na cozinha, como por magia, você se vê abrindo a porta do congelador. Lá dentro, um pote de sorvete de creme.

Tem início a seguinte sequência de eventos:

1 Seus olhos (órgãos do sentido) deparam com o sorvete, leem o rótulo (creme) e mandam a informação para a mente, para que esta a decodifique e identifique. Uma conexão se estabelece: a) objeto externo; b) órgão do sentido; c) mente.

2 A mente (como sempre faz) retransmite essa informação ao eu egoico. Os elos da corrente agora são a) + b) + c) + ego.

3 Rápidos como um raio, ego e mente se consultam, e a memória, que está contida na mente, entra em cena. Uma pergunta automaticamente se apresenta à memória: "Comer sorvete de creme resulta em prazer ou dor?"

4 Sem hesitação, a memória responde: "Prazer".

5 O ego diz: "OK, me dê". Então a mente coordena a mão (órgão de ação) nos movimentos necessários para retirar o pote de sorvete do congelador, abri-lo e pegar uma colher. O resto você já sabe.

Voltemos agora ao estágio 4 para ver se outro resultado seria possível e, nesse caso, como.

5a Mente e ego percebem vagamente uma espécie de zumbido estático no fundo da consciência, como se alguém estivesse tentando chamar sua atenção. Ficam inquietos com isso, então se afastam (para longe do congelador aberto) e veem a inteligência agitar-se: "Posso fazer uma pergunta à memória?", ela indaga.

6a A mente e o ego hesitam, antevendo o problema, mas finalmente respondem: "Seria melhor que não, mas, se você insiste, não podemos negar-lhe essa oportunidade".

7a "Obrigada", diz a inteligência. "Memória, por favor, me diga o que acontece quando você come sorvete todas as noites? Quais são as *consequências*?"

8a A memória tem uma natureza sincera, embora às vezes erre. Ela responde: "Você engorda muito, não consegue entrar na calça nova, tem sinusite e sua artrite piora". Se você deixar por conta dela, a memória do sabor adquirido no passado cometerá o erro de dizer: "Vá em frente; coma e desfrute". É a intervenção da inteligência que propõe a pergunta mais complexa: "Vivo para comer ou como para viver?"

9a A inteligência continua a argumentar: "Deixem-me resumir esse impasse", ela diz. "Todos gostamos de tomar sorvete, mesmo em excesso. Todos odiamos os efeitos colaterais disso, especialmente você, ego, que é tão vaidoso com sua aparência. Parece que temos uma escolha: tomá-lo ou não. Todos devemos ter clareza disso" (cognição + escolha).

10a A pobre mente fica totalmente confusa, já que, a despeito do seu nome, não tem de fato uma mente própria. Ela tomará qualquer direção, como um cachorro atrás de uma bola. Geralmente, ela deixa que o ego dê as ordens, e o ego agora está muito contrariado. "Eu *sempre* tomo sorvete quando estou cansado, depois de um dia longo e difícil. É um grande conforto para mim. Devo isso a mim mesmo. É assim que eu sou."

11a A inteligência (que também está aborrecida por perder a calça, embora principalmente por causa do desperdício de dinheiro) ergue a voz pela última vez: "Dessa vez, vou bater o pé (vontade). Estou farta da rotina em que vocês vivem, sempre a mesma coisa, entra dia, sai dia, queixando-se depois das consequências, ou suspirando pelos bons tempos, ou pelo dia em que voltarão a ser bons. Nada vai mudar a menos que mudemos (desafio). Mente, por favor, diga à mão para se afastar do sorvete e fechar a porta do congelador". A mente obedece.

12a No dia seguinte, todos se sentem melhor pelo rumo que as coisas tomaram. Na verdade, o ego é muito presunçoso e se convence de que foi sua a ideia de desistir do sorvete.

Se pudermos exercitar-nos para comprimir num segundo todos os passos dessa pequena história e depois usá-los dezenas de vezes por dia em cada situação, teremos uma mente disciplinada, um ego flexível (ou seja, não rígido), uma inteligência aguda e vibrante e, como resultado, uma consciência integrada, de funcionamento tranquilo. Talvez você tenha percebido que o exemplo de sair da cama para praticar *yogasana* diz respeito a adotar uma conduta positiva, ao passo que o do sorvete tem que ver com evitar uma conduta negativa. Em ambos os casos, a inteligência opera da mesma maneira. É como o leme num barco, que deve tanto girar a bombordo como a estibordo. Do contrário, a embarcação andaria em círculos.

Contudo, ao tentar alterar padrões de comportamento cristalizados, é preferível criar uma formulação positiva. "Deixe-me descobrir o jeito certo de erguer meu tórax" é melhor que "Vou tentar não errar desta vez". Vemos isso com as crianças. "Não fique aí" é um comando que serve apenas para dizer à criança que ela está fazendo algo errado. A mente inconsciente, de certa maneira mais poderosa na juventude, não consegue inferir, a partir desse comando, qual é o lugar certo para ficar. Só a mente racional consciente é capaz disso. "Venha e fique aqui" é uma instrução que faz todo sentido para a criança. Do contrário, ela viverá com medo de errar, em vez de alimentar a esperança e expectativa de acertar. Os padrões de comportamento arraigados – que a ioga chama de *samskaras* ou impressões subliminares – habitam em grande parte (conforme sugere a palavra "subliminar") nosso subconsciente. Portanto, é de nosso total interesse enfatizar a ação nova e positiva em vez de residir no passado negativo. Antes de tomar esse caminho novo, precisamos entender como esses hábitos e padrões de comportamento arraigados, ou reflexos condicionados (*samskaras*), nos controlam.

Samskaras: liberte-se do hábito

Se a consciência é como um lago, existem na sua superfície ondas ou flutuações primárias de consciência. É fácil discerni-las. Se, por exemplo, amigos queridos lhe convidam para jantar e, em cima da hora, telefonam para cancelar, você fica muito desapontado. Essa é uma onda primária na superfície do lago. Você fica desapontado, triste, deprimido, e lida superficialmente com isso. Você precisa se acalmar, superar o desapontamento. Isso é um desafio, um desafio externo, por assim dizer, que faz a superfície se encrespar.

As flutuações ou ondas secundárias são diferentes. Elas surgem do fundo do lago. O fundo do lago é recoberto de areia; por isso, se você experimenta um certo número de desapontamentos, o encrespamento da superfície produz uma onda que atinge o fundo e ali, imperceptivelmente, cria um pequeno banco de areia, formando um monte de desapontamentos. O resultado é que você muitas vezes ficará triste e desapontado, já que esse monte no fundo emite ondas ou flutuações secundárias.

Vejamos outro exemplo comum. Se você está sempre irritado, aborrecido com alguma coisa – sua mulher, seus filhos, seus pais etc. –, um número suficiente de reações irritadas criará, aos poucos e imperceptivelmente, um montinho de irritabilidade no fundo do lago da consciência, e isso acabará fazendo de você uma pessoa irascível, colérica. Se você fuma desde os 16 anos, toda vez que leva um cigarro à boca também está fazendo uma lavagem cerebral em si mesmo. "Nesta situação eu acendo um cigarro" envia uma pequena ondulação pela consciência que se agrega ao monte "pegue um cigarro". É por isso que não há nada mais difícil que parar de fumar. Além da ânsia física, criamos também ânsias mentais, pois o hábito é muito repetitivo. O hábito de fumar se imiscui em todas as situações. Os gatilhos que o desencadeiam são tantos que muitos fumantes, mesmo depois de anos sem fumar, ainda têm desejo por um cigarro. Isso porque o monte ainda está ali.

Quando você tem um monte de raiva, irritabilidade ou desapontamento, o reflexo condicionado trabalha da seguinte maneira: suponha que está irritado com seus pais, e sua mãe entra no quarto. Ela pode dizer um simples "O jantar está na mesa", mas o reflexo da irritabilidade está pronto para explodir. Ela não disse nada para irritá-lo, mas o monte da irritabilidade é tal que qualquer estímulo que entre por meio dela envia pelo lago uma onda que o atinge. Isso faz saltar do leito do lago uma onda secundária e distorcida de pensamento mal-humorado. A predisposição acumulada ao mau humor se empina e diz: "Lá vem minha mãe; ela é tão irritante". E embora ela só o tenha chamado para jantar, você responde: "Está bem, já vou, já vou". Há uma injustificada irritação na resposta. Isso é muito frequente entre marido e mulher. A predisposição é a mesma, quer se trate do hábito de fumar, quer dos desapontamentos acumulados. Qualquer pessoa que tenha sofrido muitos desapontamentos, que tenha esse monte guardado, está propensa a ficar desapontada em qualquer situação. Quando algo acontece, em vez dizer "Puxa, poderia ser bom", ou "Vamos ver no que isso vai dar", elas dizem: "Não sei não, acho que vai dar errado". Essa onda de desapontamento emite um pensamento reflexo secundário de infundada negatividade.

Como essas coisas se acumulam ao longo do tempo, só podem ser removidas ao longo do tempo. Não é porque passa um dia sem fumar, ou sem dirigir palavras ásperas a sua esposa, ou porque diz "Está bem, vou olhar para o lado bom da vida", que você remove do fundo do lago o monte que pode ter levado anos, ou mesmo uma vida inteira, para se formar. O monte agora está grande e emite ondas possantes, embora difíceis de detectar.

A prática da ioga visa reduzir o tamanho dos montes subliminares e libertar-nos dessas e de outras flutuações ou ondas em nossa consciência. Todos aspiram à liberdade. Ninguém quer ser manipulado por forças invisíveis, mas, com efeito, é isso que fazem os bancos de *samskaras* depositados nas escuras profundezas do inconsciente. Viajando velozes pelos níveis mais profundos do lago, os estímulos que se produzem na superfície da consciência encontram bancos de sedimento inexplorados que formam ondas de pensamento secundárias. Estas, por sua vez, estimulam comportamentos reativos e inconvenientes, cujas origens não podemos compreender nem controlar. Nossas reações são precondicionadas e, portanto, não são livres. Não conseguimos quebrar os velhos padrões de comportamento, por mais que o desejemos. No fim, nos rendemos à situação e nos limitamos a dizer: "É assim que eu sou", "A vida sempre me decepciona", "Essas coisas me deixam muito irritado" ou "Tenho uma personalidade afeita aos vícios".

Se ficar um dia sem fumar, você se afasta do banco de areia do fumo, que assim se torna um pouco menor. Mas, no segundo dia, você ainda vai querer fumar, porque o monte do "Não fumo" tem apenas um dia, ao passo que o monte do "Eu fumo" se acumula há anos. É por meio do exercício contínuo de criar montes como "Não fumo", "Não estou desapontado" ou "Não me irrito" que, aos poucos, reformamos nossos hábitos. É assim que diminuímos o tamanho dos montes negativos e os convertemos em *samskaras* positivos, como "Não sou fumante", "Sou afável" ou "Sou tranquilo". Então, erguemos os montes da boa índole, da bondade, da abertura, do não fumar etc. Estes moldam um bom caráter e tornam a vida muito mais fácil. Uma pessoa com bons hábitos é jovial e consegue progredir na vida. Essa é a recompensa que vem da prática, da purificação, do contentamento, do processo de reforma pessoal que se pode empreender mesmo sem a ioga. Esta, sem dúvida, é um apoio, um caminho para isso, mas não significa que, fora dela, seja impossível reformar os *samskaras*. Contudo, ela é um instrumento poderoso para nos libertar de padrões arraigados e indesejados. Por seu intermédio, conseguimos identificá-los, reconhecê-los e gradativamente mudá-los. A singularidade da ioga está em sua capacidade de nos levar mais longe, rumo a uma liberdade incondicional, pois mesmo os bons hábitos são para ela uma forma de condicionamento ou limitação.

A ioga nunca esquece que o propósito final não é apenas remover os *samskaras* negativos. Precisamos também cultivar boas ações para construir os *samskaras* positivos. É claro que primeiro temos de extirpar o que é ruim. Mas a bússola da ioga sempre retorna à noção de emancipação. O que queremos é que o leito do lago seja plano, para que nenhuma flutuação secundária brote do fundo. Isso é liberdade. Em termos práticos, porém, não se pode passar dos *samskaras* negativos para a liberdade de um salto só. É preciso sair dos *samskaras* negativos para os positivos e daí para a liberdade. É uma progressão lógica. É factível. Em tese, é possível passar do mau para a redenção total, e pode haver casos em que isso ocorra, mas são muito raros.

Na prática, a maioria de nós desenvolve hábitos negativos. Queremos convertê-los em hábitos positivos e que, em seguida, deixem de ser hábitos. À medida que o progresso atinge os níveis sutis do *kosa*, você para de fumar não porque é um "não fumante", ou porque fumar faz mal. Não se trata de invocar a dualidade bom *versus* mau. Do mesmo modo, você não precisa morder a língua para evitar uma resposta ríspida a alguém que o irritou; não se trata de ser conscientemente bom. A verdade é que ser livre se torna uma segunda natureza. Você pode até reagir com zanga a uma pessoa rude ou, ao contrário, ser amável com ela, pois, desde que aja com liberdade, qualquer ação que você tome será apropriada, não estará condicionada pelo passado.

Nas aulas, às vezes é necessário que eu encene o papel da raiva. Tenho de parecer "impiedosamente misericordioso" para salvar os alunos de si mesmos. A reação de zanga é então adequada. Mas não sou apegado à raiva. O exercício da raiva não perturba o fundo do lago nem cria um padrão. Assim que me afasto do aluno, deixo a raiva de lado. Estou livre e pronto para lidar com o próximo aluno com amabilidade e bom humor, ou o que for conveniente para suas necessidades. Não fico preso, embora possa participar ativamente dos momentos cômicos e trágicos do drama humano.

Suponha que você sempre comeu muito chocolate e, por um tempo, deixe de comê-lo e se liberte desse hábito. Mais tarde, se alguém lhe oferecer chocolate, você poderá aceitá-lo ou recusá-lo, sabendo que, se comer um pedaço, não terá de comprar toda a loja para satisfazer uma ânsia interna adormecida. Você pode provar um pouco e dizer "Ótimo, é o bastante", sem ficar aprisionado. Assim você está agindo com liberdade. Isso traz moderação e leveza e lhe permite lidar com a situação tal como é. Você não é prisioneiro das coisas boas e más do passado. As implicações cármicas disso são significativas.

Todos queremos o chamado "bom carma", não o ruim, e assim tentamos tornar as consequências cármicas menos desagradáveis. Os efeitos prazerosos provêm dos *samskaras* positivos. Se os desenvolvermos, as consequências serão boas, e a vida será agradável, leve e prazenteira, para nós e para os outros. Há um benefício social real. Mas a meta do iogue é a liberdade, por isso ele diz: "Quero me libertar das consequências, quero me libertar da causalidade cármica. Vou agir no presente, sem estar condicionado nem mesmo pelas boas impressões que trazem bons resultados. Tentarei cultivar minhas ações para que elas não despertem reações". Ele não se ligará ao passado, nem – por motivações egoístas – ao futuro. Agirá tão somente no presente, desimpedido. Se compreendermos a relação entre *samskaras* e carma, entre as ações e suas consequências, poderemos quebrar a corrente da causalidade. A vantagem da prática constante e dedicada (*tapas*) é que, com o tempo, ela produz resultados duradouros. O que fazemos ao longo do tempo remove o que criamos ao longo do tempo. Não podemos chegar à liberdade com um salto ou um simples mergulho num rio sagrado. Isso é sonho, ilusão. Toda vez que o ego retorna à superfície somos de novo arrebatados. O mergulho é o início – e uma declaração de boa intenção. São os muitos minutos, as muitas horas, os muitos anos de aplicação constante e diligente que lavam as nossas nódoas, curam as nossas feridas e fraquezas. No entanto, mesmo os iniciantes podem passar rapidamente do débito ao crédito, com mudanças significativas em sua qualidade de vida – para melhor. A presença da mente, do autocontrole e da direção criativa nos envolve, e ganhamos força para perseverar diante das adversidades por vir.

Concordemos ou não com a explicação técnica da causalidade cármica, todos desejamos progressivamente ascender ao portal da inteligência e colher os benefícios. É uma espécie de escada rolante cármica: o impulso para que suba e o medo das consequências de que ela desça. Devemos cuidar, porém, para que a ideia de progresso não nos projete a um futuro que nunca virá.

Queremos chegar a um lugar onde possamos agir diretamente no presente. A ação direta se origina da percepção direta, da capacidade de enxergar a realidade no presente, tal como é, sem preconceito, e agir de acordo com ela. É esse o verdadeiro significado de viver no momento presente. Se percebemos e agimos no presente, então estamos mais próximos do ideal iogue da chamada ação imaculada, incolor. As ações podem ser pretas (totalmente enraizadas em motivações egoístas, com consequências dolorosas), brancas (desinteressadas e boas) ou, como a maioria, cinza (desencadeadas por motivações mistas e que, portanto, produzem resultados mistos). É assim que o mundo normalmente funciona. A ação iogue é totalmente livre dos hábitos passados e do desejo de recompensa pessoal no futuro. É a coisa certa no momento presente porque é simplesmente correta e sem cor, sem nódoas. Sua grande vantagem é que podemos agir no mundo sem criar reação. O benefício disso para o iogue, no que diz respeito à liberdade, é que ele está tentando se libertar da roda cármica do devir. O iogue deseja saltar do carrossel de causa e efeito.

Ele sabe que o prazer leva à dor e a dor ao prazer, num ciclo interminável. É um passeio divertido, e o que a maioria das pessoas almeja é eliminar a dor e experimentar só o prazer. Sabendo que isso é impossível, o iogue adota a solução radical de transcender a cadeia sem fim da causalidade. Não é que ele deixe de participar da vida, ao contrário, mas pode agir sem se macular. Por isso dizemos que suas ações são imaculadas, ou incolores, o que só é possível quando o ego que passeia no carrossel para de imitar a Alma. Esta sempre está fora do jogo da vida; ela é um observador, não um jogador. Assim, quando a consciência humana, assentada no ego, perde sua identidade na Alma, ela já não se deixa apanhar na armadilha dos sofrimentos e prazeres. Fica claro, então, que o ego nada mais é que uma máscara de ator simulando o Eu verdadeiro.

Poucas pessoas chegam a atingir esse nível de desapego. A maior parte da humanidade vive em ações cinza, colhendo resultados mistos, mas nutre a resolução ética de gradualmente mudar do cinza para o branco. O que impede esse processo de reforma pessoal é o fato de termos pouca percepção – e menos ainda controle – das ondas de pensamento que se formam nas profundezas do inconsciente. Poucos de nós têm clareza e perspicácia para perceber as correntes que se originam dos hábitos arraigados e dos reflexos condicionados. No entanto, se pudermos entender o papel complexo da memória, estaremos mais aptos a utilizá-la com competência e agir com maior consciência e liberdade.

Memória: liberação ou escravidão

Quando Pavlov soava o sino para os cachorros na hora das refeições, estes começavam a salivar, pois o som acionava neles o mecanismo "sino igual a hora de comer", que estava associado à memória e a estimulava. O sino desencadeava a resposta "hora de comer", fazendo-os salivar instantaneamente. Os cachorros não diziam: "Epa, é uma onda secundária. É só um sino". É muito difícil captar a onda secundária erguendo-se do inconsciente para a superfície. Ficamos presos na ação que ela provoca (como a salivação), tanto no plano físico e sensorial como no da própria ação (a salivação é uma ação). Somos aprisionados pela consequência antes que possamos interrompê-la.

Por exemplo, filmes sobre sexo ou violência têm esse efeito sobre nós. Mesmo que, no nível consciente, desaprovemos ou não gostemos desse tipo de filme, eles produzem ondas secundárias, provenientes dos bancos de areia inconscientes do estímulo sexual ou da agressão, que turvam as águas da consciência. Só uma pessoa totalmente livre da causalidade está fora do perigo de contaminação. Grande parte dos anúncios publicitários se baseia no truque de desencadear determinada resposta na mente inconsciente do consumidor. Nossa consciência é resultado, cada vez mais, daquilo com que a alimentamos.

É muito difícil estar consciente dessas ondas secundárias. Sempre pensamos que reagimos, em dada situação, ao estímulo primário, à ondulação na superfície da consciência, mas de fato, muito mais do que podemos imaginar, reagimos à predisposição que se encontra nos *samskaras*, no fundo do lago. Os consumidores compram produtos sem saber qual foi a motivação inconsciente que os levou a isso. Achamos que nossa ação é livre; embora estejamos convencidos disso, na verdade somos manipulados ou influenciados por essas ondas. A palavra "influência" vem do latim e significa "fluir para dentro", o que demonstra que as pessoas que falavam essa língua concebiam o pensamento como uma corrente ou onda. O iogue quer ver e agir diretamente, e para isso é preciso que o leito do lago seja plano; assim, sua ação será uma simples resposta ao estímulo que vem de fora e que se localiza na superfície.

Até que ponto captamos as ondas secundárias que se elevam do fundo da consciência? Imagine que está dirigindo seu carro e um pequeno gesto de distração ou egoísmo por parte de outro motorista libere em você uma onda de irritação. Antes que perceba, você começa a buzinar, a xingar e a dirigir agressivamente. De que adianta isso? Você se sente melhor por deixar que perturbem tão facilmente a sua serenidade? Culpar o outro motorista lhe devolve a paz de espírito? Não.

Para interceptar as ondas secundárias, você precisa de velocidade e clareza de percepção, além de uma perspicaz autoconsciência. Se o lago está lamacento e sujo, se a quantidade de toxinas no sistema obscurece a visão, a clareza é impossível. Se o seu fígado está preguiçoso por causa das toxinas e não filtra bem o sangue, o cérebro será afetado. O sistema nervoso vai demorar para reagir ao perigo e registrará um nível de estresse desproporcional. Para recuperar a saúde, você tem de conhecer a mente inconsciente, que se manifesta dentro do sistema nervoso. Se os nervos estão agitados, você percebe que a mente fica fraca. Enquanto os nervos estão firmes, estáveis e elásticos, a mente se mantém estável. Quando a mente está estável, os sedimentos em suspensão que ocasionam a névoa se depositam no fundo, e a consciência se torna límpida. Pureza e contentamento andam atrelados. Como veremos, são as duas primeiras imposições éticas do *niyama* e dizem respeito ao comportamento que adotamos em relação a nós mesmos. À medida que a prática da ioga limpa o sistema e relaxa os nervos, a clareza, o contentamento e a serenidade se instalam. Contentamento é isto: ondas de pensamento menos turbulentas no lago da consciência. Nesse momento, você começa a entender o que dizia Patanjali: "A ioga objetiva aquietar a turbulência na consciência".

Uma pessoa confusa, intoxicada, preguiçosa, insatisfeita (culpar os outros é uma das principais causas da insatisfação) e de mente inquieta nunca conseguirá perceber a aproximação de uma onda secundária. Esta se traduzirá em ação antes mesmo que sua presença seja notada. É por meio da agudeza de percepção e da velocidade de ação – cultivadas pela prática do ássana e do pranaiama – que podemos nos aperfeiçoar. Além disso, quando respiramos antes de agir, podemos retardar nossas reações, inspirar a divindade e render o ego ao expirar. Essa pausa momentânea nos dá tempo para a reflexão cognitiva, a reação corretiva e a reavaliação. É essa pausa no processo de causa e efeito que nos permite iniciar o processo de liberdade.

A respiração, a reflexão cognitiva, a reação corretiva, a reavaliação e a ação constituem um processo sem fim. No final, esse processo se mistura de tal maneira que nos vemos estacionados no momento presente, sem passado e sem futuro, apenas ação e percepção correta atreladas num momento único, seguido de outro e mais outro. No final, já não estamos presos ao tempo que se move como uma corrente a nos arrastar; o tempo se torna para nós uma sucessão de momentos presentes e distintos. Nenhuma onda de pensamento pode escapar à perspicácia dessa visão. É o que chamamos de presença de espírito – que, nos grandes esportistas, se manifesta na inteligência do corpo. Eles parecem ter muito mais tempo para agir que os outros jogadores. É como se o jogo desacelerasse ao seu redor e eles pudessem dominá-lo como bem entendessem.

O ássana e o pranaiama revelam de que maneira o pensamento involuntário nos rouba o equilíbrio. Veja o exemplo de *Ardha Chandrasana* (postura da meia-lua), em que nos equilibramos numa única perna, enquanto a outra permanece na horizontal e o braço se estende para cima. Estamos ali equilibrados, mas, no instante em que surge o pensamento "Que maravilha, consegui!", oscilamos ou caímos. Só com a mente quieta conseguimos nos manter na postura. Do mesmo modo, no pranaiama, vemos como interagem a respiração e a consciência. Qualquer distúrbio ou irregularidade numa delas cria uma contrapartida na outra. Quando a respiração está calma e a atenção se focaliza no movimento interno, a consciência não é sacudida por estímulos externos. Igualmente, se a consciência está tranquila e estável, a respiração se move com ritmo. Nos dois sentidos, a mente é receptiva e passiva, já não busca avidamente distração ou entretenimento. Assim ela fica livre para que sua atenção gravite na direção do nível mais profundo da consciência, no fundo do lago. Geralmente, esse nível se apresenta como inconsciente, já que nenhuma luz da percepção o penetra. Mas, se o lago está límpido, nenhuma onda pode se erguer e nos apanhar de surpresa. Não há mistério aqui. Trata-se de treinamento, autodisciplina. Se aprendermos reflexão e correção no equilíbrio, de tal modo que seja possível detectar qualquer movimento ou alteração e descobrir sua origem, teremos adquirido a sensibilidade que leva ao autoconhecimento – ao limiar da sabedoria. Saberemos então quando nossa resposta aos desafios externos é direta, ou quando os ocultos bancos de areia dos condicionamentos prévios tentam influenciar e distorcer nossa reação. O pensamento será para nós um processo deliberativo, útil e necessário, um grande dom e talento, muito diferente do pensamento que se manifesta como uma perturbação sem sentido, um falatório vazio, um rádio que não podemos desligar; e diferente também do pensamento que vem como uma forma sutil de interferência do passado, um mecanismo de autossabotagem alojado na memória inconsciente.

Vimos que o processo de converter os hábitos negativos em positivos é o primeiro passo para chegar à liberdade maior: a percepção pura de cada momento e a sabedoria. Mas é lícito indagar o que acontece se um banco de areia negativo foi criado na memória inconsciente por um único evento do passado, como um acidente traumático ocorrido há dez anos, e sua lembrança espontânea continua a perturbar o presente na forma de impressões latentes, ocultas, que voltam à tona. Nesse caso, não é possível construir nenhum banco de areia positivo para compensá-lo, e pareceria, portanto, que somos prisioneiros de um inelutável incidente do passado registrado na memória. Não é verdade. Tudo que eu disse sobre o fortalecimento do sistema nervoso e a estabilização da mente se aplica aqui. Além disso, contamos com uma antiga panaceia: "o tempo cura". Cura, de fato, mas só se o permitirmos. Na psicologia ocidental, as pessoas são incentivadas a falar de seus problemas e a refletir o tempo todo sobre eles. Essa ruminação reforça e exacerba o problema. Enquanto a revelação pode nos ajudar a ver os *samskaras*, a ruminação continua apenas a reforçá-los. Todos sabemos que a ferida não cicatriza se não paramos de cutucá-la. Do mesmo modo, temos de deixar que os ferimentos gravados na memória se curem. Isso não significa reprimi-los. Significa, sim, que tudo que não é alimentado fenece. Se não acrescentarmos nada ao banco de areia, ele aos poucos desmoronará. A prática correta da ioga acelera esse processo, ao permitir que identifiquemos os impulsos provenientes das velhas impressões e desmontemos o mecanismo que as alimentam. Os impulsos subliminares se fortalecem quando atuamos sobre eles; assim, a capacidade de interceptar a onda que se forma constitui, por si só, um meio de alívio progressivo. Quando detemos o impulso antes que ele provoque distúrbios na consciência, impedimos que ele crie ondulações na superfície e que elas, por sua vez, retornem ao fundo para reforçar o banco de areia.

Citarei aqui um pequeno exemplo retirado da minha experiência pessoal. Durante minhas primeiras viagens ao exterior, atendendo a convites para difundir os ensinamentos da ioga, vez por outra passava pela humilhação da discriminação racial, o que para mim foi um choque. No pequeno hotel onde fiquei em Londres, pediram que eu não comesse no restaurante para evitar que os outros hóspedes se aborrecessem; nos aeroportos dos Estados Unidos, tive de enfrentar o rosto carrancudo do racismo institucionalizado. Embora tivesse opiniões fortes sobre racismo e igualdade, esses incidentes em nada alteraram meu comportamento ou minha cordialidade em relação às pessoas da Inglaterra e dos Estados Unidos. O ferimento no meu eu juvenil não deixou mais que uma cicatriz saudável – não restou nenhum ressentimento, não houve nenhuma decisão de evitar esse tipo de situação e me manter afastado. Com o tempo, as leis e as atitudes nesses países mudaram, e já não éramos mais aviltados com tal arrogância e preconceito.

Esse princípio se aplica também ao tratamento que a ioga dá a todos os vícios. O que não alimentamos fenece. Os desejos, mesmo que se manifestem só no plano mental, continuam a nutrir impressões negativas. Ao dirigir nossa atenção para dentro (o que acontece automaticamente), por meio de ássanas e pranaiama, e nos ensinar a arte da ação construtiva no momento presente, a ioga afasta a consciência dos desejos e a conduz para o imperturbável núcleo interior. Ali, ela cria uma via pela qual reflexivamente podemos perceber, observar e reconhecer o coração (*antarlaksa*). Assim, a mente contemplativa criada pela ioga é um poderoso instrumento terapêutico para eliminar as enfermidades humanas.

A memória não é uma plataforma na qual podemos subir para rever o mundo. Ela é uma escada cujos degraus galgamos passo a passo. E é absolutamente indispensável para o desenvolvimento da inteligência. Somente quando consulta a memória, a inteligência (*buddhi*) consegue reunir as informações de que necessita para iniciar a transformação que almeja. Enquanto a mente reage à memória, a inteligência a interroga. Ela pode realizar um interrogatório minucioso com a memória para discernir consequências e fazer conexões das quais a mente (*manas*) se esquiva quando são muito desconfortáveis. Segundo o *Bhagavad gita*, sem a memória a inteligência não progride e, assim, não consegue chegar à Alma. O uso que fazemos da memória é crucial, sobretudo no que diz respeito a qual elemento da consciência conduz a entrevista. É a inteligência que deve fazer isso, com seu poder de extrair a verdade, refletir e agir de maneira inovadora, sobrepondo-se até mesmo ao ego teimoso e recalcitrante.

Quando consultada pela inteligência, a memória dá respostas completamente diferentes das que fornece quando é consultada pela mente. Como vimos, quando indagada pela mente e pelo ego, a memória sempre diz: "Quero mais das coisas que gosto, não importam as consequências. Não me dê nada do que não gosto, sejam quais forem as consequências". A mente e a memória evocam de novo as experiências passadas de dor e prazer e as equiparam à situação presente, por mais inadequadas que sejam. Enquanto a inteligência faz comparações criativas, as comparações feitas pela mente são destrutivas, no sentido de que nos amarram a uma rotina, a um padrão que nos aprisiona.

A memória é útil quando ajuda você a se preparar para o futuro, a saber se está ou não avançando. Use-a para desenvolver-se. Ela é inútil quando produz uma repetição do passado. Repetir significa viver na lembrança. Quando há repetição, a memória retarda o caminho da evolução. Não viva na lembrança. Ela é só um meio de saber se estamos totalmente atentos e evoluindo. Nunca pense no ontem. Só retroceda se perceber que está fazendo algo errado. Use a experiência passada como um trampolim. Viver no passado ou buscar repetir experiências já vividas só fará estagnar a inteligência.

E quanto à memória do corpo? Será que ela também, assim como a memória consciente da mente, tem a capacidade de nos escravizar ou libertar? Sim, e aqui, mais uma vez, o despertar da inteligência é crucial. A consciência se encontra potencialmente em cada célula do corpo, mas a maioria de nós vive numa espécie de coma. O sistema nervoso se estende por todo o corpo. Onde estão os nervos, ali deve estar a mente. Onde a mente está, lá deve estar a memória. Qualquer habilidade ligada a uma ação repetitiva depende dessa memória. A memória do oleiro reside nas mãos dele. Quando dirigimos por uma estrada sinuosa que já conhecemos, sabemos instintivamente como fazer as curvas. Não há nenhum pensamento consciente nessa ação. Na casa de um estranho, nunca sabemos onde ficam os interruptores de luz. Na nossa, a mão se dirige até eles automaticamente. Cheiros e sabores evocam em nós cenas da infância, sem nenhuma intervenção da mente.

A memória celular também suscita reações negativas: "Não quero fazer isso; é muito complicado", "Não gosto dele. Ele parece meu chefe". De novo, é a prática que transmite a luz da inteligência para as células e extirpa a negatividade. Disse no capítulo 2 que o alongamento leva os conduítes do sistema nervoso do centro para a periferia, fortalecendo-os e relaxando-os. Por meio desses conduítes (*nadis*), a percepção se amplia. Percepção é consciência. A inteligência faz parte da consciência; assim, sua luz atinge cada célula em regiões que antes eram insensíveis e desconhecidas para nós. Fala-se muito em iluminação da Alma. Aqui nos referimos à iluminação do corpo. Milhões de células morrem a cada minuto, mas, se levarmos vida a elas, ao menos viverão antes de morrer. Quando a inteligência se irradia para as células, a faculdade superior da intuição agrega-se ao instinto. O instinto é resultado do funcionamento conjunto da memória e da mente, para o bem ou para o mal, tendo como única referência o passado, num misto de preservação e destruição da vida. Quando a inteligência das células se desperta, o instinto se transforma em intuição, e o passado perde seu domínio determinista sobre nós, pois a inteligência interna nos diz o que o futuro demanda.

No nível celular, a memória serve a inteligência na forma de intuição. No nível consciente, ela atua, de início, como uma biblioteca para a inteligência, a ser consultada com prudência e distanciamento acadêmico. Quando, a cada momento, a inteligência espontaneamente consulta a memória, surge a intuição consciente, que chamamos de sabedoria.

Há outra influência sutil que a memória exerce desapercebidamente em nossa vida. As impressões da memória agem, no nível inconsciente, como um filtro para a percepção. A inteligência se esforça para ver as coisas tal como são, mas a mente e a memória tendem a interpretá-las com base no passado. O efeito disso é a formação imperceptível de bancos de areia de preconceito. Todos sabemos que o preconceito tem uma ação retrospectiva; vemos algo e lhe atribuímos um juízo de valor negativo. Mas o preconceito também se projeta no futuro, ou seja, nos influencia a ver e, portanto, experimentar somente as coisas que confirmem o que já pensamos. Por isso digo que ele age como um filtro, eliminando tudo que desafie crenças arraigadas. Se você acha que nenhum estrangeiro é confiável, então é certo que conhecerá muitos que de fato não são, já que nunca notará nenhum outro. A ioga chama isso de erro de percepção, e é algo muito mais perigoso e difícil de erradicar do que o simples erro de confundir o número do ônibus porque você esqueceu os óculos.

A observação de como funciona a consciência, apoiada pela prática da ioga, nos permite viver o cotidiano com filosofia, deliberação e sabedoria. E sempre que a vida nos apresentar grandes desafios e oportunidades, estaremos preparados para lidar com eles também. No próximo capítulo, prosseguiremos com nossa exploração da inteligência e veremos como ela pode nos conduzir à verdadeira sabedoria.

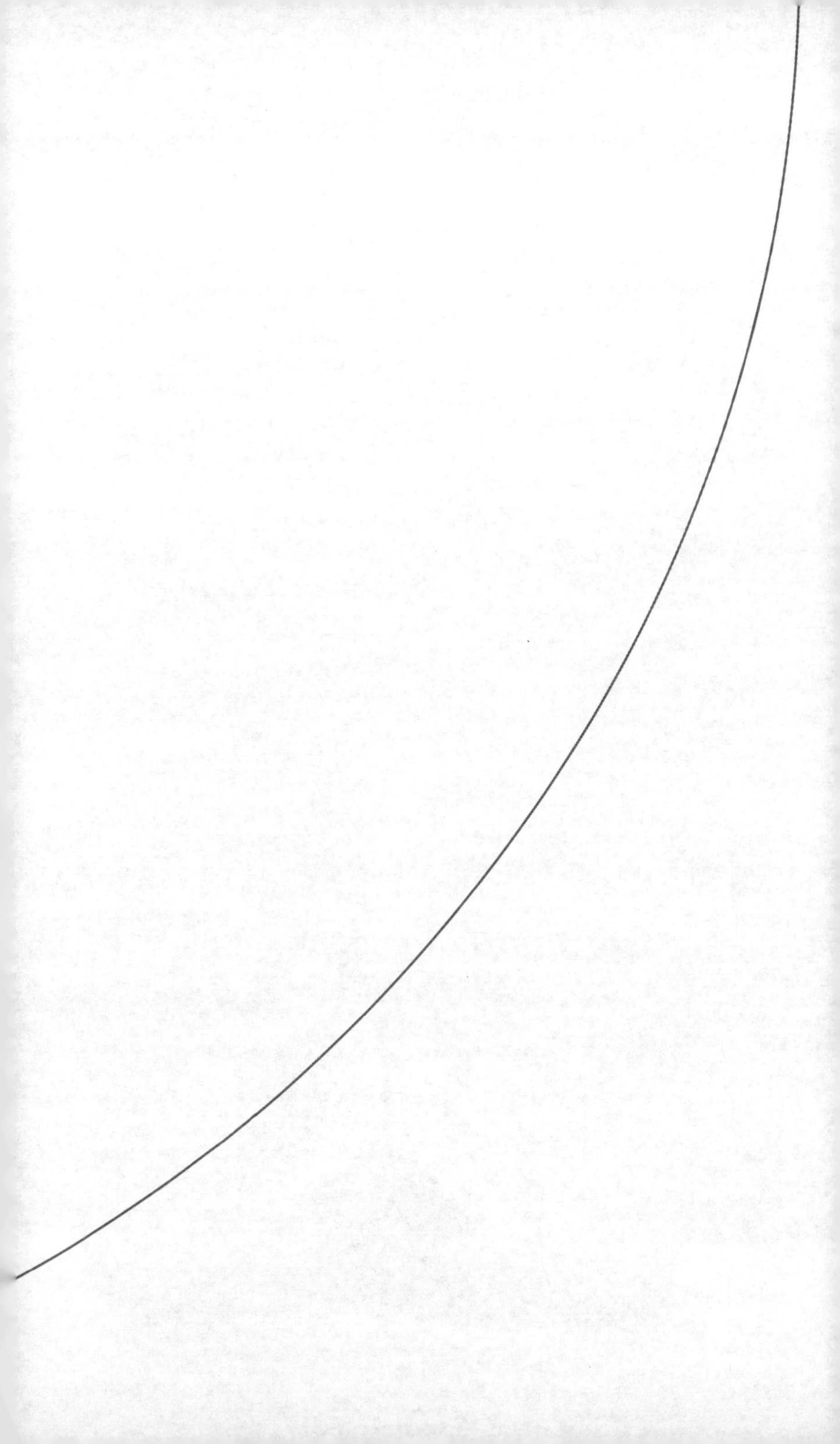

Kandasana

5. Sabedoria

O corpo intelectual (*vijnana*)

Este capítulo trata da quarta camada do ser, o corpo intelectual (*vijnanamaya kosa*), cuja porosa fronteira externa fica próxima do corpo mental e o permeia. Enquanto a mente leva aos pensamentos, o intelecto leva à inteligência e, por fim, à sabedoria. A ioga identifica de tal maneira essas diferentes partes da consciência, bem como as flutuações (*vrttis*) que as acompanham, que podemos usá-las tanto para dar direção a nossa jornada como para originar nossa transformação. É assim que descobrimos a capacidade de recusar o sorvete ou aceitá-lo em quantidades inofensivas. Desenvolvemos um discernimento cada vez mais judicioso que, aliado ao autocontrole, nos permite lançar velas em águas inexploradas.

Na fronteira interna desse quarto invólucro encontra-se a descoberta da Alma individual (*jivatman*), a centelha da divindade que habita todos nós, em nosso corpo espiritual. Entre essas duas fronteiras – o autoconhecimento cada vez mais profundo e o cultivo da inteligência superior –, repousa o *insight* puro. Aqui chegamos ao cume da exploração de todo o nosso ser individual.

Só podemos alcançá-lo eliminando as impurezas da inteligência e subjugando cada vez mais o astuto superego, que conserva sempre o ego inseguro, o eu individual. Os instrumentos da ioga que facilitarão essa etapa da jornada são a sexta e a sétima pétalas: concentração (*dharana*) e meditação (*dhyana*). Todas as pétalas que estudamos até agora, do ássana ao *pratyahara*, estarão sempre presentes, apoiando os importantes avanços que, em grande parte, dependem delas. Para meditar, por exemplo, você tem de se sentar em ássana; você precisa apartar a mente e os sentidos do mundo exterior e dirigir suas energias para dentro (*pratyahara*). Se você negligenciar a base, será como sentar-se numa grande árvore e serrar o galho em que está.

O conteúdo deste capítulo é sem dúvida mais sutil, mas não complicado. De fato, muitas vezes é mais difícil descrever em palavras o ássana e o pranaiama do que conceitos como *insight*, ego e dualidade. O problema é que a percepção consciente desses aspectos geralmente se localiza fora da nossa experiência cotidiana, por isso eles talvez pareçam abstratos. Não são. São bastante reais. Contudo, é necessário um esforço da inteligência imaginativa para rastreá-los e compará-los.

Vejamos uma analogia. O ar é o elemento que corresponde ao invólucro da inteligência, e o toque é o equivalente sutil do ar em nosso sistema da teoria evolutiva. Usando a imaginação, vamos explorar por que e como isso faz sentido. Estamos mergulhados no ar, dia e noite. O ar está sempre em contato com nossa pele. A cada respiração, o ar permeia o interior do nosso corpo, assim como a água permeia o peixe. O ar sempre nos toca, por dentro e por fora. O toque é não apenas delicado, como íntimo. Quantas vezes, ao nos referirmos a uma experiência, um livro, uma sinfonia, um filme, ou ao encontrarmos uma pessoa especial, não dizemos "Fiquei tocado"? O ar e o toque penetram fundo. E, do mesmo modo que o ar envolve e penetra cada aspecto do nosso ser e da nossa vida, assim também o faz a inteligência. Vejamos como.

Examinando a inteligência

Temos nossa inteligência individual (*buddhi*). Trata-se da percepção autorreflexiva que vimos no capítulo anterior, capaz de fazer escolhas que tenham significado e promovam a liberdade. Não se deve confundi-la com *vidya* – o conhecimento adquirido de fontes externas e que permanece indeciso. A inteligência baseada na experiência subjetiva é interna e sempre decisiva.

A primeira coisa a entender, neste capítulo, é que a inteligência individual, embora seja um leme essencial para nos guiar, é um mero prolongamento da inteligência cósmica (*mahat*), que é o sistema que organiza o universo. Essa inteligência está em toda parte, e, assim como o ar, estamos constantemente imersos nela e a absorvemos. É claro que criamos barreiras contra ela, pois temos muito orgulho de nossa indispensável inteligência individual. Assim, nos privamos de aproveitar plenamente os benefícios desse recurso infinito, universal e nutritivo, do mesmo modo que nos privamos da energia prânica quando respiramos mal. Vimos que a respiração e a consciência caminham de mãos dadas. Dá-se o mesmo com a inteligência individual e a inteligência cósmica. A inteligência é o sistema operacional da consciência cósmica.

Quando comemos um pé de alface, cada folha exprime a beleza e a complexidade da inteligência cósmica que a formou, e, ao ingeri-la, partilhamos diretamente dessa inteligência. Assim também é com cada grão de arroz em sua perfeição, cada generoso fruto. No nível biológico, somos seus predadores, mas, no nível da inteligência e da consciência, estamos cooperando com eles num rito sagrado, pois a inteligência que organizou sua forma e função também organizou a nossa.

Transpor a separação – é disso que trata este capítulo. Trata da extensão da inteligência e da expansão da consciência, de tal modo que a barreira ao redor da "minha" inteligência e da "minha" consciência comece a se dissolver. Isso marca o início do fim da solidão. É a fusão – ou melhor, a transfusão, pois recebemos em transfusão as riquezas dos recursos cósmicos naturais. Enquanto a inteligência comum é chamada de "instintiva", a inteligência superior é denominada "*insight*" ou "intuição". Ela penetra as barreiras. A prisão da particularidade logo não será capaz de nos manter cativos. O crescimento da universalidade fará desmoronar seus muros. Como veremos, é a meditação que coroa esse processo, quando a dualidade dá lugar à unidade. Já não há mais sujeito e objeto, isso e aquilo, eu e o outro. Nesse momento, experimentamos a totalidade do nosso ser, a começar de cada célula, tudo incorporado numa unidade única, e é então que se descortina a visão da Alma individual. Tudo de que sou feito se torna agora conhecido e vivo na percepção da soma das partes.

Diz o iogue, segundo Patanjali no seu terceiro sutra: "Que realidade veríamos se, apenas por um instante, a mente humana pudesse aquietar suas agitadas ondas?" Seríamos inconscientes ou supraconscientes? Só se pode conhecer a resposta a essa pergunta mediante a experiência pessoal. É por isso que podemos nos preparar para a meditação, mas não ensiná-la. Podemos dar todos os passos até chegar a ela, mas não controlamos quando ela vai acontecer. Você pode empurrar um piano por três lances de escada, mas não pode forçar a febril mente humana a se aquietar. A única coisa que você pode fazer é exercitá-la para estar vigilante a tudo que perturbe seu equilíbrio. É por essa razão que a ioga dedica tanto tempo e esforço para identificar o negativo, o indesejado e o subversivo: porque estes atrapalham o equilíbrio sereno da mente. Devemos agora explorar a natureza da consciência do ponto de vista da inteligência.

A lente da consciência

O significado de *hatha yoga* é sol (*ha*) e lua (*tha*) – a ioga em que o sol é a Alma, e a lua, a consciência. Pode-se comparar a consciência a uma lente. Sua superfície interna está voltada para a Alma, e sua superfície externa está em contato com o mundo. É inevitável que alguma fuligem grude na superfície externa e obscureça nossa visão. Na verdade, ela nos impede de ver claramente o que está fora e não deixa que a luz da Alma irradie. Se nossa casa é sombria porque as janelas estão sujas, não culpamos o sol por isso; limpamos as janelas. Portanto, a ioga limpa a lente da consciência para receber o sol (Alma). Assim, a pureza não é um fim em si. Quando uma mulher indiana se lava e faz orações antes de preparar a comida, ela está se purificando, não pela pureza em si, mas para assegurar que suas intenções se transmitam com clareza, sem se deturpar nem se macular. A intenção amorosa por trás do ato de cozinhar é sustentar, nutrir e alimentar os outros. Uma consciência pura ou limpa é a melhor forma de transmitir essa intenção. Corpo limpo, mente limpa, mãos limpas, vasilhas e panelas limpas equivalem a uma família feliz, saudável e amorosa.

O que a mente é e faz morre conosco. Mas a consciência é esse aspecto da mente, o invólucro da percepção contínua, que perdura até mesmo de uma vida para outra, carregando as impressões do passado e o potencial – bom ou ruim – do futuro. Lembranças do passado e fantasias em relação ao futuro – esmagados entre ambas, perdemos a habilidade de usar a percepção direta naquilo que realmente *está acontecendo*, ou seja, o agora, o presente.

Isso nos remete à necessidade de analisar a natureza da consciência de uma perspectiva diferente, não a da interferência contaminante das aflições (*klesas*), que examinaremos no próximo capítulo, mas a dos cinco estados ou modificações naturais da consciência, que todos experimentamos mas tendemos a considerar normais. Segundo a ioga, temos muito que aprender com eles, pois também são padrões de ondas de pensamento que influenciam a mente e sua capacidade de perceber verdadeiramente. Se o leitor não entende por que tanta insistência em estudar os milhares de ondas de pensamento que agitam o lago da consciência, permita-me lembrar mais uma vez o segundo sutra de Patanjali: "Ioga é a contenção das flutuações da consciência". Por quê? Porque ioga é meditação, e este capítulo é sobre concentração e meditação. Uma mente inquieta não consegue meditar, por isso precisamos identificar e apaziguar todos os fatores que geram perturbações. A consciência deve se tornar passivamente alerta – não plácida como uma vaca ruminando satisfeita, mas alerta e receptiva como um cervo selvagem na floresta. A diferença é que, enquanto os sentidos do cervo estão voltados para fora, os do iogue, com igual acuidade, se dirigem para dentro. Isso é inteligência elevada à categoria de percepção, prestes a adentrar o mistério do desconhecido. No entanto, a consciência nem sempre está alerta; assim, devemos explorar as modificações da mente que nos impedem de ter essa acuidade.

Transformando a mente

A consciência (*citta*) tem três funções. A primeira é a *cognição,* que consiste em perceber, conhecer e reconhecer. A segunda é a *volição,* ou vontade, que é o impulso para iniciar a ação. A terceira é o *movimento,* que expressa a natureza ígnea da mente, sempre se transformando e mudando de lugar e aspecto. Todas essas funções nos permitem ganhar conhecimento e avaliar a verdadeira posição que a humanidade ocupa no universo.

Vejamos como se manifesta a natureza ígnea da mente. O fogo dança e cintila, assim como a mente. De fato, a consciência se modifica tão rapidamente que, antes mesmo que possamos reconhecer e examinar uma flutuação, esta se confunde com outra. Essas mudanças desordenadas são um processo natural e revelam a vivacidade da consciência. Todas as nossas atividades dependem dessas flutuações mentais.

Como disse, a mente dança. Seria correto dizer também que ela nos conduz numa dança divertida. Para submeter um cavalo selvagem, você precisa entendê-lo, domá-lo e controlá-lo. O mesmo precisa ser feito com a mente impetuosa; do contrário, ela vai disparar por aí levando você. Como os sentidos sempre arrastam a mente para fora, para os atrativos do mundo material, é inevitável que ela nos faça cair em situações difíceis, pelas quais não esperávamos, ou que parecem boas de início mas se convertem, no final, em amargura para nós.

Patanjali se referia a isso quando dizia que as flutuações da consciência podem ser dolorosas ou indolores, visíveis ou invisíveis – ou seja, algumas coisas parecem desagradáveis, penosas, angustiantes, e de fato são. Estudar para uma prova pode ser muito árduo. Os benefícios de passar no exame permanecem ocultos, invisíveis, por vários anos. No sentido inverso, os prazeres da mesa são extremamente agradáveis, e as dores e problemas que resultam da gula podem manter-se invisíveis por muito tempo. Se, mais tarde, somos atingidos por alguma enfermidade ou fraqueza, então a dor é manifesta. Mas se usamos todos os nossos recursos, a coragem, a vontade e a fé para vencer a doença, surge de novo um estado sem dor. É uma forma de nos advertir que toda moeda tem dois lados e que devemos ter cautela e prudência antes de nos atirar às coisas. Tudo tem seu preço ou recompensa. Mas a frase "Se lhe parece bom, faça" não é uma máxima confiável em longo prazo. Todas as filosofias reconhecem que quem só busca o prazer acaba encontrando a dor. Os antigos gregos diziam que a moderação era a maior das virtudes. A ioga diz que é por meio da prática e do desapego que aprendemos a evitar os extremos de dor e prazer.

Esse duplo aspecto da mente flutuante se aplica às chamadas cinco modificações da consciência (*citta vrittis*, em sânscrito). São elas o entendimento correto (*pramana*), o entendimento incorreto* ou compreensão errônea (*viparyaya*), a imaginação ou fantasia (*vikalpa*), o sono (*nidra*) e a memória (*smrti*). Trata-se de estados psicológicos naturais, que ocorrem em todos nós. Estão associados ao cérebro e ao sistema nervoso e desaparecem quando morremos. O leitor pode estar se perguntando, e não posso condená-lo por isso, qual é o sentido de estudar esses estados. Afinal, sono é sono, imaginação é imaginação, e, com respeito aos dois primeiros, bem, ora acertamos, ora erramos. Contudo, do ponto de vista da ioga, há um grande benefício em compreendê-los. Seu uso inadequado, quando funcionam mal, pode acarretar problemas intermináveis, afetando tanto nossa qualidade de vida quanto nossas ações. As consequências das ações perduram. As implicações são cármicas. "Você colhe o que semeia" – esse é um ensinamento universal. Segundo a ioga, as consequências não se limitam a esta vida apenas. Qual é a conduta de uma pessoa que tem uma percepção errada de tudo, vive na fantasia, dorme mal e faz mau uso de sua memória? Hitler realmente acreditava que os judeus eram sub-humanos, e suas ações refletiam essa crença. Tratava-se de um entendimento incorreto, de uma percepção equivocada, de um delírio total. As consequências disso na época foram sua morte e a destruição do seu país e de grande parte do mundo. Se é certo que a cadeia da causalidade sobrevive à morte, quem agora gostaria de estar no lugar de Hitler?

* Embora várias traduções brasileiras utilizem a expressão "conhecimento" correto ou incorreto, optamos por usar "entendimento". Enquanto "conhecimento" refere-se a um arcabouço de ideias, fatos e experiências que não são certas nem erradas, o "entendimento" de algo é passível de erro, acerto ou correção. (N. E.)

Certamente vale a pena examinar essas cinco formas de consciência em seus aspectos falhos e benéficos. Seu estudo pode nos ajudar a seguir um certo estilo de vida e adotar uma maneira correta de pensar. Elas nos dão uma direção e permitem canalizar o processo do pensamento. Nosso objetivo não é detê-las nem coibi-las, mas transformá-las gradualmente. Não são entidades separadas; estão entrelaçadas como os fios de tecido. Uma afeta a outra. O embotamento causado pelo sono de má qualidade (tamásico) prejudica a clareza das outras quatro modificações. A análise perspicaz, que leva ao entendimento correto, torna-se impossível. Quando estamos cansados, não é fácil nos lembrar das coisas. Também dependemos da memória para evocar os outros estados. É ela que os conecta e lhes dá suporte.

No capítulo anterior, conhecemos os dois aspectos de memória: um que é nocivo, outro que é libertador. Vimos que a forma "dolorosa" de memória cria uma servidão no tempo psicológico, condenando-nos a reviver o passado em permutações incessantes e sem sentido. Somos como uma carroça durante as monções, com as rodas atoladas na lama. A forma "indolor" chama-se discernimento (*viveka*), essencial para o crescimento.

O discernimento é o fio da navalha do intelecto, que separa o verdadeiro do falso, a realidade da irrealidade, usando a memória de tal maneira que as consequências do passado são ponderadas em nossas escolhas e decisões. Quando podemos ver as consequências, não somos aprisionados na armadilha da dor aparente ou do prazer aparente. Discernir significa fazer comparações significativas: "Como está minha prática hoje em relação a ontem?", "Como está o alongamento da minha perna esquerda em relação ao da direita?" Você pode descobrir que a perna direita está adormecida. No começo, é um processo de tentativa e erro. Mais tarde, aprendemos a evitar o erro. Na postura do pouso sobre a cabeça, por exemplo, um problema muito frequente é o encurtamento da parte superior do braço.

A memória nos adverte para ter cuidado antes que isso aconteça. É dessa forma que rompemos com os maus hábitos. Trata-se de discernimento útil, que desperta a percepção.

Trabalhando com o discernimento e a memória, a percepção estimula a mente criativa, não a mecânica. A mente mecânica só questiona os fenômenos externos, tratando o mundo como uma máquina gigantesca, do que resulta o conhecimento objetivo. Refiro-me aqui ao conhecimento do mundo ao nosso redor, que pode ser útil ou perigoso, dependendo do uso que fazemos dele. Ao comparar seu carro velho com o carro novo do vizinho, você pode sentir inveja ou cobiça, ou avaliar que o dele é mais seguro e polui menos. Mas o que chamo de cérebro criativo questiona tanto o interno como o externo, levando ao conhecimento subjetivo e espiritual – ou seja, o conhecimento de si mesmo, da pele para dentro. Voltando ao exemplo do carro do vizinho, se você entende que a poluição é algo indesejável, não vai querer poluir a atmosfera (externo) nem a si mesmo (interno). Assim, a reação criativa seria trocar de carro.

Quando a percepção está conectada à inteligência, somos capazes de enxergar com absoluta sinceridade. Quando cérebro e corpo se movimentam em harmonia, há integridade. A memória dá suporte a esse processo porque, quando funciona perfeitamente, ela se une à inteligência. No momento em que deixa de ser fiel à mente ávida de prazeres para aderir à inteligência judiciosa, a memória deixa de armar no nosso caminho as armadilhas dos velhos hábitos para se tornar um verdadeiro guru, guiando-nos ao conhecimento e ao comportamento perfeitos.

Ao purificar a memória, purificamos toda a mente. Para uma pessoa comum, a memória é um estado de espírito passado. Para o iogue, é um estado de espírito presente. Não devemos esquecer que a memória se recorda de tudo. Ela é inútil quando produz uma repetição do passado que impede nosso processo de evolução. Mas é útil quando ajuda a nos preparar para o futuro

– e até mesmo necessária se a utilizamos para nos desenvolver. A memória é uma contínua contabilidade de perdas e ganhos, por meio da qual podemos ver se estamos retrocedendo ou avançando. Ao separar a memória desejada da indesejada, permitimos que novas experiências venham à tona. Todas as coisas úteis do passado se encontram à nossa disposição no presente. A memória para de funcionar como uma entidade distinta e se funde na consciência. Patanjali dizia que, quando a memória se purifica totalmente, a mente despenca como um fruto maduro e a consciência brilha na sua forma mais pura. Com isso quero dizer que a memória só age de forma adequada quando serve de estímulo à ação presente perfeita e imaculada. Memória purificada é aquela que não contém as emoções indigestas do inconsciente, a que lida com os sentimentos no momento presente, à medida que surgem.

A imaginação também pode trabalhar em nosso benefício ou prejuízo. Ela é, sem dúvida, o maior dom do ser humano. Mas a palavra sânscrita *vikalpa* também significa fantasia ou ilusão. Sem uma aplicação constante, mesmo os voos de imaginação mais inspirados permanecerão impotentes, destituídos de realidade. Se um cientista tem uma ideia, é provável que precise trabalhar durante anos, fazendo experiências, análises, verificações, para que ela dê frutos, para que se concretize. Um escritor pode imaginar um enredo para um novo romance, mas, se não se aplicar a escrevê-lo, suas ideias não terão valor. Um jovem imaturo certa vez disse a um grande poeta: "Tenho uma ideia maravilhosa para um novo poema", ao que o poeta respondeu mordazmente: "Poemas são palavras". O verdadeiro poeta tinha os pés no chão. Qualquer que seja a ideia, escreva-a.

É fácil perceber como as cinco modificações conspiram contra nós. Nos devaneios, misturamos a fantasia com o torpor do sono. Se devaneamos sobre o passado, acrescentamos a memória a essa mistura. Isso pode até ser prazeroso e reconfortante, mas não leva a nada. Na verdade, quando voltamos à realidade presente e a comparamos com o devaneio, podemos considerá-la bastante desagradável. De um estado indolor surge então um estado doloroso.

As pessoas que não conseguem sair dos pensamentos exclusivamente imaginativos nunca inspiram respeito, parecem levianas. Guardamos o maior respeito pelos que transformam uma visão panorâmica e penetrante em realidade. O jovem Gandhi sonhava com uma Índia independente e livre do domínio britânico, e levou uma vida inteira de trabalho infatigável, de *tapas*, para realizar seu sonho. *Tapas* é a palavra-chave aqui. Ela se refere a calor intenso, purificador, um fogo que, como o dos alquimistas, transforma metal vil em ouro. A imaginação é a chama que bruxuleia, a parte mais fria do fogo. As chamas cintilantes dão luz para que a forma se revele – na terminologia iogue, a forma é o equivalente sutil do fogo. O que é uma ideia, um conceito, senão uma forma na mente? A tarefa que temos pela frente é atiçar o fogo com o fole de *tapas*, para que ele se torne quente a ponto de transformar as formas da mente em realidade. A prática do ássana harmoniza a mente e o corpo para essa tarefa. A mente está sempre adiante do corpo. Ela se move no futuro, e o corpo, no passado; o eu está no presente. Com o ássana, aprendemos a coordená-los, o que nos permite converter a forma das nossas visões na substância da nossa vida.

Sono é sono. O que ele pode nos ensinar? Afinal, nunca o presenciamos. Quando dormimos, ficamos inertes e inconscientes e não temos lembrança direta dele. No entanto, sempre sabemos como foi o nosso sono. O sono profundo, sem sonhos, restaurador, é o que se deve almejar. Os iogues não sonham: ou estão dormindo ou estão acordados. Há três tipos de sono. Se nos sentimos pesados e modorrentos ao despertar, então o sono foi *tamásico*. O sono agitado, inquieto, é *rajásico*. O sono que traz leveza, clareza e frescor é *sátvico*. Fazendo uso da mesma metáfora, o sono é uma rosa aberta que se recolhe em botão. Os sentidos da percepção repousam na mente; a mente, na consciência; a consciência, no ser. Isso descreve exatamente o que tentamos alcançar por meio da ioga, por isso não há dúvida de que há algo a aprender. Podemos inclusive retornar à inocência durante o sono. Quem dorme não peca.

Como a mente e os sentidos estão em repouso, há uma vacuidade negativa, uma sensação de vazio ou ausência. Dizemos que é negativa porque o estado de consciência presente e alerta está ausente. A meta do aluno de ioga é transformar isso num estado de espírito positivo enquanto está desperto. Os sentidos e a mente se fecham como em botão, mas uma testemunha permanece atenta. Esse é um estado puro, em que o eu se liberta das experiências acumuladas. Os movimentos da consciência se acalmam. O sono profundo e tranquilo, que se experimenta enquanto se está alerta e desperto, é samádi. Quando a mente está quieta e sob controle, o que resta é a Alma. A ausência de ego no sono é semelhante ao samádi, mas é um estado entorpecido e sem percepção. Samádi é a ausência de ego no sono combinada com a vibração da inteligência.

Quando estamos em sono profundo, perdemos nosso ego, nossa identidade. Esquecemos quem somos e regressamos à mente cósmica, eterna. Há um breve momento no despertar, antes que a consciência do "eu" retorne, em que podemos ter um lampejo desse estado tranquilo, ausente de ego. É ele que nos deve guiar. Trata-se de uma janela natural para a mente meditativa, na qual percebemos que somos um e aprendemos a aceitar. Quando o ego está sereno, nosso orgulho diminui. Somos receptivos e mais compreensivos. As afrontas da vida não nos ofendem. Ficamos longe da ansiedade e da angústia interna e externa.

A prática da ioga nos ensina a lidar com cada tarefa do dia no momento em que ela surge e, depois, deixá-la de lado. Isso inclui responder a cartas ou retornar ligações, lavar a louça, abandonar a raiva assim que o momento se foi. Há um velho ditado que diz: "A cada dia basta seu cuidado". Significa que não devemos permitir que os desafios que enfrentamos, mesmo os mais desagradáveis, ocupem espaço demais em nossa vida, contaminando e comprometendo o resto do nosso tempo. Se aprendermos isso, o sono não prolongará a ressaca tóxica de um dia anterior cheio de medos e problemas não resolvidos. Da mesma maneira, não devemos comer demais nem tarde da noite, senão teremos um sono agitado (rajásico). Acordaremos insatisfeitos e irrequietos. Se alimentamos a mente com imagens, pensamentos e palavras violentos, o inconsciente vai regurgitá-los em sonhos tumultuados. Assim como a imaginação correta abre a mente criativa, o sono correto refresca a mente e nos deixa alertas. Ao viver um dia de cada vez até o fim, ganhamos uma consciência clara. A consciência clara é o melhor preâmbulo para uma noite tranquila e repousante.

Diz-se às vezes que uma pessoa simplória, completamente vazia, tem uma aparência semelhante, à primeira vista, à de alguém em samádi, o estado de beatitude divina. Isso porque nem a mente do tolo nem a mente do santo apresentam movimento na consciência. A diferença é que a primeira é negativa, apática, insensível, enquanto a segunda é alerta, positiva e superiormente perceptiva. Digo isso porque é fácil para os iniciantes confundir a sonolência ou a languidez prazerosa com o estado meditativo. Muitas vezes, quando fazem o *Savasana* (postura do cadáver; veja capítulo 7) ou tentam meditar, os alunos mergulham num torpor agradável, como se estivessem envolvidos num cobertor de lã. Esse não é o prelúdio do samádi, mas a antessala do sono. O entorpecimento do sono não é desejável num estado de vigília, tampouco a hiperatividade frenética produzida pelo sono turbulento. Se nos reviramos na cama durante a noite, faremos o mesmo durante o dia. O que buscamos é um estado alerta e pleno, livre de ego, que corresponde aos efeitos revigorantes de um bom repouso. A experiência do repouso à noite será um indício do repouso da mente e dos sentidos no estado meditativo. Uma boa noite de sono faz a consciência brilhar. Uma noite de sono ruim deixa a consciência embaçada.

Dormir mal nos faz ver tudo de maneira distorcida. O entendimento incorreto dá origem a pensamentos, palavras e ações incorretos. Suas consequências não são inofensivas. Quando corrigimos nosso erro de percepção, é comum dizer depois: "Não deveria ter dito aquilo" ou "Não deveria ter feito isso". Sentimos culpa e remorso. No entanto, na vida prática, fazemos de tudo para evitar esse tipo de situação. Se vamos comprar uma casa, contratamos um profissional para avaliar sua estrutura, a segurança do terreno, o abastecimento de água, além de uma firma especializada para verificar a papelada jurídica, e encarregamos o banco de cuidar da transação financeira. Verificamos também as escolas e o transporte disponíveis na região. Não queremos cometer nenhum erro. Contudo, a maioria das pessoas, quando faz um retrospecto de sua vida, descobre que ela é um amontoado de erros. Nessa hora dizemos: "Se eu soubesse antes o que sei agora".

Mas o que sabemos agora não parece nos impedir de cometer mais erros. Segundo o sistema iogue, o entendimento correto e o incorreto são duas modificações ou estados da consciência. Pela prática da ioga, podemos reduzir e erradicar os erros de percepção e o entendimento incorreto e chegar à percepção acurada e ao entendimento correto. Não me refiro a mudar nossas opiniões, embora isso possa acontecer, mas a abandoná-las por completo. A opinião é como reaproveitar o entendimento correto ou incorreto de ontem e aplicá-lo na situação presente. Assim, as opiniões são enraizadas no passado, e o estudo da memória nos mostrou que o passado pode ser um campo minado. O praticante de ioga tenta manter-se no presente, onde habita a realidade, e por isso sua meta é a perfeita conscientização do presente em dada situação. Não se alcança isso de uma hora para outra. Uma das coisas que podemos observar em nós mesmos ao longo da jornada interior é que as opiniões baseadas em percepções e informações incorretas são gradualmente substituídas por outras, mais bem fundamentadas. É semelhante a uma situação em que trocamos os maus por bons hábitos antes de atingir a liberdade incondicional. Vejamos um exemplo.

Há trinta ou quarenta anos, a maior parte das pessoas achava que as mulheres não eram capazes de exercer atividades masculinas, que eram mais predispostas a tarefas subservientes e que, ainda que realizassem algum trabalho masculino, deveriam receber um pagamento menor. A maioria já não acredita nisso. A opinião geral mudou. E há provas que ratificam essa mudança de opinião. Consideramos isso um avanço em relação ao incorreto entendimento anterior. Esse avanço se baseia em evidências reais sobre o desempenho das mulheres no ambiente de trabalho e, por isso, está menos sujeito a preconceitos. Preconceito significa fazer julgamentos sem reflexão.

Durante esse processo de mudança, se um homem e uma mulher se candidatassem a um emprego que estivéssemos oferecendo, poderia ser que, constatada a igual competência de ambos, nos inclinássemos a favorecer a mulher, numa tentativa consciente de pôr em prática a nova opinião sobre a capacidade das mulheres e, talvez, reparar as injustiças do passado. Mas se favorecemos a mulher quando os candidatos são iguais, ainda estamos agindo com preconceito. O passado ainda exerce seu domínio. É certo que convertemos um mau hábito num hábito "melhor", mas e quanto à ação correta, baseada no entendimento correto, livre de condicionamento anterior? Nesse exemplo, é provável que a solução fosse entrevistar os candidatos com tal clareza de visão quanto à capacidade e adequação de cada um que a escolha se definisse sem nenhum resquício de alusão ao sexo.

Esse é um exemplo externo. A prática da ioga é interna. Precisamos saber como o cultivo do eu leva a um entendimento direto e correto, que tem o efeito inevitável de reformar e transformar nossa relação com o mundo externo, além de fazer avançar nossa busca interna.

De acordo com a filosofia iogue, o entendimento correto se baseia em três tipos de prova: a percepção direta, a dedução correta e o testemunho de escrituras sagradas ou de pessoas sábias e experientes. De início, portanto, devemos confrontar a percepção individual com a lógica e a razão e então ver se ela corresponde à sabedoria tradicional. Todos conhecemos bem esse processo. No exemplo da compra da casa, vemos uma casa e formamos uma impressão (nossa percepção direta). Fazemos então uma avaliação com base no que sabemos sobre a casa (dedução que esperamos ser correta). O profissional que contratamos é o sábio experiente, e seus livros técnicos são as escrituras. Dessa maneira, numa situação ideal, os três tipos de prova corroboram um ao outro.

A faculdade que se utiliza nesse caso é a inteligência (*buddhi*), que, como vimos no capítulo anterior, é mais sutil que o cérebro pensante, sensorial (*manas*). Ela está associada a fatos e raciocínio, não a impressões e interpretações. É inerente a cada aspecto do nosso ser, mas tende a permanecer adormecida; assim, o primeiro passo é tocá-la e despertá-la.

A prática do ássana traz a inteligência para a superfície do corpo celular por meio do alongamento; ao mantermos a postura, ela atinge o corpo fisiológico. Uma vez desperto, o corpo pode revelar seu aspecto dinâmico, sua capacidade de discernir. Aqui o corpo fornece a verdade factual subjetiva, enquanto a mente gera ideias imaginativas. Quando, por meio da avaliação e do ajuste preciso e cuidadoso do ássana, conseguimos equilíbrio, estabilidade e a mesma extensão em todas as partes do corpo, afinamos nossa capacidade de discernimento. O discernimento é um processo de ponderação, que pertence ao mundo da dualidade. Quando se descarta o que está errado, resta apenas o que está correto. À medida que a inteligência se expande em consciência, o ego e a mente se contraem, assumindo as proporções adequadas. Deixam de se impor e passam a servir a inteligência. A memória agora, como vimos, alia-se à inteligência, que busca a liberdade, não à mente, que busca a servidão.

Prajna – *insight* e intuição

Há um estágio posterior. A inteligência espiritual, que é a verdadeira sabedoria, só desponta quando cessa o discernimento. A sabedoria não funciona na dualidade; só percebe a unidade. Ela não descarta o que é errado; só vê e sente o que é certo. Ao comprar uma casa, precisamos usar a inteligência lógica, discriminadora. Um político, por elevados que sejam seus motivos, deve escolher e decidir no mundo temporal e relativo. A sabedoria espiritual, por outro lado, não decide; ela sabe. É totalmente presente e, por isso, está livre do tempo, como veremos à medida que nos aproximarmos da Alma.

Por ora, devemos nos contentar com poder ver o céu claramente e dizer que ele é azul nos dias ensolarados. A ciência afirma que a atmosfera e a água, na verdade, são incolores. A percepção sensorial pode ser falha, mas sentidos claros e saudáveis nos mostrarão, pelo menos, a magnífica variedade de cores que há no céu ou nas águas de rios e lagos. Embora esse conhecimento não seja perfeito, é válido – fornece um alicerce aceitável. Um bom sistema nervoso tornará nossas ações ágeis e seguras. Corpos saudáveis dão força aos atos. Mentes límpidas trazem estabilidade e atenuam as perturbações emocionais. O despertar da inteligência nos ajudará a escolher, decidir e iniciar a ação. O que presenciamos é a união, a integração dos invólucros da existência que estamos estudando, para que ajam em harmonia e a partir de uma fonte que se aproxima cada vez mais do centro.

O que descrevo aqui é a jornada que leva do cérebro tagarela para o instinto puro, até chegar à clareza da intuição. Quando se inicia na ioga, você provavelmente está vivendo na mente e nas emoções – uma interminável sala de bate-papo na internet. Leu livros e artigos sobre a melhor forma de se alimentar e de se exercitar (leituras que os animais selvagens desdenhariam). Você deseja viver melhor, mas não sabe como fazê-lo. O instinto está entorpecido. Com a prática de ássana e pranaiama, primeiro saímos da mente e limpamos o corpo, os sentidos e os órgãos. O instinto se revitaliza. A inteligência do corpo, recém-desperta, se instala e automaticamente lhe diz que comida é boa para você, quando e quanto comer, quando e como se exercitar, quando descansar ou dormir. As pessoas esquecem que, na busca da Alma, primeiro recobramos as antigas alegrias do reino animal, saúde e instinto vibrantes e vivos. Ao mesmo tempo, transformamos instinto em intuição. A inteligência se exercita na análise e na síntese, no raciocínio e na dedução. Ela se torna muscular. Aos poucos, a inteligência superior da intuição começa a despontar, como a luz no céu antes do nascer do sol. O instinto é a inteligência consciente das células vindo à superfície. A intuição é o conhecimento supraconsciente, em que sabemos antes de saber *como* sabemos.

Na minha juventude, viajava todos os fins de semana de Puna a Bombaim para ensinar. O trem que eu tomava era o que levava para a corrida de cavalos em Bombaim. No vagão lotado, todos os que se dirigiam para lá imaginavam que eu também era louco por corridas. Era inútil explicar-lhes o contrário, e muitas vezes os passageiros me perguntavam o que eu achava de determinada raça, oferecendo-me a lista dos corredores. Rapidamente eu indicava um cavalo. Era impressionante a quantidade de apostadores que, na volta, se aproximavam de mim dizendo: "Sabe, o cavalo que você escolheu venceu!" Era o acaso, provavelmente, mas cito esse exemplo sem nenhuma pretensão, apenas para mostrar que é assim que a intuição se manifesta. Pequenas coisas se revelam espontaneamente acertadas. E nos surpreendemos encaixando peças redondas em orifícios redondos e peças quadradas em orifícios quadrados. Nossa mente fica menos canhestra, mais destra.

O erro de percepção e o entendimento incorreto, quando constantes, levam-nos a passar a vida tentando forçar peças quadradas em orifícios redondos ou, retomando o exemplo da corrida, a escolher azarões. Se você persiste nisso, os resultados podem ser desastrosos, para você e para os outros. O oposto de discernir é confundir-se, misturar as coisas, tomar uma pela outra. A compreensão equivocada cria uma distorção da realidade, que, por sua vez, gera sentimentos inadequados e contamina a consciência. Quando cultivamos a inteligência e aprendemos com os erros, eliminamos o que não é certo. Todo jardineiro sabe que as ervas daninhas voltam a crescer, mas pelo menos são mais fáceis de arrancar quando não deixamos que cresçam demais.

Vimos como cultivar a inteligência individual na vida. À medida que avançamos mais para dentro, atravessando o invólucro intelectual, essa inteligência se desenvolve em sabedoria. Aqui perceberemos a importância da concentração e da meditação para o cultivo da mente. Ao nos afastar cada vez mais dos incitamentos do ego – compreensíveis, mas muitas vezes infantis –, deslocamos a fonte do saber do cérebro para o coração, da mente para a Alma. Assim como nossa Alma é parte de uma Alma Universal, nossa inteligência, como disse, é parte de uma inteligência universal. Aprendendo a sintonizar-nos como antenas à inteligência natural que nos cerca, ganhamos não apenas clareza de pensamento, mas também sabedoria. Desenvolvendo a percepção correta, podemos ampliar cada vez mais o acesso a essa sabedoria. Somos muito mais capazes de perceber a sabedoria quando aprendemos a transformar a mente obtusa, distraída ou oscilante numa mente iogue, atenta e controlada.

As cinco qualidades da mente (*bhumis*)

Para nos tornar mais cientes de que a consciência é um oceano constantemente varrido por padrões de onda, a ioga realçou as cinco dimensões ou qualidades da mente correspondentes às cinco modificações que analisamos. Elas incluem o estado de torpor, a distraída mente simiesca, a mente instável ou oscilante, a mente atenta e focada e, finalmente, no estágio superior, a consciência controlada que se experimenta no estado de absorção atemporal conhecido como samádi.

Essas dimensões da consciência são auxílios para a auto-observação e o autoconhecimento, não indicações de debilidade mental. Há uma crença muito difundida de que a ioga é somente para as pessoas que têm capacidade de se concentrar. Mas nenhum de nós é naturalmente dotado para isso. Qualquer um pode praticar ioga, a despeito do seu estado de espírito ou de saúde. É por meio da prática que a mente dispersa é conduzida a um ponto focal (joelho, tórax etc.). Trata-se de um regime de treinamento que nos conduz à percepção direta. O humor também ajuda as pessoas a sair da fragmentação para a integridade. Alivia a mente e facilita a orientação e o foco. A mente estável é como o eixo de uma roda. O mundo pode girar ao seu redor, mas a mente se mantém fixa.

Os humoristas são muito atentos para as flutuações da consciência. Seu tema preferido são pessoas tolas, burras ou com mentes divagantes, que estão sempre fazendo conexões ou associações ilógicas. Com talento eles conseguem mostrar como isso é ridículo. E durante todo o tempo em que está imitando o tolo e o distraído, o humorista está profundamente concentrado em apresentar seu quadro. Quando rimos e aliviamos a mente, ficamos concentrados em cada palavra que ele diz. As pessoas criativas fazem fortuna de compreender os truques da mente. Os artistas também conhecem a dimensão de consciência de seu público. Disse um escritor inglês, há duzentos anos, que existem quatro tipos de leitor. Ele compara o primeiro a uma ampulheta: tudo que ele lê é como areia – entra e sai sem deixar nenhum vestígio. O segundo tipo é semelhante a uma esponja, que absorve tudo e o devolve quase no mesmo estado, só que um pouco mais sujo. O terceiro é como uma peneira que deixa passar tudo que é puro e retém só resíduos e borra. O quarto tipo pode ser comparado aos escravos nas minas de diamante de Golconda, que põem de lado tudo que não tem valor e conservam apenas as gemas puras.

Por acaso, as minas de diamante de Golconda não ficam muito longe do lugar onde nasci. Mas, do ponto de vista da ioga e nesse quarto nível do nosso ser, o que significam os diamantes? Os diamantes são duros e claros. É sua clareza que nos serve de indício aqui. Clareza é também a característica que define a sabedoria. Buscamos cultivar a sabedoria para transformar a destreza ou habilidade mental, que todos possuímos em maior ou menor grau, na luz clara e penetrante da sabedoria.

Para conseguir isso, temos de labutar nas minas, separar os refugos, que são falsos, do que é precioso, porque verdadeiro. Vejamos como funciona essa peneira, tomando como exemplo a prática da ioga.

O cultivo da inteligência

Às vezes digo a meus alunos que a sua prática na aula de ioga não é, a rigor, prática de ioga. A razão disso é que, numa aula, embora indubitavelmente você esteja "fazendo ioga" e, espera-se, aprendendo, está subordinado ao professor. A inteligência que dirige vem dele, e você tenta acompanhar o melhor que pode. Em casa, por outro lado, sua inteligência é o seu mestre, e o progresso que você faz é seu e será mantido. Além disso, a vontade que você emprega é sua. Não provém do poder, do carisma, da força ou do ímpeto do professor. Vem de você, e seu efeito é profundo. Não é uma ioga feita *pelo* corpo *para* o corpo, mas ioga feita *pelo* corpo *para* a mente, *para* a inteligência.

Há grande diferença entre a simples prática e o *sadhana* – a maneira de realizar algo. Esse algo consiste em alcançar o real, por meio do desempenho efetivo e da execução correta. O que é real é necessariamente verdadeiro e, portanto, nos leva à pureza e à emancipação. Isso é *sadhana* na ioga, e não a mera repetição mecânica da prática da ioga, ou *yogabhyasa*. A finalidade do *sadhana* na ioga é a sabedoria. Pode-se traduzir *sadhana* na ioga como "peregrinação na ioga", pois é uma jornada que leva a algum lugar, não um simples exercício monótono praticado sem reflexão.

Quando digo que a sabedoria vem do cultivo da inteligência, todos acenam em sinal de concordância, mas o fato é que corremos o risco de envaidecer demais nossa mente. Assim, paremos um momento para nos equilibrar, como fazemos no ássana, e investigar o que significa "inteligência".

Uma explicação básica do seu significado é dizer, por exemplo, que inteligência é uma sensibilidade no corpo sentida pelo estado consciente e pela consciência*. A consciência está muito

* O autor usa distintamente os termos "consciousness" e "conscience". No primeiro caso, a palavra tem o sentido de estar alerta, em oposição ao estado de entorpecimento. No segundo, remete à consciência discriminatória, mais próxima da Consciência Universal, "que não tem ego e está muito próxima da Alma". (N. R. T.)

próxima do Eu, como logo veremos. Por meio da sensibilidade que adquire na prática do ássana, você consegue também diagnosticar onde não há sensação. Esta é a função da inteligência: peneirar a terra nas minas de Golconda. Sua outra função é levar a sensação aonde ela não existe e fazer a percepção fluir ali também. Quando a sensação é total, você é um ser sensitivo, o que significa que está vivo – talvez pela primeira vez desde que nasceu. Além disso, você tem de observar se a sensibilidade se distribui por igual ou não. Inteligência aqui é a vontade de alterar os pontos em que se detectam imperfeições. A mente rápida, destra, trabalha a serviço da inteligência, treinando para reunir os pensamentos dispersos e aplicar-se ao bem maior, o bem do todo. A mente é necessária para fabricar a gramática, a sintaxe e o vocabulário com os quais estabelecemos relações com outras formas de vida. Mesmo a forma mais elevada de inteligência deve lembrar de ser grata a sua mente sensível e compiladora, pois, para se expressar no mundo externo, ela precisa, antes de tudo, tomar emprestadas as palavras e a gramática oferecidas pela mente.

Nesse nível da prática, em que a atenção total está quase a nosso alcance e a penetração total está se tornando uma possibilidade real, há uma espécie de encruzilhada no que se refere ao chamado livre-arbítrio. Para a maior parte das pessoas, livre-arbítrio significa poder fazer o que queremos, por bem ou por mal, e não fazer o que não queremos. Nossa prática da ioga até aqui há de ter acentuado esses potenciais. Saúde, vigor, clareza e autocontrole cada vez maiores nos permitirão assumir mais atividades – diferentes das que tínhamos até então –, mudar a qualidade de nossos relacionamentos e, é claro, devolver o sorvete ao congelador. Tudo isso compõe a ideia que a maioria de nós tem acerca da autorrealização, e é um aspecto prazeroso e essencial do viver a vida. Mas agora um outro lado do livre-arbítrio começa a se manifestar, o que podemos chamar de "vontade de ser livre". Embora pareça atraente, essa perspectiva assusta as pessoas em geral, pois requer, com efeito, penetrar o coração do desconhecido, desapegar-se e expor-se à possível dor do autoconhecimento derradeiro. Isso exige muita coragem, portanto vale a pena parar um instante para saber de onde vem a vontade.

Em 1944, eu travava uma luta terrível com a minha prática. Esta era árida, sem vida e artificial. Minha ação partia da vontade da cabeça, do ego, e não do coração, da inteligência. O fato puro e simples é que a vontade do ego é finita, pois o ego é finito. É um atributo pessoal, que se limita tão somente a nós. É a soma de todas as nossas experiências e aquisições passadas. Quando ela parte da cabeça, temos a sensação de que é sempre algo forçado. Quando parte de uma origem finita, acaba sempre se esgotando.

A vontade que se origina da inteligência do coração, por sua vez, está conectada a uma fonte infinita – a inteligência cósmica (*mahat*) e a consciência cósmica. É um poço que nunca seca. A essa vontade (ou estímulo à ação) que provém da consciência universal a ioga dá o nome de *prerana*. As pessoas viciadas em drogas ou álcool são incentivadas a não exercer o chamado "autocontrole tenso", já que sua fonte, localizada no ego, acabará se esvaziando, o que levará a um resultado desastroso. Ao contrário, são estimuladas a "entregar-se a um poder superior", o que significa que sua vontade se reabastece, dia a dia, pelo contato com a fonte cósmica da ação inteligente. *Prerana*, que mencionei de passagem no capítulo 2, é a vontade inteligente da consciência da Natureza se expressando através de nós. Ela se manifesta pelo coração, não pela cabeça. Quando nos conectamos à fonte da vontade e da inteligência infinitas, encontramos em nós mesmos a coragem para penetrar os recintos internos do nosso ser.

A inteligência que então desenvolvemos depende da maturidade emocional e moral, da habilidade de valorizar a verdade e respeitar a conduta ética, da capacidade de sentir o amor na sua acepção mais universal – como compaixão. Citei Sócrates na introdução deste livro ao referir-me ao preceito filosófico do "conhece a ti mesmo". Mas qual é a utilidade, que agora se revela, de conhecer a si mesmo? Deve haver alguma razão para isso. Sócrates dizia simplesmente que o autoconhecimento nos permite viver *deliberadamente*, porque alcançamos um estado de liberdade. Eis a analogia que ofereço para explicar o significado da palavra "deliberadamente". A maioria de nós anda pela vida do mesmo modo que um bebê de um ano e meio de idade, que caminha sempre colocando um pé na frente do outro para não cair. Seu andar é um cambalear sustentado, pontuado de quedas. Viver deliberadamente é caminhar como adulto, ter equilíbrio, direção, propósito, e andar em crescente liberdade e segurança rumo à liberdade suprema.

A etimologia sânscrita ilumina o degrau que agora atingimos. Eu disse que estamos aprendendo a andar como adultos; em sânscrito, *Maanava* quer dizer "Homem". Por associação com *manas*, também significa "aquele que tem mente". Outro significado de *maana* é "viver com honra e dignidade". A implicação é clara. Somos seres humanos, dotados de uma inteligência que dá propósito e direção aos nossos passos, empenhado em viver uma vida ética, ou seja, com honra e dignidade.

A questão que paira sobre a humanidade é: "Podemos realmente alcançar a liberdade?" Muitos de nós têm em mente a noção contraditória de que Gandhi, Jesus ou Aurobindo* atingiram a liberdade, mas para nós isso é impossível. Nossa expe-

* Místico indiano nascido em 1872 e falecido em 1950. Um dos idealizadores do movimento de libertação da Índia, foi preso e, no cárcere, passou por uma série de experiências espirituais que o fizeram propor uma síntese das linhas tradicionais de ioga (a ioga do conhecimento, da devoção, da ação desinteressada e do corpo). (N. E.)

riência diária, nossos fracassos e decepções parecem apenas confirmar o preconceito que dirigimos contra nós mesmos. No entanto, leia a biografia de Gandhi, de Aurobindo. A vida de ambos foi cheia de reveses, de escolhas erradas, até mesmo de imoralidade na juventude. Já esclareci que minha vida na ioga teve como base a enfermidade, o ostracismo, o ridículo e a minha total inutilidade para qualquer outro caminho na vida.

Para resolver esse paradoxo, temos de retomar a reflexão sobre a relação entre Natureza (*prakrti*) e Alma (*purusa*). Precisamos agora distinguir entre determinismo e inevitabilidade. Somos biologicamente determinados, por natureza, a buscar aquilo que favorece nossa evolução. No nível biológico, esse determinismo é tão forte que gera inevitabilidade – isto é, todos temos dois braços, duas pernas, uma cabeça etc. No nível da consciência, as forças determinísticas produzem em nós uma forte predisposição, por exemplo, a repetir o prazer, evitar a dor, fugir do que tememos e deixar que o ego e o orgulho se enfunem. Mas isso *não* é inevitável. Trata-se apenas de uma pedra no caminho. A ioga é uma técnica amplamente testada pela qual a vontade, operando por meio de uma inteligência capaz de escolher e de uma consciência autoperceptiva, pode nos libertar da inevitabilidade. Com esses recursos, podemos caminhar deliberadamente rumo à emancipação individual e, pela graça dos céus, à liberdade universal.

Diz-se que Adão e Eva viviam num estado de Unicidade primordial ou original. A ioga afirma que a mais elevada experiência de liberdade é a Unicidade, a suprema realidade da Unidade. A dificuldade do ser humano é que ele se sente atolado numa terra de ninguém, preso entre o início e o fim de uma imensa jornada. Adão e Eva deram o primeiro passo rumo à individuação quando comeram o fruto proibido e perderam sua Unidade primordial. Ainda estamos prosseguindo em sua árdua jornada. Não podemos voltar atrás. O lugar onde estamos é desconfortável, por isso devemos seguir adiante. No caminho provaremos os frutos doces e amargos da individuação, que serão incluídos e integrados em nossa experiência da caminhada rumo à consciência total. Mas não há nada dizendo que não podemos atingir a meta da Unicidade, do paraíso recuperado, da Unidade final, não primordial. Para empreender essa longa viagem, precisamos de poder – na verdade, precisamos de três poderes (*sakti*).

Poder e sabedoria – *Sakti*

Agora é hora de voltar a nossas origens na prática da ioga para avançar na jornada interior. Conquistamos pela prática o poder que um corpo sadio (*sarira sakti*) propicia e não devemos ignorá-lo. Por outro lado, um corpo sem energia e inconsciente está quase morto. No capítulo 3, sobre o pranaiama, descrevemos a importância vital do poder da energia prânica (*prana sakti*). Apresento agora outro poder, o da percepção (*prajna*). *Prajna* é a percepção da consciência. Referi-me a ela, alguns parágrafos atrás, como consciência autoperceptiva, mas não citei o termo sânscrito. O poder da autopercepção é *prajna sakti*. *Prajna* se traduz também como conhecimento da sabedoria.

Esses três poderes têm de ser alinhados antes de se conectarem ao poder da Alma (*atma sakti*), para que possam se fundir nela. Conforme adverti no capítulo 3, o poder do corpo, associado à energia, pode sobrecarregar o sistema ao impor uma voltagem muito alta a um circuito inadequado. É pelo poder da percepção da consciência que equilibramos essas forças imensas dentro de nós. Isso possibilita a expansão em todos níveis (*kosas*), mas sem risco, tensão nem sobrecarga. O papel da percepção é preencher as lacunas que inevitavelmente existem entre os invólucros físico (ossos, músculos etc.) e orgânico (por exemplo, órgãos) do corpo quando praticamos ássanas. Mesmo quando integramos os vários invólucros do corpo, há lacunas que não conseguimos preencher com a percepção e a energia. A prática constante de todas as pétalas da ioga corrigirá, ao longo do tempo, todas as falhas inerentes do sistema humano. O poder que geramos por meio da prática da ioga se torna um todo coeso e indissolúvel. O *sadhana* na ioga costura as fibras à pele e a pele às fibras de modo a enredar e entrelaçar o *kosa* externo no *atma kosa*. Só então a Unicidade do poder que criamos internamente pode se integrar ao poder universal que nos rodeia. Do contrário, as divisões permanecerão.

Falei neste capítulo sobre *mahat* (inteligência cósmica), um recurso universal que se encontra à nossa disposição. *Prajna sakti*, o poder da percepção, é nada menos que a inteligência cósmica infiltrando-se nos espaços escuros do nosso ser para iluminá-los com a consciência. A consciência precisa se instalar com clareza, vivacidade e serenidade. Isso transmite uma satisfação gratificante à consciência, que não tem ego e está muito próximo da Alma.

Na prática, como isso funciona? Já sabemos que a energia cósmica (prana) se transporta para dentro de nós pelo veículo da respiração. Como é que a percepção cósmica se introduz em nós? O que a abastece? Seu combustível é a força de vontade ou a intenção continuamente atenta. Vê como estamos nos aproximando da concentração (*dharana*), a sexta pétala da ioga? Mas você ainda deve estar se perguntando: "Como acendo o combustível da minha força de vontade? Sei que ele vem do coração, não da cabeça, mas não posso simplesmente fazê-lo surgir, como por encanto, do ar!" Sim, pode, pois é o ar, ou melhor, o prana, que acende o combustível da vontade e permite que a percepção se espalhe e se infiltre pelos nossos sistemas. A energia e a percepção (ambas entidades cósmicas) agem como amigas. Aonde uma vai, a outra a segue. É pela vontade da percepção de penetrar que a inteligência consegue entrar nos recantos mais escuros do nosso ser e ocupá-los. Essa inteligência é a claridade que ilumina a escuridão. Esse é o despontar da sabedoria, o *insight* intuitivo que vê porque vê, sabe porque sabe, que age de modo imediato e espontâneo porque os poderes do corpo, da energia e da percepção se fundiram e se alinharam com a luz emitida pela Alma. Dizemos que a inteligência tem *insight* (compreensão interior). Deveríamos complementar isso dizendo que a Alma tem "*outsight*" (compreensão exterior); é um farol irradiando luz. Como eu disse no início do livro: durante a jornada interior, à medida que a vontade se dirige para dentro, a Alma vem para fora, ao nosso encontro.

Falei muito sobre liberdade, de vários ângulos. Algo que todos associamos à liberdade é o espaço. Os norte-americanos se referem nostalgicamente ao espaço e à liberdade do Velho Oeste. Espaço é liberdade, e, como um *big bang*, criamos espaço interno pela prática de ássana e pranaiama. Um espaço escuro é desconhecido e ignorante (*avidya*). Mas quando o poder da energia e o poder da percepção se combinam, produz-se um clarão de relâmpago que expulsa a escuridão. É pelo exercício do nosso impulso à consciência que testemunhamos isso. Trata-se de uma revelação subjetiva, que ninguém mais pode testemunhar ou atestar. Mas não é verdade também que, se você tem uma dor de dente, ninguém mais pode senti-la, embora nenhuma autoridade na Terra seja capaz de convencê-lo de que seu dente não dói?

Uso bastante a expressão "jornada interior" neste livro. Agora nos encontramos num reino onde o interior está visivelmente tentando sair, se expressar. O espaço que criamos é tal que o corpo causal, o mais interno, pode começar a irradiar para fora. Se sua prática continua sendo apenas física, o espaço essencial para libertar o interior estará ausente. A percepção de que cada célula tem uma inteligência própria por meio da qual pode cumprir sua breve existência jamais acontecerá. Você continuará trancado na densidade escura da matéria, quando na verdade está buscando que essa luz interior irradie espaço. É uma pena praticar tanto, chegar a esse nível e ainda estar às voltas com o ego. Precisamos ser naturais, como uma criança feliz e confiante. A Alma não quer outra coisa senão expandir-se para preencher todo o nosso ser. Mas ainda conservamos uma subserviência interna, um sentimento de demérito que frequentemente mascaramos com a projeção de uma personalidade falsa, arrogante. Esse é apenas um dos defeitos inerentes que existem também na inteligência.

As impurezas da inteligência

O objetivo educativo da ioga é fazer as coisas darem certo em nossa vida. Mas todos sabemos que uma maçã aparentemente perfeita por fora pode ter sido comida por dentro por um verme. A ioga não se interessa pelas aparências. Seu propósito é encontrar e erradicar o verme, para que toda a maçã, da casca para dentro, seja perfeita e saudável. É por isso que a ioga (e, na verdade, todas as filosofias espirituais) parece repisar o que é negativo – desejos cobiçosos, fraquezas, defeitos e desequilíbrios. Seu intento é apanhar o verme antes que ele devore e estrague a maçã toda. Não se trata de uma luta do bem contra o mal. É natural que os vermes comam maçãs. Na ioga, simplesmente não queremos ser a maçã que apodrece de dentro para fora. Assim, ela insiste em examinar cientificamente, e sem nenhum juízo de valor, o que pode estar errado, por que está errado e como pode ser detido. É o cultivo orgânico do eu – para o Eu.

Atingir e penetrar o quarto invólucro é uma façanha considerável, mas eu estaria fazendo um desserviço ao leitor se não salientasse que tais façanhas também acarretam riscos consideráveis. Um deles, obviamente, é o orgulho. Não me refiro à satisfação por um trabalho bem-feito, mas ao sentimento de superioridade e diferença, de distinção e proeminência.

O foco na aparência, na apresentação e na embalagem é uma obsessão da sociedade atual. Em vez de perguntar "Como sou realmente?", indagamos: "Como pareço ser, como os outros me veem?" Não é uma questão de "O que estou dizendo?" mas de "Que impressão estou causando?"

Há pessoas, por exemplo, que executam *yogasanas* perfeitos, bem apresentados, extremamente atraentes. Ficam satisfeitas com isso e consigo mesmas, e é possível que recebam boas recompensas financeiras por essa excelência externa. Quando jovem, no esforço de ganhar meu sustento, de aumentar o apreço das pessoas pela ioga, de exemplificar no meu corpo visível a arte e a plasticidade da ioga, eu sempre tentava apresentar o ássana da melhor maneira possível, com simetria e precisão, e em sequências estimulantes e coerentes. Quando a ocasião assim o exigia, eu era um ator e um artista. Esse era o meu serviço à arte da ioga. Mas, na minha prática pessoal, não tinha esse tipo de conceito. Estava preocupado apenas em explorar, aprender, desafiar e transformar meu mundo interno. E, acima de tudo, penetrar. A ioga é uma penetração interior que leva à integração do ser: sentidos, respiração, mente, inteligência, consciência e Eu. Trata-se decididamente de uma jornada interior, evolução por meio da involução, com destino à Alma, que, por sua vez, deseja emergir e envolver você em sua glória.

Você precisa de um bom professor como guia para não machucar seu corpo, hiperestender, distender ou pinçar as fibras internas, os tendões, os ligamentos, a mente e as emoções. Essa é uma prática inadequada ou errada da ioga. Eu sei, já fiz isso. Mas a ioga que é voltada somente para fora, exibicionista e autocomplacente não é, em absoluto, ioga. Tal atitude vai desfigurar e deformar até mesmo o caráter que você tinha de início. Quando, ao olhar os outros na aula, sentir orgulho ou insegurança (seu complemento), reconheça-o pelo que é e o despache.

Há, decerto, muito prazer e satisfação a extrair da vida. Patanjali dizia que a correta satisfação do prazer é um elemento essencial não só da vida, mas da libertação. Mas ele também advertia que a interação errada com a natureza (em que as aflições, ou *klesas*, ainda nos dominam) pode levar à confusão e à autodestruição. A busca do prazer por meio de aparências, que associo aqui à superficialidade do intento, é a maneira errada de fazer as coisas. Buscar o prazer é buscar a dor na mesma medida. Quando a aparência é mais importante para nós que o conteúdo, podemos estar certos de que tomamos a direção errada.

As realizações da inteligência, portanto, têm também suas ciladas, ainda mais difíceis de identificar que o engodo dos sentidos. O fato é que estamos mais do que prontos a admitir que somos incapazes de resistir a um chocolate; no entanto, quantos de nós admitiriam que de bom grado apunhalariam um colega pelas costas para ganhar uma promoção? Fugimos desse autoconhecimento porque sentimos instintivamente que sua feiura está mais próxima da Alma.

A maioria de nós, pelo menos na maturidade, com ou sem ioga, cai numa rotina marcada pelo senso de dever, numa conduta de tentar "ser bom" e temer as consequências de não o ser. Isso não é solução nem resolução, mas um cessar-fogo conveniente, ou decência à força de moderação. Controlar os desejos é um contínuo processo de poda, mais do que se converter a uma religião, por exemplo.

Yama e *niyama* (o código ético) nos ajudam nesse sensato comedimento, agindo como um guarda-fogo para o nosso comportamento. O ássana é um agente de limpeza, e o pranaiama começa a arrastar a consciência (*citta*) para longe dos desejos e na direção da percepção judiciosa (*prajna*). *Pratyahara* é o estágio em que aprendemos a inverter a corrente que flui da mente para os sentidos, para que a mente possa dirigir suas energias para dentro. *Dharana* (concentração) traz pureza à inteligência (*buddhi*), e *dhyana* (meditação) elimina as manchas do ego.

A concentração traz "pureza" à inteligência. Você deve estar estranhando que, ao longo deste livro, a inteligência tenha sido apresentada como um bem imaculado. Não recebeu até agora nenhuma crítica. E é isso mesmo quando se está labutando para galgar as encostas mais baixas da montanha da ioga. Deve-se desejar ardentemente ascender à inteligência, que se encontra mais ao alto. Mas agora estamos no invólucro da própria inteligência, o *vijnanamaya kosa*, e precisamos lembrar que as cinco aflições (*klesas*) maculam todos os níveis do nosso ser, exceto a Alma virginal.

Afiamos, cultivamos e refinamos a inteligência. Entendemos seu poder de discernir e escolher e sua capacidade de nos levar mais e mais rumo à liberdade. Ela é reflexiva, de modo que nós mesmos podemos testemunhá-la. A inteligência pura, incondicional, sublime é vizinha próxima e íntima da Alma. Então, por que faço soar o aviso de que "assim como o carvão quente é encoberto pela fumaça, o espelho pelo pó, o embrião pelo âmnio, assim também a inteligência intoxicada encobre o Eu" (*Bhagavad gita*, 3.38), sugerindo que mesmo aqui devemos peneirar suas imperfeições e reter apenas os diamantes?

A inteligência elevada traz a dádiva do poder, e todos sabemos que o poder corrompe. Quando a inteligência se corrompe, ela acarreta infortúnio para nós e para o mundo. Suas impurezas se revelam em motivações vis ou confusas, intenções e ambições egoístas, orgulho e busca de poder, vontade doentia, cálculo e manipulação, hipocrisia, astúcia, dissimulação, arrogância, falsidade e uma satisfação secreta diante das derrotas alheias. Essas impurezas se originam principalmente do aspecto conativo da inteligência (vontade, volição, intenção) e, em menor grau, do aspecto cognitivo e reflexivo. Elas contêm uma distorção biológica instintiva que se expressa por uma atitude do tipo "O que eu e os meus podemos ganhar com isso?" e de desprezo pelos outros: "Estou certo, você está errado".

Eu disse que a inteligência, ao consultar a memória, pode analisar consequências. Mas a inteligência não é boa em detectar as motivações vindas do ego que silenciosamente se infiltram nela. Para perceber as impurezas da inteligência, compre seis jornais diferentes no mesmo dia ou assista a vários noticiários na tevê em canais diferentes. Observe como os mesmos fatos são relatados de maneiras distintas. Em alguns casos, pode ser um erro de percepção, mas, em geral, trata-se de interpretações distorcidas que atendem à pauta dos donos de jornais. Esta pode ser nacionalista, por ter vínculos com um partido que está no governo, ou ter interesses econômicos ocultos. Afinal, a maioria dos proprietários de jornais é formada por homens ricos, inclinados a se tornar ainda mais ricos. Observe também as informações que são omitidas e incluídas. Somos levados a concluir que a alardeada objetividade da mídia é, no mais das vezes, superficial ou hipócrita. E não porque a mente dos jornalistas não funciona bem. Funciona. É porque há uma deformação na sua inteligência. São as chamadas impurezas, muito difíceis de detectar em nós mesmos. Se temos uma vida virtuosa externamente, é fácil nos convencer de que não há nada errado conosco. Esse é o pecado que assedia o puritano ou o religioso fanático. Em nossa vida pessoal, muitas vezes omitimos o que é verdadeiro e insinuamos o que é falso. O ego é ajudante e cúmplice das imperfeições da inteligência.

As impurezas da inteligência são os delitos mais graves da humanidade, e não podemos desprezá-los. Mas podemos nos livrar deles com a ajuda da parte da consciência que está mais próxima da nossa Alma.

A consciência

A inteligência pode se policiar porque tem a capacidade de iniciar a ação e de analisar as consequências dessa ação. O esforço consciente de observar e identificar seus defeitos (em nós mais que nos outros) compensa. A autocrítica é parte essencial do estudo e da educação do eu (*svadhyaya*), que é o quarto segmento do código ético de *niyama*. Mas ainda assim precisamos de uma técnica iogue e de um árbitro independente. Tratarei primeiro deste.

A função de árbitro independente, a testemunha do testemunho, por assim dizer, cabe à consciência (*antahkarana*) – mais precisamente ao lado da lente da consciência voltado para a Alma. Ele está menos sujeito a se contaminar no contato com o mundo do que o lado externo da lente, que, por meio dos sentidos, se comunica com o mundo que nos cerca. Quando essa faceta do estado consciente, que chamamos de consciência, é impecável, refletindo somente a luz da Alma, recebe em sânscrito a designação de órgão da virtude (*dharmendriya*).

A consciência cósmica é considerada, em certo sentido, a Alma da Natureza; é ilimitada como o universo e tudo abarca. A parte da consciência cósmica que reside em nós é a consciência individual. Está em estreita proximidade com a Alma (*purusa*) e, portanto, tem uma relação muito especial com ela. É o ponto de contato mais íntimo que experimentamos entre o mundo natural e o mundo espiritual. Por essa razão, podemos dizer que a consciência é a percepção das consequências a partir do nível mais profundo, o da Unidade. É aí que a Alma se infunde na matéria, a ponte entre a Alma e a Natureza. É por isso que a consciência só lhe dirá uma coisa, só lhe oferecerá um curso de ação, porque ela parte da Unicidade. A consciência é o estado consciente tornando-se capaz de sintonizar-se com os comandos da Alma individual (*atma*).

Bons conselhos podem vir de várias fontes e ser todos úteis, cada um à sua maneira, mas só levam a uma resolução por meio da análise e síntese, que é como o cérebro funciona. A intuição geralmente se manifesta como uma voz interior, que surge da fina e sensível inteligência. Ela pode lhe dizer para não aceitar um emprego, apesar dos aparentes atrativos, ou fazer uma viagem que não havia programado. Deve ser respeitada e, ao mesmo tempo, tratada com cautela, pelo menos até que a inteligência tenha atingido o estágio de sabedoria pura. A intuição transcende a racionalidade e tem origem no coração.

Qual é a diferença então da consciência? A diferença é que ela machuca, causa dor. Dizemos que estamos atormentados pela consciência. A intuição nos incita, provoca às vezes confusão, porque não sabemos de onde está vindo. Mas a consciência dói. É porque ela está no centro do paradoxo do que significa ser um ente espiritual, vivendo num corpo físico, num mundo material. A consciência nos diz para fazer a coisa mais difícil, pois está sempre nos puxando para a Unidade, para a Totalidade. Nossos desejos, nosso egoísmo, nossas falhas intelectuais sempre nos empurram para o mundo da diversidade, onde avaliamos as coisas, fazemos o que podemos e tentamos escolher o mal menor. Quando impecável, a consciência é a voz da Alma sussurrando ao nosso ouvido. Nesse sentido, mesmo a consciência dolorosa é um privilégio, já que é prova de que Deus ainda fala conosco.

Essa estreita justaposição da consciência e da Alma me recorda uma viagem que fiz a Roma muitos anos atrás. O papa Paulo VI estava com problemas de saúde e me convidou a visitá-lo para que eu lhe ensinasse ioga. Aceitei. Mas, de repente, por exigência de seus cardeais, ele impôs uma condição. As aulas seriam mantidas em absoluto segredo, já que isso poderia dar margem a interpretações distorcidas quando soubessem que um papa católico estava seguindo práticas associadas ao hinduísmo. Expliquei-lhe, é claro, que a ioga é universal, transcende credos e cultos, e disse que não sairia por aí contando às pessoas o que estava acontecendo. Contudo, arrematei, se fosse indagado a respeito, não estava disposto a mentir. Aparentemente, minha sinceridade mostrou-se um risco à segurança, e as aulas nem sequer começaram.

No entanto, visitei a Capela Sistina e vi o grande teto pintado por Michelangelo, retratando Deus saindo de uma nuvem e esticando o dedo para Adão, que, por sua vez, também estende sua mão na direção de Deus. Seus dedos quase se tocam. É isso que quero dizer quando me refiro à relação da Alma com a consciência. Elas quase se tocam, e, às vezes, uma centelha divina é transmitida à mão do homem pela mão celestial que se estende para ele.

Dharana – concentração

Omiti a técnica iogue de purificação da inteligência e é hora de apresentá-la, já que leva diretamente à meditação, que é técnica de purificação do ego. O fim da jornada não está longe agora, e é por isso que a ioga insiste: continue, continue, redobre seus esforços, renuncie aos frutos do seu progresso, aos poderes e honras que acumulou. Não fracasse agora que está tão perto. A ioga expressa esse sentimento de urgência e perigo dizendo que aqueles que estão prestes a alcançar a iluminação serão tentados a se desviar do caminho até pelos anjos. Na tradição cristã também encontramos isso. Lembre que, quando Jesus estava muito próximo de atingir seu objetivo, o anjo negro o levou a um lugar alto e lhe mostrou todas as terras do mundo, oferecendo-lhe poder e domínio sobre elas. Ele também foi um extraordinário renunciante, um *bhaktan*.

Como disse no capítulo 1, *dharana* (concentração), *dhyana* (meditação) e samádi (êxtase ou absorção total) são um crescendo, *samyama* ioga – a ioga da integração final. É tão fácil traduzir *dharana* que tendemos a ignorar ou rebaixar sua importância. Do ponto de vista da ioga, concentração não é prestar atenção. A verdadeira concentração é um fio ininterrupto de percepção. De que maneira a vontade, trabalhando com a inteligência e a consciência autorreflexiva, pode nos libertar da inevitabilidade da mente instável e dos sentidos voltados para fora – é disso que trata a ioga.

Vimos que a mente tagarela consiste numa multiplicidade de pequenas ondas que nos distraem. A concentração é uma onda grande. Dirija as muitas ondas pequenas para a onda grande. Abarque-as numa só e então acalme essa única onda para a meditação. Não é possível acalmar muitas ondas. Expliquei que, no ássana, enviamos a atenção, que é uma onda, para o joelho direito, o joelho esquerdo, os braços, a parte interna do joelho direito, a parte externa do esquerdo etc. Gradualmente, a percepção se espalha por todo o corpo. Nesse momento, a percepção se unifica. Colocamos todos os elementos divergentes sob o controle do fluxo único da inteligência. Isso é concentração, ou uma poderosa onda de pensamento unificada. Essa é a coisa grande que aprendemos ao aprender muitas coisas pequenas. A mente que consegue aprender a se concentrar dessa maneira, a alcançar a unidade a partir da diversidade, pode agora aspirar à serenidade – o estado meditativo em que mesmo a grande onda de concentração é levada a um estado de tranquilidade. Não há como escapar a esse processo. Não se pode contar regressivamente do 99 (diversidade, multiplicidade) ao zero (um sereno estado meditativo) sem passar pelo um (concentração).

Quando cada novo ponto for examinado, ajustado e mantido, a concentração e a percepção serão simultaneamente dirigidas a uma infinidade de pontos, de modo que o estado consciente se espalhe uniformemente pelo corpo. Essa consciência penetrante e abrangente é iluminada por um fluxo dirigido de inteligência (sujeito) e atua como testemunha cognitiva e transformadora do corpo e da mente (objeto). Isso é *dharana*, um fluxo de concentração contínuo que leva a uma percepção superior. O constante estado de alerta continuará fazendo ajustes e criará um mecanismo de autocorreção total. Dessa maneira, a prática do ássana, executada com a participação de cada elemento do nosso ser, desperta, aguça e cultiva a inteligência, até que ela se integre aos sentidos, à mente, à memória e ao eu. Assim, o eu adquire sua forma natural, nem inflada, nem retraída. Num ássana perfeito, realizado em meditação e com uma corrente de concentração contínua, o eu assume sua forma perfeita, com uma integridade impecável. Esse é o ássana executado no nível de *sattva*, onde a luminosidade penetra a postura por inteiro. É, portanto, um ássana meditativo também. Não digo "estou meditando". Não estou. Estou praticando o ássana, mas num nível em que a qualidade é meditativa. Experimentamos então a totalidade do ser, do núcleo até a pele. A mente está quieta, a inteligência está desperta no coração (não na cabeça), o eu está sereno e a vida consciente está presente em todas as células do corpo. É a isso que me refiro quando digo que o ássana abre todo o leque de possibilidades da ioga.

Meditação (*dhyana*)

Costumo dizer que ioga é meditação e meditação é ioga. Meditação é a contenção dos movimentos da consciência. É trazer o mar turbulento a um estado de calma absoluta. Essa calma não é entorpecida nem inerte. É uma tranquilidade profunda, prenhe de todo o potencial da criação. Lembre-se da frase bíblica do Gênesis: "O alento de Deus se moveu sobre as águas". Quando agita as águas, você cria. Cria tudo que existe no mundo manifesto, desde a guerra nuclear até as sinfonias de Mozart. O iogue está viajando na direção oposta, do mundo das coisas e eventos – que são alegres, dolorosos, desconcertantes e intermináveis – de volta ao ponto de serenidade anterior à agitação das ondas. Ele quer responder à pergunta: "Quem sou eu?" Tem a esperança de, se conseguir encontrar a resposta, poder responder a outras duas perguntas: "Qual é a origem da minha existência?" e "Há um Deus que eu possa conhecer?"

O ponto culminante deste capítulo é a experiência da existência e plenitude da Alma individual. Mas a prática da meditação se estende pelo próximo capítulo, que gira em torno do samádi (absorção e imersão total no oceano da existência ou Divindade Universal). As fronteiras que criamos para explicar são artificiais. A ioga é uma escada que vamos subindo. Porém, numa escada de verdade, quando você chega ao sétimo degrau (*dhyana*), todo o seu peso repousa nele, ao passo que na ioga o seu peso se distribui igualmente por todos os degraus anteriores que contribuíram para a sua ascensão. Se algum deles quebrar, você cai. Falaremos disso mais detidamente no capítulo 7, ao examinar o código de ética que constitui o primeiro degrau dessa escada, o qual, quando aplicado, serve também, como dizem, de "prova dos noves".

No que diz respeito à meditação, sou um purista. Não há como não ser; sou um iogue. Isso não significa que está errado frequentar aulas de meditação para aliviar o estresse e relaxar. É só que, como iogue praticante, tenho de dizer a verdade: não se pode meditar tendo como ponto de partida o estresse ou a debilidade física. Para a ioga, a meditação corresponde à final dos jogos olímpicos. Você não pode competir se não está preparado. Todos os estágios anteriores da ioga serviram para treiná-lo e colocá-lo na melhor forma.

A meditação iogue não é sonolência ou torpor benigno. Não é placidez. As vacas são plácidas sem praticar ioga. A meditação é *sátvica* – luminosa, consciente. Quando atingida pela placidez ou pelo torpor, *tamas* (inércia) a maculou.

Padrões de onda ou vibrações externas atuam como estímulos mecânicos para manter a mente sob controle. Mencionei o efeito calmante das ondas do mar e poderia acrescentar o do vento ao fazer farfalhar as folhas de outono. Padrões de onda regulares provenientes de fontes naturais têm um efeito sedativo sobre a vibração do cérebro humano. O mesmo acontece se você deixar vários relógios de pêndulo na mesma sala; os pêndulos vão oscilar todos em harmonia, embora o intervalo das oscilações possa diferir. A ioga, porém, o ensina a alcançar a harmonia por si mesmo, sem apoio de ressonâncias externas. A sonolência benévola induzida por esses expedientes é útil para reduzir o estresse quando você vai ao dentista – é por isso que eles usam como música de fundo o som de riachos na montanha, sinos e ondas na praia. Esses sons são agradáveis, soporíferos, mas não meditação. O que a maioria das pessoas chama de meditação é, na verdade, redução de estresse ou treinamento da atenção.

Os textos de ioga sugerem de fato flores bonitas ou imagens de divindades como auxílios à meditação. A ioga também enfatiza que os objetos internos de concentração são superiores, pois levam a atenção para dentro rumo à Alma. Vários pontos no corpo são recomendados para isso, da ponta do nariz para dentro.

O que sugiro é a concentração na respiração. Nada penetra tão fundo nem impregna tanto quanto a respiração. Não demora e você objetará que o ir e vir da respiração é como o movimento das ondas no mar – constante mas oscilante – e, portanto, não chega a ser um desafio para *dharana*. Está correto. Mas e quanto à retenção da respiração? A respiração para. Não é essa cessação do movimento da respiração, a força que dá vida, o mais sublime momento de quietude que se pode imaginar? A respiração se move, mas a retenção, não.

A meditação iogue se pratica a sós, não em grupo. Não é uma atividade solitária, mas um estar consigo mesmo – como a lua iluminando no céu – que pode levar à suprema e transcendente singularidade. Não confunda estar consigo mesmo com estar só. Estar só é estar separado do cosmos. Estar consigo mesmo é tornar-se o denominador comum da Totalidade Cósmica. A respiração contida, que é percebida com o olhar fixo de *dharana*, traz consciência ao seu núcleo. Ela detém o movimento do pensamento. Conforme escreveu Patanjali, *yoga citta vrtti nirodah* (ioga é a cessação das flutuações da consciência). Eu disse que *dharana* purifica a inteligência. A mente quieta é, por definição, pura.

É esse o fim? Já chegamos? Não. Resta ainda o ego, o eu, o eu conhecido, o imitador da Alma. Ele é o último ator a deixar o palco; hesita em se retirar, à espera de um último aplauso. O que o obriga a sair do palco? O silêncio e a retenção da respiração.

Como vimos no capítulo 3, existem basicamente dois tipos de retenção e realização. Na plenitude, após a inspiração, e no vazio, após a expiração. No processo de inspirar, é o Eu que chega com a entrada da respiração. Na retenção, é o Eu que abarca a fronteira do corpo em união com o Eu. Nesse estado, a experiência do Eu é plena, ausente de ego, embora este permaneça adormecido e pronto a se manifestar. Após a expiração, os invólucros do eu se movem na direção do Eu. À medida que o ar sai, esses invólucros entram. Aqui ocorre uma experiência de total união com o Eu, na qual o ego não está presente e o seu potencial para a ação egoísta é neutralizado. A inspiração é a realização da totalidade do ser expandindo-se do centro para a periferia. É a mais completa realização do que significa estar encarnado, espírito feito carne, na terra. Ela leva à descoberta da Alma individual e possibilita a percepção de cada célula do ser. A partir do núcleo da existência, da Alma individual (*jivatman*), realiza-se o significado de ter sido escolhido para nascer. É a experiência total de si mesmo, do mais interno ao mais externo, do mais sutil ao mais grosseiro. Se somos uma mansão com centenas de aposentos e corredores, pode-se dizer então que, normalmente, estamos sempre num ou noutro aposento. Estamos na mente, na memória, nos sentidos, no futuro, no estômago (quando comemos) ou na cabeça (quando pensamos). Estamos sempre num lugar ou noutro, mas nunca ocupamos toda a nossa propriedade. Experimentar a totalidade do ser é estar em todos os aposentos da mansão ao mesmo tempo, com a luz irradiando de cada janela.

O que acontece quando retemos a respiração após expirar? Não há nenhum pensamento relacionado à duração. Não dizemos: "Vou retê-la por trinta, quarenta segundos". Não há pensamento. Os pensamentos cessaram. Portanto, a retenção é espontânea.

Contudo, resta ainda uma questão. De onde vem o impulso inicial de reter a respiração? Prender a respiração implica um ato de vontade ou uma decisão. Esse impulso (*prerana*) só pode vir da natureza, que se encontra, afinal de contas, na origem inteligente do eu – eu, não Alma. Assim, o ego ainda deve estar presente, numa forma, porém, espectral. Dizemos que *dhyana* elimina as impurezas do ego, se não sua existência real. O que acontece é o seguinte. Assim como a inteligência se torna pura quando cessam os movimentos do pensamento, o ego é anulado pela retenção não forçada. O que o praticante experimenta não é que, em algum momento, suspende a respiração. Ele já não é mais o sujeito, o agente. É a respiração que o respira. Isso significa que, no nível mais alto da meditação, o cosmo respira você. Você está passivo. Nenhuma vontade individual ou pessoal está presente, portanto, nenhum ego, nenhum eu. Na terminologia hinduísta, é como se Brahman, o Criador, estivesse se expressando por meio de você. Você é a expressão de sua vontade e desígnio, assim como a tela pintada é a expressão do artista criativo. A retenção não premeditada da respiração após a expiração abre uma fenda na cortina do tempo. Nenhum passado, nenhum futuro, nenhuma sensação do presente passando. Apenas presença. Se, ao nos referir à Alma individual, falamos antes da taça que se enche, tornando-se repleta de luz e de existência, aqui é o oposto complementar. A taça está vazia, sem eu ou ego, sem intenção ou desejo. É o vazio divino, eterno. É a fusão com o infinito, o samádi, que veremos no próximo capítulo. Samádi é uma experiência, não um estado que se possa manter ou em que se possa viver. Usamos a palavra *kaivalya* para o estado de suprema liberdade que sucede ao samádi, o estado de singularidade. Isso significa que nos fundimos no infinito e, portanto, nunca mais voltaremos a ser pegos pelas aparências do mundo da diversidade.

Veremos como o objeto (quando o cosmo respira você, em vez de o contrário) incorpora, engole o sujeito, pondo um fim à dualidade. O fim da dualidade, que resulta da meditação, é o fim da separação e o fim de todos os conflitos. O iogue se mantém um e único.

Padma Mayurasana

6. Beatitude
O corpo espiritual (*ananda*)

Nossa jornada interior trouxe-nos ao ponto mais interno do nosso ser, ao corpo da beatitude* ou corpo espiritual (*anandamaya kosa*), que reside dentro de todos nós. Aí habita nossa Alma e podemos vislumbrar a Unidade universal que nos abarca. Essa visão da nossa divindade obriga-nos a retornar mais uma vez à natureza da nossa humanidade. Para entender a Alma Universal, precisamos antes entender a nossa própria, e, para entender a nossa, devemos conhecer tudo que obscurece nosso verdadeiro Eu, especialmente o "eu" astuto que assume uma infinidade de disfarces para nos distrair.

"Quem sou eu?" é uma pergunta fundamental que sempre esteve na cabeça das pessoas. Ainda que, ao longo da história, ela tenha sido respondida, em parte, com referência ao principal papel ou função de uma pessoa na sociedade – sou sacerdote, guerreiro, mercador, servo, carpinteiro, esposa e mãe –, suas implicações mais profundas sempre estiveram

* No original, *bliss*, palavra que pode ser traduzida de várias maneiras: plenitude, alegria, bem-aventurança etc. No entanto, optamos por utilizar o termo "beatitude" porque essa parece ser a melhor tradução para *ananda*. (N. E.)

presentes. Em todo caso, ninguém é mãe, negociante ou professor o tempo todo, a vida inteira. Esses estados são temporários. Mesmo quando diz "Sou homem", ou "Sou mulher", a resposta é incompleta. Antes você foi criança, e, além disso, a identidade sexual não tem nenhuma importância quando estamos dormindo.

O que realmente queremos dizer é "Eu sou eu", o que não ajuda muito. Quando dizemos "eu", estamos nos referindo àquela porção de nós que parece estar no centro de nossas percepções, ações, sentimentos, pensamentos e lembranças. É o que se costuma chamar de "eu egoico". Mas, se tudo que podemos dizer é "Eu sou eu", e todos dizem a mesma coisa, então, pela lógica, devemos ser todos iguais – o que visivelmente não é verdade. Assim, para explicar nossas diferenças e definir melhor esse "eu", recorremos a atributos e características que qualificam e exemplificam o "eu" de alguma maneira. Um homem rico talvez pense que "eu e minhas posses" seja uma boa indicação de quem é ele; um político, "eu e meu poder"; um doente crônico, "eu e minha enfermidade"; um atleta, "eu e meu corpo"; uma estrela de cinema, "eu e minha beleza"; um professor, "eu e meu cérebro"; uma pessoa mal-humorada e insatisfeita, "eu e minha raiva". O conjunto de atributos que adicionamos ao "eu" define não só a maneira que vemos a nós mesmos, como nossa maneira de ver e descrever os outros. É importante observar que todas essas qualidades são externas ao "eu". Em outras palavras, o "eu" se identifica por suas relações com o meio que o cerca.

Uma das respostas à pergunta "Quem sou eu?", que deliberadamente omiti, é "Sou um ser humano". Para que essa resposta seja válida, é preciso indagar ainda: "O que é, então, um ser humano?" É exatamente isso que a ioga faz. O ponto de partida da indagação iogue, a pergunta básica em que se assenta toda a prática da ioga, é simplesmente: "O que somos nós?"

O próprio ássana é uma indagação; cada um deles encerra a pergunta: "Quem sou eu?" Por meio do ássana, o praticante se livra de todos os aspectos irrelevantes até restar somente a Alma. O ássana final, correto, é uma expressão verdadeira do "Eu sou isso; isso é Deus". Só atingimos essa expressão quando iniciamos e executamos cada ássana tendo por base a estrutura do poder físico (*sakti*), da destreza intelectual (*yukti*) e da devoção e reverência (*bhakti*).

Vamos, portanto, peneirar tudo – diz a ioga – cada componente do ser humano que pudermos encontrar e identificar: corpo, respiração, enfermidade e saúde, cérebro e raiva, orgulho por nosso poder e nossas posses. Acima de tudo, examinemos esse "eu" misterioso, sempre presente e consciente de si mesmo, mas impossível de ser visto no espelho ou em fotografias.

O "eu" é fonte de frequentes preocupações. Ele habita nosso corpo, e sabemos que o corpo morre, o cérebro morre, o coração para de bater, os pulmões param de respirar e os sentidos deixam de sentir. Não é possível, portanto, até mesmo provável, que o "eu" também morra? Isso é perturbador. Se minha identidade é transitória, efêmera, o que é permanente? Não existe nenhum terreno firme? Nossa incerteza, segundo a ioga, é por natureza tóxica. A raiz mais profunda de toda doença, de acordo com a ioga, é a tristeza e a dor que sentimos por viver na ignorância de *purusa* (Alma Universal). Por ignorar nosso Eu verdadeiro, identificamo-nos apenas com os aspectos do mundo natural, que está sempre mudando. Para identificar-nos, fixamo-nos no aspecto da consciência que reside no corpo interno, o chamado ego. Há uma grande diferença entre reconhecer que o ego é um atributo necessário para atuar no mundo e confundir esse atributo com nosso verdadeiro Eu. Se nos deixamos seduzir pela imitação que o ego faz da Alma, inevitavelmente ficamos aprisionados à turbulência do mundo que nos rodeia, com seus desejos, suas perturbações emocionais, suas aflições, os chamados pecados, as doenças e os obstáculos. Digo "inevitavelmente" porque a consciência do ego faz parte desse mundo faminto, insaciável, frenético. Em outras palavras, não temos nenhum alicerce firme. Queremos ser imortais. Sabemos, em nosso coração, que somos. Mas jogamos tudo isso fora quando equivocadamente nos identificamos com o que é perecível e transitório.

Quando perguntamos pela primeira vez "Quem sou eu?", o que esperávamos, na verdade, era descobrir uma identidade duradoura, além de nossos papéis, funções ou atributos, um Eu real – "real" no sentido de que não é ameaçado pela mortalidade da carne, mas permanente e imutável. É por isso que a ioga examina a totalidade do ser, cada camada da existência do corpo para dentro, separando, testando, observando, experimentando, dissecando e classificando até compor um mapa do ser humano. Os antigos iogues e santos filósofos fizeram isso sistematicamente até encontrar a luz que estavam buscando, o Eu eterno e imutável, a parte de nós que responde de uma vez por todas ao original e inevitável "Quem sou eu?" Seu presente para nós está no conhecimento, nas técnicas e nos mapas que nos legaram como resultado de sua busca, para que nós também encontremos a resposta para essa pergunta, já que ninguém mais poderá respondê-la por nós. Neste capítulo, investigaremos a natureza desse Eu eterno, que não muda, mas antes precisamos conhecer as cinco aflições que toldam nossa compreensão e são a causa de grande parte do sofrimento.

Os antigos iogues tentaram elaborar um plano de acordo com o qual a evolução humana pudesse avançar, tanto no âmbito individual quanto no coletivo. Ao fazer isso, esses sábios naturalmente levantaram algumas perguntas: "O que faz as coisas darem errado? Por que, apesar de nossas melhores intenções, há sempre algo a desviar o curso das coisas? Estamos programados para sempre sabotar nossas aspirações?" Sua indagação os levou às cinco aflições que acometem a todos nós.

As cinco aflições (*klesas*)

As aflições são um determinado padrão de perturbação da consciência humana, tão universais e presentes quanto mosquinhas em maçãs frescas. Nosso estado de espírito é um padrão de onda incrivelmente complexo. Ele é constantemente modificado por estímulos externos (como um anúncio publicitário, uma palavra rude, o sorriso de um amigo). Os pensamentos que surgem do inconsciente e da memória – um desejo, um remorso – contribuem para deixá-lo ainda mais confuso. Mas há padrões de interferência mais duradouros, que explicarei a seguir. Eles fazem parte de nossa constituição da mesma forma que as moscas-da-fruta fazem parte do ciclo de vida das maçãs. São flutuações que poluem a consciência, chamadas de aflições (*klesas*). Corrompem a vida e desvirtuam nossas melhores intenções de amadurecer como pessoa.

Há cinco aflições. Elas são naturais, inatas e afligem todos nós. A primeira delas é, com efeito, a origem das outras quatro. Se puder vencê-la, você terá convertido a noite em dia. Enquanto algumas correntes de pensamento, especialmente no Ocidente, reúnem todas as forças do mal num só conceito, o de Demônio, a filosofia iogue estabelece uma distinção. Ela também reúne numa coisa só todas as forças que levam as pessoas a praticar o mal e os atos perversos. A diferença é que o pensamento ocidental confere ao mal o atributo da inteligência. O demônio é um demônio esperto, requintado nas artes da corrupção, que tem uma consciência independente, separada e oposta aos objetivos do ser humano e de Deus. Eis uma situação de interminável conflito entre duas forças inteligentes e sencientes, uma boa e a outra má.

O demônio da ioga não é inteligente. É ignorante. Na verdade, ele é a própria ignorância. Muitas vezes achamos que ignorância é não saber o nome da capital da Albânia. O significado de ignorância na ioga pode ser traduzido como "nescidade", ou seja, "não saber". Assim, para os hindus, o arqui-inimigo é o estado de não saber. O que não sabemos quando somos ignorantes?

A resposta é: você não sabe o que é real e o que não é. Não sabe o que é permanente e o que é efêmero. Não sabe quem você é e quem não é. Todo o seu mundo fica de cabeça para baixo porque você acha que os objetos da sua sala de estar são mais reais do que a unidade que conecta todos nós, mais reais que as relações e obrigações que nos vinculam. Perceber as ligações e associações que unem o cosmo num todo inconsútil é o objetivo da jornada de descoberta da ioga.

A ideia de que vivemos num mundo totalmente caótico é o que dá ensejo a dizermos que o dia, para um homem comum, é noite para o sábio, e vice-versa. Um poeta metafísico disse, certa vez, uma frase que ficou famosa: "O louco que persiste em sua loucura acaba se tornando um sábio". Erasmo de Roterdã, um humanista da Europa medieval, escreveu um livro intitulado *Elogio da loucura*. Da Europa ao Extremo Oriente, existe uma tradição de que a percepção humana é tão cheia de falhas que, muitas vezes, o "santo louco" é mais sábio que as pessoas aparentemente sensatas à sua volta. Isso quer dizer que não apenas temos de ajustar nossa visão, como invertê-la completamente, de dentro para fora e de fora para dentro. O significado disso é que a verdade suprema é inconcebível num estado normal de consciência.

Essas descrições da ignorância (*avidya*, em sânscrito) são instigantes. Existem várias maneiras de explicá-las. São em geral tão revolucionárias que requerem o uso do paradoxo. Jesus definiu-a muito bem quando disse que, se construirmos uma casa na areia, ela irá a pique, mas, se a erguermos sobre uma rocha, ela se manterá firme. Isso significa que a vida deve se erigir sobre o alicerce sólido da realidade. Infelizmente, as coisas que parecem firmes, que nos oferecem segurança – riqueza, posses, preconceitos, crenças, privilégios e posição –, não são nada sólidas. A isso me referia quando disse que a grande arte de viver é aprender a viver na incerteza. Jesus também queria dizer que só uma existência construída sobre valores espirituais (darma) está firmemente baseada na verdade e resistirá aos embates da vida.

Pode-se colocar isso da seguinte maneira: toda a humanidade vive, sem se dar conta, no seio da verdade da ioga. A ioga é una. Ninguém escapa ao mecanismo do "colhemos o que semeamos". No entanto, negamos a totalidade da nossa visão. Somos sempre levados a dividi-la, compartimentá-la, a selecionar o que nos convém e rejeitar o restante. Por quê? Porque não compreendemos direito a realidade. Não só em parte, mas no todo. Só o supremo renunciante (*bhaktan*) é capaz de, com um gesto de entrega excepcional, virar o universo de dentro para fora e de fora para dentro. Um exemplo disso no Ocidente é o ato de São Francisco de Assis de abraçar um leproso por reconhecer dentro dele uma Alma idêntica à sua. Nós simplesmente não podemos fazer isso. Somos como um homem que vestiu a camisa do avesso e de trás para a frente. O único modo de reparar esse erro é tirá-la, virá-la do lado certo e vesti-la de novo. Por meio da ioga, tiramos a camisa da ignorância e, depois de examiná-la, tornamos a vesti-la, dessa vez corretamente, como camisa do conhecimento. Para isso, estudamos cada pétala da ioga de forma isolada, como o homem que desvira a camisa e cada uma das mangas separadamente. Da mesma maneira que o homem sabe que a camisa é uma coisa só, mas tem muitas formas, não devemos esquecer que a ioga é uma só.

Os valores espirituais não são o molho no prato da vida material, a ser degustado somente aos domingos. Eles são o prato principal, que nos alimenta e sustenta. Os valores materiais são o molho e podem ajudar a tornar a vida extremamente prazerosa. Saboreados com moderação e desapego, farão deste mundo um paraíso. Mas não duram para sempre. A ignorância (*avidya*) nos impede de ver a verdade – o que *não* dura é o eu egoico. A Alma oculta suporta pacientemente esse erro de percepção de que eu sou Eu. É o eu egoico que não quer morrer. Essa imitação da Alma pelo ego é a origem de todas as desgraças humanas e a raiz de *avidya* (ignorância ou nescidade).

A ignorância consiste essencialmente em tomar o eu cotidiano que conhecemos pelo Eu imortal, o Eu verdadeiro ou Alma. Esse equívoco, somado à quinta aflição – o medo da morte e o apego à vida –, explica por que grande parte das ações humanas ao longo das eras tem sido uma tentativa de perpetuar a existência do ego, por meio de nome, fama, riqueza, glória ou realizações. No entanto, é a Alma que permanece; o ego conhecido perece, assim como seu invólucro externo, o corpo. Este é o terrível dilema da humanidade: aquilo que acreditamos ser (o ego e seus atributos) é efêmero, enquanto aquilo que apenas sentimos ser (a consciência transcendente e a Alma) é perene. Não conseguimos tolerar a ideia de perder o que conhecemos. Não temos fé suficiente para depositar confiança na sobrevivência do que nos é desconhecido. A resposta da ioga é: "Descubra o desconhecido e você encontrará sua imortalidade".

Nunca é demais dizer que as cinco aflições estão entrelaçadas nas fibras de todo o nosso ser. Não são defeitos como a preguiça ou a gula, que podemos ou não ter. São padrões de onda de interferência que provêm de nossa magnífica individualidade biológica, psicológica e espiritual. Resultam da incompreensão fundamental da relação que existe entre a parte (o eu individual) e o Todo (a Natureza e a Divindade). Sem um claro reconhecimento do que recebemos do Todo e daquilo com que contribuímos para o bem-estar do Todo, ficamos a lamentar no deserto. Não há amantes, criados, riquezas, carros, casas ou aclamação pública que possam curar a ferida de uma relação distorcida com nossa origem. "Conhece teu pai", dizia Jesus. Essa exortação era uma alusão direta ao problema do não saber (*avidya*).

As outras quatro aflições são os brotos da raiz, de *avidya*. A primeira delas se chama orgulho (*asmita*). O orgulho leva à arrogância. Esta, por sua vez, leva ao que os gregos denominavam *húbris*: rivalizar com os deuses por proeminência. O resultado é certamente a destruição. Do ponto de vista da ioga, isso significa apenas que o frágil e bonito caule da individualidade que reside em cada um de nós, puro em sua origem e intenção, ao lançar seus brotos, encontra o fenômeno do mundo externo – roupas, garotas e garotos, carros, posições, títulos, dinheiro, poder e influência – e logo se deixa tingir por ele. *Asmita* (identidade do eu) é pura e incolor quando nasce e quando o conhecimento da sabedoria se instala. É pureza e singularidade sem definição de atributos. Mas, ao entrar em contato com o mundo, ela se torna manchada, ganha cor e se converte em orgulho. Assume os atributos que parecem se agrupar em torno dela e perde sua beleza virginal. Essa beleza é a que vemos numa criança pequena, antes que sua inocência seja maculada pelo mundo.

É assim que *asmita*, nossa individualidade singular e imaculada, ao longo de anos pesarosos e obscuros, se enrijece numa couraça de egoísmo e orgulho. O orgulho se baseia na diferença, não na igualdade: você é bonito, eu sou feio; sou corajoso, você é covarde; tenho uma casa, você é um mendigo; estou certo, você está errado. É a ignorância (o não saber), na verdade, alçada ao nível de plataforma política. É a insanidade do individualismo, quando deveria ser a alegria da singularidade. O orgulho não nos deixa ver as qualidades dos outros. Julgamos pelas aparências e por comparações sem mérito. Perdemos a oportunidade de nos alegrar com a existência dos outros. Esperamos que eles ajam de acordo com nossos desejos e expectativas. Estamos sempre insatisfeitos. Perdemos a habilidade, como se diz no golfe, de acertar a bola no buraco.

As duas primeiras aflições – a ignorância (não saber) e o orgulho – são consideradas padrões de onda de interferência que operam no âmbito intelectual. As duas seguintes – apego (*raga*) e aversão (*dvesa*) – exercem uma influência mais emocional. Devemos ter cuidado com as palavras aqui. Quando você diz "Sou muito apegado à minha esposa", está querendo dizer "Eu a amo". Portanto, é só uma maneira de falar. *Raga* se refere ao amor obcecado ou perverso, em que o eu egoico se confunde com o objeto do seu apego. Todos já vimos situações em que o dono de um carro, ao sofrer um pequeno arranhão na carroceria do veículo, salta dele como um guerreiro enfurecido que recebeu um ferimento em batalha. O que acontece aí é a fusão e a total identificação do ego (que é efêmero) com o objeto de sua posse (que também é efêmero). É muito comum dizermos, ao nos referir à morte, que não podemos levar nada conosco. Isso é verdade. Não posso levar meu ego além da sepultura, assim como, certamente, não posso levar comigo meu carro, minhas propriedades, minha conta bancária. A palavra mais importante aqui é "meu/minha". É fácil ver que ela é filha da ignorância – uma entidade impermanente que busca um vínculo duradouro com outra entidade impermanente. Do ponto de vista lógico, trata-se de algo insano. Por isso eu disse antes que devemos tirar a camisa da ignorância e desvirá-la. Não há como corrigi-la quando a estamos vestindo. Assim, a palavra *raga* se aplica à atração magnética entre o ego e os objetos de prazer à sua volta.

A atitude correta em relação a nossas "posses" é a gratidão, não a possessividade. Devemos ser gratos porque nosso carro nos conduz em segurança e nos permite conhecer lugares que não conheceríamos sem ele. Sou grato à mesa sobre a qual escrevo. Graças a ela, este livro é possível. Se a mesa é "minha" ou não, é irrelevante. Na Índia, existe uma cerimônia anual em que colocamos guirlandas nos objetos da casa e agradecemos a eles pelo serviço que nos prestam. Utilizamos seus serviços por um certo tempo e somos agradecidos por isso. Mas a mesa é uma mesa e provavelmente ainda cumprirá sua função muito depois que eu morrer, mas não para sempre.

Imagino que você esteja se perguntando qual deve ser nossa atitude, então, quando morre alguém que amamos. Ficamos abalados. A dor da separação nos dilacera. É claro que sim. Mas isso não é *raga*. Perdi minha esposa de maneira abrupta e brutal, inesperada. Eu nem sequer estava em casa, pois viajara a Mumbai para dar aulas no fim de semana. Não consegui voltar a tempo. Mas não chorei no funeral. Minha Alma amava sua Alma. Isso é amor. É transcendental e transcende a separação da morte. Se meu ego, meu eu pequeno, fosse a fonte dos meus sentimentos por ela, então teria chorado – teria chorado principalmente por mim mesmo. Não há nada errado em desfazer-se em lágrimas por alguém que amamos, mas precisamos saber por quem choramos – é pela perda que sentimos, não pela pessoa que partiu. Mas, como diz o poeta, "a morte não prevalecerá".

A aversão (*dvesa*) é o lado oposto do apego. É a repulsa que leva à inimizade e ao ódio, assim como os polos iguais de dois ímãs se repelem. Ela se baseia também em superficialidades. Minha essência não pode odiar sua essência, pois são a mesma. Talvez eu deplore seu modo de se comportar, mas é tolice deduzir que por isso eu o odeio. Se de vez em quando deploro o meu comportamento, significa que devo odiar minha Alma, a divindade que habita meu interior? É claro que não. Devo corrigir meu comportamento. Mais uma vez, é a ignorância bancando o mestre das marionetes e semeando confusão. Se confundimos o que as pessoas fazem com o que elas intimamente são, em sua origem mais profunda, ficamos presos numa postura agressiva e hostil, num conflito sem fim. Ao fazer isso, travamos uma guerra permanente entre o bem e o mal, que não podemos vencer. A única coisa que devemos buscar é que os malfeitores corrijam seus atos. A melhor maneira de ajudá-los é corrigir nossas ações, e então talvez vejamos que os seres humanos são basicamente iguais, compartilham a mesma essência, e que todo o nosso infortúnio decorre de um erro de percepção fundamental que tem origem na ignorância. A ignorância representa, nesse caso, a negação da Unidade original ou comunidade universal.

A última aflição, ou padrão de onda, que influencia nossa vida se manifesta no nível do instinto. Nesse nível, ela faz sentido, já que somos todos animais tentando nos manter vivos. Os problemas começam quando elevamos um mecanismo de sobrevivência natural a níveis impróprios. Essa aflição se chama medo da morte ou apego à vida (*abhinivesa*). Quando estamos doentes, é natural que o corpo biológico se aferre à vida; é o que se espera que ele faça. É a luta pela existência, o sensato desejo de prolongar a vida do veículo da Alma. Afinal, ele não é um carro, que simplesmente podemos substituir por outro. No caminho espiritual, temos de manter o corpo o mais saudável possível.

Todos nos identificamos com o corpo. É inevitável. Se um elefante investe contra nós no meio da rua, não gritamos: "Meu Deus, meu ego será esmagado!" Nesse momento, somos o nosso corpo, que desvia do caminho do elefante. O mesmo acontece quando estamos doentes. Nada como a boa saúde para neutralizar a identificação com o corpo.

Admitimos que, de uma perspectiva mais ampla, não somos nosso corpo. O corpo perece, e temos a esperança de não perecer. Mas não se pode dizer isso à dor. Sabemos talvez que o corpo não é nossa identidade permanente, mas esse conhecimento é teórico. Quando a saúde vai bem, esquecemos do corpo; quando estamos doentes, isso já não é possível. A vida seria bem mais simples se fosse o contrário. No que diz respeito à permanência, não somos nosso corpo, mas, em termos práticos, é o que somos, pois o corpo é o veículo pelo qual percebemos e podemos descobrir nossa imortalidade. É por isso que a ioga começa com o corpo.

Contudo, aceitamos que o corpo está destinado a perecer, por mais que o lamentemos. O que achamos intolerável é o fato de que "eu" tenha de morrer, de que o ego seja tão perecível quanto o corpo. Isso nos remete de volta à ignorância. O ego é a parte mais íntima e mais interna que conhecemos em nós. Se ele perece, tememos ser tragados pela escuridão, pelo vazio perpétuo. Concluímos, assim, que devemos perpetuar o ego a todo custo, por meio de dinastias, fama, monumentos, qualquer projeto de imortalidade que vise a enganar o implacável Ceifeiro. Tudo isso é um disparate, diz a ioga. O ego é um elemento importante da consciência, do qual necessitamos para fazer funcionar o corpo enquanto este está vivo. Ele não tem nenhuma outra utilidade além dessa.

Mas a consciência é muito maior que o ego. É maior, inclusive, que a mente, segundo a ioga. Os cientistas começam a se perguntar de que maneira a mente dá origem à consciência. A ioga perguntaria de que maneira a consciência dá origem à mente. A consciência é precursora da mente e não se limita aos aspectos físicos desta. Ela existe num nível microcósmico, ou seja, é menor que o átomo. De acordo com alguns cientistas, a inteligência cósmica existe num nível quântico. A mente (*manas*) é a parte mais física e externa da consciência. Sendo o elemento mais material ou manifesto, seu destino está ligado ao do corpo, por bem ou por mal. É por isso que um acidente de carro pode levar à "morte cerebral", mas não à morte da consciência. Nas experiências de quase morte, as pessoas retêm uma forma de percepção, mas sem as partes que a compõem. Mesmo quando todo o sistema nervoso, incluindo a memória, se apaga por completo, a consciência permanece como testemunha, embora num nível que não seja perceptível por meios científicos. Como a inteligência (*buddhi*) que existe em nós é uma partícula de um fenômeno universal, ela não pode ser totalmente obstruída, mesmo quando sofremos algum dano físico. Do mesmo modo, a Alma não pode morrer. Somente seu veículo.

Vejamos o exemplo da luz. O ego não é a fonte da luz. É a consciência que transmite a luz divina da origem, da Alma. O ego é como a lua, que reflete a luz do sol. Ele não tem luz própria. Encontre o sol, diz a ioga, descubra a Alma. É isso que significa *hatha-yoga*. *Ha* é o sol, o Eu; *tha* é a lua da consciência. Quando a lente da consciência for perfeita e límpida, ficará claro que a luz que ela irradia é a Alma que habita o mais íntimo do nosso ser. A Alma é divina, imaterial, perfeita e eterna. Em outras palavras, ela não morre. Descubra o que não morre, e a ilusão da morte será desmascarada. Isso é vencer a morte. Por essa razão, apesar de toda a minha dor, não chorei por minha esposa, pois não vou chorar por uma ilusão.

A aflição relacionada com a ideia de que a morte é o fim tem uma função instrutiva necessária e útil. Por isso, é a mais difícil de romper, ainda que possamos compreendê-la intelectualmente (e tenho certeza de que você a compreende). O que precisamos não é erradicá-la de sua esfera biológica, onde ela é adequada, mas repelir sua invasão aos reinos "não biológicos". Esse impulso instintivo de manter a sobrevivência do corpo é extremamente necessário, mas queremos ir além dele. Queremos que nossos genes se perpetuem em nossa prole. Queremos que nossos filhos vivam na casa em que nossa família viveu durante gerações. Queremos que nossa empresa continue e prospere, mesmo depois de nos aposentarmos ou morrermos. Se somos artistas ou cientistas, queremos conquistar a posteridade. Estender esse instinto de sobrevivência a dimensões sutis como a perpetuação do ego é psicologicamente destrutivo.

As cinco aflições são tão fundamentais em nossa vida e nossa capacidade de empreender a viagem da ioga, que vale a pena recapitulá-las. *Avidya* (ignorância, falta de conhecimento, falta de compreensão) é a errônea concepção de que a realidade material é mais importante que a espiritual. E não porque todas as coisas materiais são transitórias, efêmeras e suscetíveis às mudanças constantes associadas ao crescimento e ao declínio. O problema é que nos tornamos dependentes daquilo que não perdura. Quando *asmita* expressa orgulho, há confusão. No entanto, ela é um dom extraordinário da individualidade, assim como as experiências e os objetos materiais que o indivíduo encontra no transcorrer da vida.

Raga (apego ou desejo) é a prisão emocional a qualquer fonte de prazer, que assume formas extremas, como a incapacidade de abrir mão das coisas – uma espécie de vício nos ornamentos da vida, em vez de uma celebração do próprio prazer de estar vivo. *Dvesa* (aversão) é a repulsa emocional e a fuga da dor, que se manifesta como preconceito e ódio, impedindo-nos de aprender com as adversidades da vida e com nossos erros. *Abhinivesa* (medo da morte) é o apego instintivo à vida, que, embora adequado no plano biológico, dá origem a desvios de conduta quando transferido para aspectos da existência aos quais não se aplica. Pode-se experimentá-lo facilmente por meio da retenção excessivamente prolongada da respiração após a expiração. O pânico se instala. É a ignorância, ou a compreensão errônea da realidade, que sustenta e nutre todas as demais aflições. Para notar o poder que essas aflições exercem sobre a vida e a história da humanidade como um todo, assista ao noticiário da tevê e identifique essas cinco influências destrutivas em ação. Isso é fácil. Em seguida, observe-as em si mesmo.

O caminho para alcançar a meta

A meditação é a porta para eliminar as cinco aflições. Ela conduz a mente complexa a um estado de simplicidade e inocência, mas sem ignorância. A meditação acontece quando o ego é subjugado. Sendo a sétima pétala da ioga, chega-se a ela à medida que se avança pelos outros estágios da prática. Mas a oitava pétala, o samádi, é o fruto da meditação. Ocorre pela graça de Deus e não se pode forçá-lo. Samádi é o estado em que o aspirante se torna um com o objeto da meditação, a Alma Suprema que penetra o universo, onde reside um indizível sentimento de alegria e paz.

No capítulo anterior, exploramos o momento em que a totalidade do ser é experimentada, desde o centro até a periferia – movimento expansivo e criativo que revela o eu individual (*jivatman*). O foco deste capítulo, o invólucro da beatitude (*anandamaya kosa*), é a entrega e a fusão do eu individual no oceano da existência. Não se trata apenas da transcendência do ego, mas da dissolução do eu tal como o conhecemos, um hiato na experiência ininterrupta do eu. Ela nos leva à ilusão original (*avidya*) da separação entre criador e criatura. É a verdade encarnada. A verdade em espírito. É o divino casamento da Natureza com a Alma Universal. É a beatitude existencial e supraexistencial, a total absorção na Origem e no Fim. É nascer para o eterno.

Para a maioria das pessoas, tanto hoje como no passado, samádi não passa de um conceito. No entanto, a ioga aponta o caminho para se chegar a tão elevado cume. A maior parte dos leitores o concebe como uma paisagem de beatitude celestial, que evocamos por meio da imaginação (*vikalpa*). Mas não pense, nem por um segundo, que estou dizendo que é algo irreal ou que não pode ser alcançado. A liberdade suprema não está fora do nosso alcance. Examine sua imaginação. Você está sonhando com o futuro ou tentando se lembrar do rosto de um amor há muito perdido, cujas feições se desvaneceram nas brumas do tempo? É este último. E não é verdade que o seu anseio brota do coração do seu ser? Não é o desejo de pôr fim à dualidade, de chegar a uma unidade que não se pode alcançar pela complementaridade, mas o desejo de uma unidade que existe porque não há nada mais.

Para descobrir a Alma individual, você precisa de inspiração, a força criativa da respiração que entra. Para descobrir a

Alma cósmica, você precisa de coragem para soltar, para expirar, para fazer a derradeira entrega. Não desanime. A vontade divina é o que impele os seres humanos para esse fim. Retenha a Alma (*atman*), não apenas a respiração. Há um espaço entre a entrega e a aceitação. Você se entrega ao Senhor, e o Senhor aceita sua entrega. E, para aceitar, é necessário tempo e espaço. Isso é retenção (*kumbhaka*).

A ascensão final

Se apresento esse pequeno *trailer* do majestoso crescendo da nossa busca – e é deliberadamente que o faço –, é porque resta ainda muito que aprender e muito trabalho a fazer para encontrar a Alma. Falei da necessidade de observar as aflições em nós mesmos. Para isso, precisamos de um espelho. Assim, temos de persistir na prática da ioga, no exercício de todos os aspectos da prática que aprendemos até agora. Precisamos refinar o que já conseguimos realizar; aprofundar-nos, adicionar novas sutilezas, a fim de penetrar o coração do mistério. Temos de continuar nos questionando, do contrário não haverá transformação. Avance com fé, sim, mas sempre prestando atenção a si mesmo. Onde há orgulho a ignorância está sempre presente.

Antes que a consciência finalmente se aproxime do Eu e este se funda no Infinito, há muitos fios delicados que precisam ser entrelaçados no tecido tremulante da prática. Temos de tecer uma meditação tão pura, tão livre do eu, que as imitações do ego sejam visíveis o tempo todo. Quando o ego se extingue as aflições que o acompanham desaparecem. Outro fio que precisamos tecer é a compreensão de como os elementos orientam a nossa prática. Nos capítulos anteriores, descrevi os elementos terra, água, fogo e ar e como eles correspondem aos quatro primeiros invólucros: corpo, energia, mente e intelecto. O elemento final que corresponde ao último invólucro, o da beatitude, é o espaço, que concede mobilidade e liberdade a todos os demais. O espaço é o elemento mais sutil e penetrante de todos, e devemos aprender a controlá-lo.

O espaço é às vezes traduzido como éter, mas não o éter da química moderna. É tomado aqui em sua acepção mais antiga, no sentido do espaço que permeia o vazio entre as partículas da matéria. Uma bola de tênis dentro de uma catedral – assim pode ser representada a quantidade de matéria dentro de um átomo. Isso quer dizer que os átomos, e portanto nós, somos quase inteiramente espaço. O espaço acima de nós, o céu, é *mahat-akasha* (inteligência cósmica no espaço), ao passo que o Eu interior é *cit-akasha* ou *chidakasha* (inteligência cósmica dentro de nós). Um é o espaço externo, o outro, o espaço interno, mas, para o iogue, o espaço do Eu, tal como ele o sente, é na verdade maior que o espaço externo que o rodeia.

O espaço representa liberdade, a liberdade que somente o espaço permite ao movimento. Afinal, a própria mudança não é movimento? A visão que os astronautas ganharam do espaço exterior deu-lhes uma percepção unificada, imparcial e sem fronteiras do planeta Terra. Essa percepção mudou a vida deles e os levou a tentar compartilhar sua experiência na busca de objetivos humanos comuns a ser alcançados pela cooperação pacífica. Como já disse, não podemos todos entrar em órbita, mas temos acesso ao espaço, ao nosso espaço interior. Paradoxalmente, a visão do interior tem um efeito unificador comparável à visão do espaço pelos astronautas. Não me acanho em repetir que dentro do microcosmo individual existe o macrocosmo do universo. Se esse truísmo, por mais óbvio ou improvável que lhe pareça, não tem valor, então toda a ioga é um absurdo, assim como o misticismo gnóstico, o sufismo, o budismo e os ensinamentos de Cristo.

A sabedoria que a prática da ioga me trouxe foi confirmada pelos livros sagrados da ioga que li. Adquiri conhecimento não apenas por meio da minha *sadhana* e da leitura dos textos sagrados, como também das viagens e pessoas que conheci. Tudo isso contribuiu para entrelaçar os fios do tecido da minha ioga.

Os autores dos *Vedas* eram videntes, mas também poetas e visionários que viam a divindade em toda parte, em tudo, nas coisas animadas e inanimadas, orgânicas e inorgânicas. Por alguma razão, perdemos essa arte. A estagnação criou insensibilidade, mas os ecos da sabedoria persistem. O grande arquiteto catalão Gaudí, por exemplo, dizia que a arquitetura é uma relação criativa entre a sensibilidade da natureza e a austeridade da geometria. Esse é um tema que permeia toda a prática da ioga. Minhas sistemáticas tentativas de impor simetria nos ássanas exprimem essa relação. E, assim como para o arquiteto, o conceito de espaço é fundamental. Um vaso, assim como um edifício, como um corpo, tem dois espaços – o que ele contém e o que o cerca. Quando começamos o ássana, preocupamo-nos com a forma da postura, ou seja, como ela se mostra ao espelho – em outras palavras, com o espaço que excluímos. Agora devemos nos preocupar com o espaço que *incluímos*, o espaço interno, pois é ele sobretudo que dá vida e beleza reais ao ássana. É o que se chama de *yoga svarupa* – o Eu assumindo sua forma perfeita por meio da ioga. O que nos permite chegar a isso é a distribuição interna do espaço. É assim, basicamente, que a *yogasana* se torna sem esforço, com a beleza natural do ouro derretido que verte de um cadinho.

Para alcançar o infinito, temos de usar meios finitos, assim como faz o arquiteto ao construir uma catedral ou um templo. E, tal como diz a ciência da ioga, para tanto precisamos alinhar os corpos interno e externo, para que fiquem paralelos e se comuniquem entre si. Sem o alinhamento correto, o edifício cai. Gaudí buscava expressar o sublime por meio do físico. Assim também deve ser para o praticante de ioga. O alinhamento cria uma estrutura intercomunicante que, como uma catedral, é uma oferenda a Deus. É por isso que para mim alinhamento é uma palavra metafísica. O alinhamento correto cria o espaço correto, como num edifício bem construído. Um edifício sem um interior espaçoso é um torrão de pedra, um megálito. Você pode imaginar um corpo assim? Seria inerte e inabitável.

De acordo com a filosofia indiana, há dois tipos de arte. Uma é a chamada *bhogakala*, a arte de satisfazer o prazer do corpo e da mente. A outra é *yogakala*, a arte de satisfazer, por meio do desempenho auspicioso, o coração espiritual da Alma. Todas as artes têm ciência (*sastra*) e arte (*kala*). A beatitude (*ananda*) se faz sentir e se manifesta quando o objetivo é trazer ordem ao caos, sabedoria à ignorância, divindade à estética. Você pode imaginar como fico irritado quando meus alunos desperdiçam os talentos que Deus lhes deu na *bhoga* ioga (apresentar-se bem, sentir-se bem, mas sem fazer a boa ioga)?

O impulso da natureza é expressar-se por meio da evolução. As pessoas que vivem num país tropical como a Índia percebem isso mais claramente. A natureza quer ocupar cada espaço. Isso se reflete no nosso idioma, quando dizemos que a natureza abomina o vácuo. A natureza considera que o seu papel é se expressar com uma variedade cada vez maior e, a nosso ver, com uma beleza cada vez maior, embora nem sempre bela. A natureza pode nos esmagar. Por que os iogues iam ao Himalaia? Seria para encontrar espaço, um espaço externo que refletisse o interno?

No capítulo anterior, relacionei o ar ao toque e à inteligência. Disse que o inalamos e também estamos mergulhados nele. O espaço é ainda mais íntimo, mais penetrante, já que todos os nossos átomos se compõem principalmente de espaço. O som e a vibração correspondem ao espaço e podem viajar através dele como as ondas de rádio que enviamos pelo espaço, na esperança de que algum dia a inteligência possa se transmitir integralmente. Não é o som ainda mais potente e íntimo que o ar? A vibração do canto das baleias pode atravessar centenas de milhas no oceano. Não é o som de Deus (om) mais sagrado que qualquer ídolo? Não é a música a arte mais sublime? A vibração é uma onda. Ela parte de três pontos – tudo que é preciso para traçar uma curva senoidal – e é a primeira etapa da manifestação. Está muito próxima da raiz da natureza e por isso é tão poderosa. Como eu disse, quando sua postura desmorona, sua Alma desmorona. Quando o espaço desaba, sua Alma desaba.

Os olhos são o indicador do cérebro. Os ouvidos, o índice da consciência. Os olhos pertencem à mente e ao fogo; os ouvidos, à percepção e ao espaço. Quando alguém está em estado meditativo, a parte frontal do cérebro está em repouso, sem interrupção. Sempre que pensamos num problema, inclinamos a cabeça para a frente. Se você deixar a cabeça pender para a frente durante a meditação, a parte frontal do cérebro sentirá a perturbação. Mas quando há harmonia entre os olhos e os ouvidos, é fácil focalizar a percepção. Os olhos são a janela do cérebro; os ouvidos, a janela da Alma. Isso contradiz a sabedoria popular, mas quando os sentidos se recolhem (*pratyahara*), essa é a verdadeira experiência. Os ouvidos são capazes de discernir a vibração. Nosso espaço interior corresponde ao que normalmente chamamos de plano celestial. Assim, ouvimos a divindade em nosso plano celestial interior antes mesmo de vê-la. Os ouvidos também testemunham o silêncio. O silêncio é a música do samádi.

Para ser mais simples, assim como não podemos separar o elemento terra do invólucro do corpo físico (*annamaya kosa*), também não podemos separar o espaço do invólucro da beatitude (*anandamaya kosa*). No ássana, brincamos com os elementos. Quando fazemos uma torção, por exemplo, pressionamos o espaço para fora dos rins, e, ao desfazermos a postura, o espaço retorna, só que renovado. Do mesmo modo, ao fazer uma flexão ou uma torção, pressionamos a água, o fogo, o ar e, em certa medida, a terra para fora do órgão. Quando relaxamos, a circulação se restabelece, restaurando elementos revitalizados. Dizemos que isso lava e purifica os órgãos. É verdade, mas, no que tange aos elementos, o que estamos fazendo é brincar com o seu equilíbrio, experimentando a sensação propiciada por cada um deles.

Quando fazemos uma torção, não é só o órgão que é torcido, mas também os ossos, os músculos, as fibras e os nervos. Os vasos que transportam líquido também se contraem. A mente assume uma forma diferente, de acordo com a nova forma adotada pelo corpo. A inteligência toca o corpo de outra maneira, e a vibração emitida pelo corpo se altera – por exemplo, consigo sentir a vibração de cada rim e verificar a diferença entre eles. A torção também evidencia as qualidades sutis ou os complementos associados a cada elemento, fazendo-nos perceber, por exemplo, a densidade, a força e o perfume da argila do corpo; a flexibilidade e o sabor dos fluidos do corpo; a vitalidade e a visão do fogo da mente; a claridade e o toque da inteligência envolvente do ar; a liberdade e a vibração interna do espaço etéreo dentro do corpo.

É assim que aprendemos a discernir e apreciar os sutis elementos naturais de que somos feitos. É como a *lila* – termo sânscrito para designar o jogo cósmico –, só que o jogo se dá num plano muito alto. Assim como os animais aprendem a arte da sobrevivência por meio de brincadeiras quando são filhotes, para nós esse jogo é uma etapa essencial do aprendizado para a sobrevivência no coração sutil da natureza. É a exploração por meio do jogo, da tentativa e do erro. Quando brincamos com os elementos internos do corpo, com sua renovação, desproporção e reequilíbrio, passamos a perceber a natureza num nível que não se pode apreender em condições normais. Trata-se de algo sobrenatural, já que a consciência normal não é capaz de enxergá-lo. Estamos descobrindo a evolução mediante uma jornada de involução, como um salmão que nada de volta ao lugar onde nasceu para procriar novamente. Devemos agora examinar a evolução da própria natureza, para que o iogue, tal como os xerpas tibetanos, possa realizar sua ascensão e conquista final. Só quando alcança o pico da Natureza é que o iogue encontra sua Alma (*purusa*) e também a Alma Universal (*Purusa Viesa*). Alcançar o pico, na verdade, é compreendê-lo.

A evolução da natureza

Cabe assinalar aqui que não existe nenhum antagonismo inerente entre os conceitos darwinistas de evolução e as teorias iogues. A ioga crê na existência de Deus, mas não o vê como o mestre das marionetes, que maneja os cordões de um trilhão de fantoches ao mesmo tempo. O mundo, tal como o experimentamos, está conectado à realidade da Alma cósmica e imbuído dela. Mas não é diretamente manipulado por ela. Esse modo de ver as coisas está em total consonância com as atitudes iogues.

A ioga concilia – e por isso é considerada uma filosofia dualista – a Natureza, de um lado, e a Alma, de outro. Para a ioga, natureza é natureza, espírito é espírito. Eles se intercomunicam, e a Alma espiritual é a realidade suprema, permanente. Mas devemos levar a natureza a sério, pois pertencemos a ela e nela vivemos. Reduzi-la a uma ilusão, por meio de um passe de mágica filosófico, é ingenuidade. Aceitar a natureza visível como a única realidade é ignorância. Para o iogue, a natureza é uma montanha a escalar.

Segundo a ioga, a Natureza, em sua origem, é uma raiz – que em sânscrito se chama "natureza-raiz" (*mula prakrti*). Dentro dessa raiz, como vimos antes, existem certas propensões instáveis, porém criativas, denominadas qualidades da natureza. São os três *gunas*: massa ou inércia (*tamas*), dinamismo ou vibração (*rajas*) e luminosidade ou serenidade (*sattva*). Em sua origem, eles são equilibrados e proporcionais, existem apenas como potencial. No entanto, compartilham a característica duradoura da Natureza. São instáveis, mudam. Seu destino é sempre mudar e se desenvolver.

E se desenvolvem, gradualmente. O sutil precede o grosseiro, ou, como diríamos, o invisível vem antes do visível. A inteligência cósmica (*mahat*), que está presente em todos nós, é a primeira manifestação do invisível. Da inteligência cósmica nascem a energia cósmica (prana) e a consciência (*citta*), das quais se origina o ego (*ahamkara*) ou o senso de eu. De uma raiz brota a dualidade (a capacidade de separar); da dualidade surge a vibração (o pulso da vida que se inicia); da vibração vem a manifestação invisível; e do invisível desponta o visível, com toda sua gloriosa e horrenda diversidade e multiplicidade. Esse produto final é o que denominamos mundo – nosso parque de diversões, nosso paraíso, nosso inferno ou prisão. Se compreendemos mal a natureza, se, por ignorância (*avidya*), a julgamos por seu valor aparente, então ela se torna uma prisão.

O caminho que a ciência moderna tomou para escapar à prisão é analítico. A ciência disseca de sapos e corpos humanos a átomos. Ela busca a verdade nas minúcias intrínsecas. Se você desmonta um relógio, pode ser que entenda como ele funciona; porém, não conseguirá mais saber as horas. A ioga também disseca – o ego, a mente e a inteligência, por exemplo –, mas não é só analítica. É sintética também, ou integracionista. Como a ciência, ela examina com o objetivo de conhecer, mas quer conhecer para penetrar, integrar e reconstruir, por meio da prática e do desapego, a perfeição da intenção original da Natureza. Em outras palavras, ela quer chegar à raiz e podar a intrusa turbulência. Não quer ser enganada pela aparência da natureza; quer aderir a sua motivação original.

A diferença entre ioga e Darwin encontra-se na mutação aleatória dos genes contida na teoria de seleção natural, a qual concede a esmo o privilégio da sobrevivência. Se é o sutil que se transveste na forma do grosseiro, isso não pode ser verdade. Dois séculos antes, Isaac Newton seguira a linha da ioga ao dizer: "A ordem que reina no mundo material é indício suficiente de que ela foi criada por uma vontade dotada de inteligência". Não se trata, é claro, de um criador que manipula bonecos, mas de uma inteligência natural inata que busca se expressar. Não esqueçamos, contudo, de que a ordem e o caos são estranhos companheiros, que geram resultados imprevisíveis.

A ioga diria que essa diversidade imprevisível tem origem na vontade inteligente e na força vital da natureza (*prerana*), em seu esforço de se expressar das mais variadas maneiras, a exemplo de um ator que deseja assumir muitos e diferentes papéis. Para a ioga, o código contido no DNA não é uma força determinista inexorável. É determinista à medida que carrega o código do carma passado. Mas é também a vontade da natureza de buscar liberdade por meio da individuação. Para citar um exemplo, a particularidade do peixe linguado – que tem os olhos situados de um lado só da cabeça, vive pousado no fundo do mar e tem apenas uma das faces escuras para se camuflar – não é resultado de uma mutação errática, mas a resposta desse peixe ao desafio de viver num mundo perigoso. Essa resposta provém de um estímulo interno e é motivada por uma inteligência celular inconsciente.

O motivo que nos leva a explorar os elementos e seus complementos sutis é penetrar o coração da natureza em evolução e surpreendê-lo antes que se manifeste em objetos como árvores, mesas, hotéis, roupas e carros. Mais além está o nosso desejo de conciliar os *gunas*, as qualidades instáveis da natureza que lhe conferem suas características criativas e transitórias. No plano material, é a inércia/massa (*tamas*) que prevalece – razão pela qual sentimos dor quando batemos o dedão no pé da mesa. No plano psicossensorial, predominam o dinamismo (*rajas*) e a luminosidade (*sattva*) – e é por isso que estudar para uma prova pode ser uma experiência divertida, envergonhar-se por uma ação vil pode ser um tormento cruel e realizar um trabalho bem--feito pode ser uma fonte de serenidade sátvica. O iogue almeja ser um *gunatitan*, alguém que pode restaurar aos gunas suas proporções originais e depois lhes restituir uma forma estável na raiz da natureza, para assim transcender suas vicissitudes. A partir de então, ele já não se deixa abalar pela turbulência da natureza.

Isso não significa que nos tornamos insensíveis. Mencionei há pouco a morte da minha esposa e o fato de eu não ter chorado. Não pense que não a senti, ou que não a sinto, como qualquer um sentiria. O iogue é um ser humano. Na verdade, a compaixão que ele adquire faz dele o mais humano dos humanos. No entanto, na paz transcendente mas aguçada da meditação, ele vê a vida do alto do Monte da Natureza.

As qualidades da natureza (*gunas*) são consideradas até hoje o mais arcano dos conhecimentos esotéricos, impróprio para as pessoas em geral. Não acredito nisso. Sofri quando meu guru disse que eu não era talhado para o pranaiama. Mas o assunto é difícil; assim, em consideração ao leitor, oferecerei uma última analogia. Os três *gunas* estão presentes em todos os fenômenos, mas sempre em proporções variáveis. À medida que as proporções se alteram, os fenômenos naturais surgem (o que chamamos de nascimento), desenvolvem-se, declinam (o que chamamos de existência ou vida) e desaparecem de novo (o que chamamos de morte). A peculiar mas notável comparação que apresento aqui não é respaldada por nenhum conhecimento científico que eu possa ter. É a famosa equação de Einstein, $\mathbf{E = mc^2}$, em que **E** é energia (*rajas*), **m** é massa (*tamas*) e **c** é a velocidade da luz (*sattva*). Energia, massa e luz estão para sempre ligadas no universo. Pode-se dizer, a título de analogia, que a própria luz (*sattva*) exibe na física atributos duais. Não é uma onda nem uma partícula, mas, dependendo do método de observação que se utilize, pode ser percebida como um fóton separado (*tamas*) com uma localização específica ou como uma onda (*rajas*). Mesmo em nosso plano mais corriqueiro, podemos aprender a observar a cambiante interação dessas três propriedades.

Há um aspecto prático nisso. Quando os princípios da natureza se retiram à sua origem, seu potencial permanece adormecido, razão pela qual uma pessoa em estado de samádi *é*, mas não pode *fazer*. A forma externa da natureza se recolhe como as asas de um pássaro. Se o praticante não persiste em sua prática com suficiente zelo, acomodando-se, em vez disso, aos seus triunfos, mesmo tendo ele chegado a esse ponto, os princípios da natureza serão reativados e terão um efeito nocivo. Muitos são os homens de Deus que caíram.

A ioga como involução

Todos queremos nos desenvolver e aprimorar. Consideramos isso uma evolução pessoal, um abrir de asas. A verdadeira jornada iogue é uma involução ou, para retomar a imagem do parágrafo anterior, o recolher das nossas asas. Se a evolução é a preparação para a ioga (a intenção de unir-se com a Alma), a involução é a própria ioga (a própria união). Lutamos para sair do grosseiro mundo material e entrar no sutil coração da Natureza, como o salmão que retorna à nascente para morrer e se regenerar. A força que está se manifestando acolhe nossa jornada, embora pareça colocar-lhe obstáculos. Assim, devemos fazer de tudo para estimular nosso desenvolvimento por meio da prática do ássana e abandonar os hábitos nocivos, como fumar ou comer em demasia. Usamos também a vontade (não o ego, mas a essência vital da Natureza) para apoiar nossa luta. E invocamos auxílio divino, num ato de entrega e humildade. A combinação dessas três coisas é o que nos permite empreender a jornada.

Vejamos dois exemplos, relacionados ao que acabei de dizer, de como podemos tentar mudar nossa vida. Imagine um homem que está em dificuldades financeiras e cujo trabalho não oferece nenhuma perspectiva. Ele está ansioso, estressado, frustrado e se irrita facilmente com a mulher e os filhos. Toda sexta-feira à noite ele tenta fugir de sua difícil situação bebendo muito. O que ele pode fazer? O que ele faz? Faz um esforço para ficar em casa, em vez de sair e beber. Isso já é uma pequena vitória. Mas o que ele pode fazer com o dinheiro que, assim, está economizando?

Ele pode comprar um bilhete de loteria, ou vários. As chances estão contra ele; primeiro, porque sua atitude é fraca – é o seu ego que está pedindo a Deus para lhe permitir ganhar –, e não há espaço para o exercício da sua vontade. Comprar um bilhete de loteria requer pouco esforço, e não há nada prático que ele possa fazer para o bilhete ser sorteado. A única coisa a fazer é cuidar para não perder o bilhete. Todas as partes estão fracas – sua relação com o divino, sua força de vida natural e sua ação prática. Essa é a fragilidade da fantasia e das conexões frouxas.

Digamos que ele tome outro rumo. Gasta o pouco dinheiro que poupou num curso noturno para ampliar seus conhecimentos. Toma uma resolução ética e se empenha em melhorar o relacionamento com a mulher e os filhos, reconhecendo que, seja ele culpado ou não, a solução está em suas mãos. Esse é um processo purificador e envolve um constante esforço e sacrifício pessoal. Com humildade no coração, ele pede para Deus ajudá-lo a encontrar um emprego melhor e mais tolerável que o atual. Nada acontece. O tempo passa, sua vida econômica melhora. Suas novas competências se fazem notar, assim como sua maior maturidade no trabalho. Ele é promovido e novas perspectivas surgem. A tensão em casa diminui em todos os aspectos. Isso não é um conto de fadas. Nosso homem estabeleceu conexões válidas, demonstrou paciência e perseverança (*tapas*), poder físico (*sakti*), estudo (*svadhyaya*), habilidades intelectuais (*yukti*) e devoção (*bhakti*) no caminho escolhido. A mudança de sua sorte externa reflete uma poderosa mudança interna. Ele criou uma estreita harmonia entre a Natureza e a Alma, e o resultado é o que chamamos de sucesso e felicidade.

Talvez cause surpresa ao leitor que eu use exemplos tão mundanos num capítulo sobre samádi, mas não esqueça que são todas as oito pétalas da ioga que formam a flor. Pode ser que, para esse homem, o samádi seja uma carreira promissora e uma vida familiar feliz. Do mesmo modo, se o mais nobre praticante abandonar as duas pétalas do fundamento ético, ele cairá. Assim, muitas pessoas lidam com o caminho espiritual como se este fosse uma loteria. Esperam que algum livro ou método novo, algum *insight* ou professor novo, seja o bilhete de loteria que lhes permita alcançar a iluminação. A ioga diz que não, que o conhecimento e o esforço estão dentro de você. É tão simples e tão difícil quanto aprender a disciplinar a mente e o coração, o corpo e a respiração.

O samádi é um presente do divino. Como fazer para merecer esse presente? Devemos retornar ao sutil, mas também à energia cósmica que a tudo permeia: a respiração (prana). Como eu já disse, essa é a primeira forma que brota da inteligência cósmica. O termo "respiração" é inadequado para expressar sua abrangência, sua habilidade de agir como o mensageiro dos deuses. De acordo com os *Upanishads*, é o princípio da vida e da consciência, comparado inclusive à Alma. É o alento da vida em todas as manifestações do universo, quer respirem fisicamente, quer não. Os seres animados nascem e vivem graças a ela, e, quando morrem, sua respiração individual se dilui de novo na respiração cósmica. Leia novamente essa última frase; é de tirar o fôlego. Ela é a sobrevivência; não a sobrevivência individual pela qual anseia o ego, mas, não obstante, sobrevivência e perpetuação. Nossa respiração retorna ao vento cósmico. Os hebreus transmitem essa mesma intuição na Bíblia, pois o *ruach* individual (respiração, espírito) é o mesmo *ruach* cósmico (vento, espírito) que, no relato da criação, "pairava sobre as águas"*.

Por nascer diretamente da inteligência cósmica, o prana carrega um registro contínuo, que nunca termina nem pode ser destruído. Usei o exemplo do salmão que nada de volta rio acima em direção à nascente, tal como estamos tentando fazer. Disse que a corrente parece nos obstruir e se opor a nós. O prana nos equipa com nadadeiras e uma cauda cintilante, que nos permitem saltar pelo rio. Ele é atraído para a sua fonte, sobretudo na Natureza, num sentido semelhante ao do anseio da Alma individual de se conciliar com sua origem universal.

Fiquei sensibilizado e interessado ao ver Stephen Hawking, o grande astrônomo de Cambridge, humildemente admitir, há pouco tempo, que mudara de ideia com respeito a uma importante questão. Até então ele afirmara que nada que penetrasse um buraco negro no espaço voltaria a emergir, nem mesmo a luz, por causa da enorme força da tração gravitacional. Agora ele diz ter descoberto indícios de que os buracos negros deixam escapar o que ele chama de "informação". O prana é o veículo da inteligência cósmica – o que os outros talvez denominem "informação" –, e, de acordo com o pensamento iogue, a nova concepção do professor Hawking parece correta. O prana é o ser (*sat*) e também o não ser (*asat*). Ele é a fonte do conhecimento e está presente em todo o universo, jamais poderá ser aprisionado. Lembre que o conhecimento tem início, mas não fim. O buraco negro é o não ser, mas acabará se transformando

* O autor faz referência a Gênesis 1:2: "A terra estava sem forma e vazia; as trevas cobriam o abismo e o Espírito de Deus pairava sobre as águas". Na Bíblia hebraica, a palavra *ruach* pode significar "sopro", "espírito" ou "vento". (N. E.)

em ser novamente. O prana nos apresenta esse paradoxo. Por um lado, é o atributo mais essencial, real e presente em cada momento da nossa vida; por outro, continua sendo o mais misterioso. Como conciliar esse fato com nossa prática? Como relacionar as teorias do professor Hawking sobre o macrocosmo com nossa prática no microcosmo?

Quando, na meditação mais profunda, estamos na suspensão da respiração, na retenção espontânea que, por assim dizer, é da vontade de Deus, entramos no buraco negro, no vórtice do nada, no vazio. No entanto, de alguma forma, sobrevivemos. A cortina do tempo – tempo que inexoravelmente traz a morte – se abre. É um estado de não ser, mas de não ser em vida. É um presente sem passado nem futuro. Não há mais eu, não há mais o que medita, nem mesmo o que respira. O que surge desse buraco negro, desse nada? Informação. Que informação é essa? A verdade. O que é a verdade? Samádi.

Samádi

O que acabo de dizer, com efeito, é que a mente é um poço sem fundo, como um buraco negro. Pare de tentar enchê-la, pois isso não é possível. Vá além do poço para entrar em contato com a Alma. Embora o iniciante seja fascinado pelo tema do samádi, há razões para não se fixar nele. O iniciante só pode conceber o samádi como a glorificação do eu que ele conhece, do mesmo modo que um tenista no início de carreira sonha vencer em Wimbledon ou no U. S. Open. Os que se iniciam na ioga muitas vezes se entregam à fantasia de chegar facilmente ao samádi, e existem pessoas por aí que estão prontas para se aproveitar de sua ingenuidade.

O samádi tem de ser espontâneo. É impossível descrevê-lo. Não se pode perguntar a alguém que esteve meditando se a meditação durou duas horas. Como saber? É um estado que está fora do tempo. Meditar é ir do conhecido para o desconhecido e de volta para o conhecido. Não se pode dizer "Vou meditar" ou "Meditei por duas horas". Se sabemos que durou duas horas, então estávamos no eu, não no infinito, onde o tempo, no sentido linear, já não existe. Isso se aplica especialmente ao samádi. Ninguém pode dizer "Estou em samádi". Não há o que dizer nem comunicar. O samádi é uma experiência em que a existência do "eu" desaparece. Só pode haver explicação quando o "eu" está presente; portanto, não se pode explicar o samádi.

Estamos agora no invólucro mais interno, no corpo causal, onde podemos enxergar nossa divindade; nesse lugar, o eu minúsculo é substituído pelo Eu maiúsculo, pois aí, no coração da nossa existência, realmente entendemos que a Alma individual é parte da Alma Universal. Dizem que o significado da vida só se torna claro na presença da morte. Nesse ponto da prática, o ego se dissolve, ou melhor, desiste de imitar o Eu verdadeiro. Essa é a coroação da ioga, o samádi (absorção no êxtase), a liberdade final pela fusão da Alma individual no oceano da existência. Estivemos todo o tempo identificados com o corpo, os órgãos, os sentidos, a inteligência, o ego, mas aqui estamos totalmente identificados com a Alma. Na meditação, a consciência está diante da própria Alma. Samádi é olhar a Alma cara a cara. Não é um estado passivo, mas dinâmico, em que a consciência permanece num estado de equilíbrio em todas as circunstâncias. As perturbações da mente e as emoções se dissipam, e podemos enxergar a verdadeira realidade. Livre de pensamentos, a consciência se torna transparente, cristalina, pois a memória e a inteligência são purificadas. Assim como um cristal perfeito reflete todas as cores sem nenhum borrão ou mistura, a consciência, quando pura e não contaminada por perturbações, reflete claramente o objeto do pensamento. Sem o estorvo da poluição, tudo que olhamos se torna tão claro – seja o trabalho, o casamento, os filhos – que é fácil ver a verdade. Quando as nuvens que encobrem o sol se afastam, ele reluz com todo seu brilho. Do mesmo modo, quando o manto do eu, na forma de aflições, perturbações e impedimentos, é removido, o Eu resplandece em toda sua glória. Após uma significativa dose de esforço, o praticante de ioga chega a um estágio em que certos ássanas não requerem esforço. O que nesse caso se alcança externamente é o que se alcança internamente por meio do samádi: um estado sem esforço, no qual se experimenta a graça do Eu. Esse é um estado de grande beatitude e plenitude. A tentativa de explicar o samádi pode ser feita pela cabeça, que não manifesta a verdade real, pois só o coração pode experimentar o samádi. Poucos de nós conseguem chegar ao samádi, mas o que nos interessa aqui é a evolução, o crescimento gradativo e a mudança. É esse crescimento e mudança, essa capacidade cada vez maior de ver a verdade, que nos permitirá viver em crescente liberdade.

Assim como acontece com as outras pétalas da ioga, o samádi também tem seus problemas. Por exemplo, se alguém indaga a um santo "Você é santo?", não há uma resposta verdadeira para essa pergunta. Uma vez que a experiência está fora do tempo e do espaço, não tem registro histórico, qual seria a resposta? Se o santo disser "Sim, eu sou", ele deixa de ser santo e se torna um mentiroso nesse momento, pois não está em samádi ao responder. Ele só pode responder estando no eu presente. Se ele responder "Não, não sou", é um mentiroso também, já que tocou o estado de samádi e viu a realidade suprema. Não se pode fazer essa pergunta nem responder a ela.

Quanto a mim, hesito em dizer que sou um iogue. Apenas posso dizer que estou no caminho e me encontro bem perto. Posso dizer que sou, sem dúvida, um precursor. Estou perto do objetivo – que ele venha quando vier. Não tenho motivos. Tinha muitos motivos quando comecei. Agora não mais. Meu único motivo é dar continuidade ao que aprendi, para não retroceder. Não se trata de uma ambição; só não quero cair (*anavasthitatva*).

Não quero desenvolver no meu sistema o caráter da natureza tamásica, só isso. Você talvez queira saber por que pratico então? Pratico para que a natureza tamásica não predomine sobre minha natureza sátvica. Quando me perguntavam por que continuava a praticar mesmo depois de ter conseguido o que eu queria, minha resposta era "renúncia na prática". Com "renúncia", refiro-me a libertar-se do eu egoico. Quando paramos de pensar no "efeito" ou nos frutos, a experiência é interna, profunda. Não é meditação no sentido em que o termo é empregado hoje em dia – uma espécie de sedativo, uma droga que não permite o crescimento espiritual pleno. A meditação ióguica (*dhyana*) é eletrizante. Por meio dela, afastamo-nos da periferia rumo ao centro. Essa viagem da periferia ao centro é desapego (*vairagya*) – desapego do efeito e apego à Alma. Precisamos transcender os três *gunas* – *sattva, rajas* e *tamas* – enquanto praticamos. E só podemos transcendê-los equilibrando suas proporções em um terço cada. Nesse momento eles são reabsorvidos na raiz da criação, sem sua inerente instabilidade. Como *sattva* é o mais escasso, damos maior importância ao seu cultivo.

Samádi é um estado de experiência em que mesmo a existência do "eu" desaparece. Essa ausência do "eu" é um estado que só pode ser experimentado, não explicado. Mas, por meio de orientações sobre como viver, é possível guiar o praticante no caminho correto. Não se pode aprender ética (*yama* e *niyama*) com exercícios e técnicas. Podem-se explicar os fundamentos da ética universal de *yama* e *niyama* porque se trata apenas de princípios a ser seguidos. Quando somos iniciantes, fazemos o que está a nosso alcance para segui-los, mas, no final, devemos aplicá-los com total consciência, momento a momento em qualquer situação, sob qualquer circunstância. *Yama* e *niyama* têm de ser inspirados pelo exemplo e amadurecidos pela prática. Ássana, pranaiama e *pratyahara* (recolhimento dos sentidos) baseiam-se em técnicas que podem ser explicadas, executadas diante de alguém que as conhece e, portanto, corrigidas. Mas *dharana, dhyana* e samádi são estados que se experimentam e não podem ser ensinados com explicações. No fim, você pode ou não chegar a *dharana, dhyana* e samádi. Se alguém diz que ensina meditação, como estudioso da ioga digo que isso é tolice, pois a meditação não pode ser ensinada, apenas experimentada. Pode-se ensinar uma pessoa a relaxar, o que é extremamente valioso. Se o relaxamento traz serenidade e bem-estar, então é uma forma de se preparar para a meditação, mas não se deve confundi-lo com a coisa em si.

Mencionei que o samádi tem seus problemas. O primeiro é que não se pode concebê-lo, já que é desconhecido, e mesmo assim deve-se aspirar por ele sem cobiça. O segundo é que, caso se chegue a experimentá-lo, não se pode descrevê-lo, pois é indescritível. Se uma pessoa tentar explicar o estado de samádi, deve-se desconfiar de que ela caiu na armadilha da desonestidade ou foi vítima da própria ilusão. O terceiro é que, mesmo em samádi, pode-se ficar preso. Existe uma demarcação tradicional dos diferentes graus ou qualidades de samádi. Costumo agrupá-los em duas categorias apenas. No primeiro grupo estão as experiências inferiores, conhecidas como *sabija samadhi*. *Sabija* quer dizer "com semente". Isso significa que, apesar da experiência de beatitude, as sementes do desejo permanecem no ego como potencial futuro. Mesmo depois do samádi, essas sementes podem brotar de novo e provocar uma recaída, pois o ego não foi inteiramente purificado pelo fogo da experiência. Esse momento da jornada iogue, embora muito elevado, é perigoso porque pode se converter num terreno improdutivo que aprisiona o praticante. Esse estado é conhecido como *manolaya*, termo que denota um estado de espírito alerta e passivo. Nesse contexto, porém, indica complacência com o que foi realizado e tendência a negligenciar esforços para completar a etapa final da jornada. O iogue não pode descansar em seus louros; ao contrário, deve persistir em buscar os estados superiores do samádi, nos quais as sementes do desejo são extirpadas para sempre do ego e não podem brotar de novo nem voltar a perturbá-lo. É o chamado *nirbija samadhi* ("sem semente"), estado em que o sentimento de beatitude não depende absolutamente de nenhum vestígio de ego. Essa é a beatitude do vazio absoluto, do não ser transformado na luz do ser.

Há um relato sobre isso em torno de Sri Ramakrishna, o grande santo bengali do século XIX. Ele tinha o dom da espiritualidade e, desde cedo, entrava facilmente, sem nem mesmo tencionar, num estado de *sabija samadhi* (samádi com semente). Tinha uma devoção especial pela deusa Kali e, em seu êxtase, via-se na presença dela, envolvido por um amor divino, que lhe era familiar. Certo dia, um monge védico que viajava por ali, um asceta, chegou ao templo onde Ramakrishna vivia e o indagou sobre suas experiências. Observando que Ramakrishna tinha o potencial de ir mais além, aconselhou-o a meditar. Ao fazê-lo, Ramakrishna entrou em samádi, um estado que, a essa altura, era muito natural para ele. Então o monge pegou um caco de vidro e o pressionou entre as sobrancelhas de Ramakrishna, que teve uma reação ao mesmo tempo terrível e transcendente. Em seu êxtase espiritual (beatitude interior), ele se viu com uma espada nas mãos matando sua consorte divina, o ser que ele mais amava e venerava. Assim ele mergulhou no *nirbija samadhi* (samádi sem semente), no vazio, no estado final de estar consigo mesmo, numa Unidade sem a presença do Outro, como a beleza pura de um número primo para um matemático – um estado indivisível. Parece cruel, mas ele por fim encontrou, para sempre, a verdadeira liberdade. Ele alcançara a meta suprema da ioga.

Antes que você pense que tudo isso não passa de uma história, de uma metáfora, quero explicar os princípios físicos e neurológicos da beatitude de que estamos falando. Trata-se dos processos reflexivos que têm origem na parte posterior do cérebro e que têm também a função de nos conduzir ao estado de beatitude (*ananda*). No tronco encefálico situa-se *asmita*, a semente da individualidade. Acima dela está o hipotálamo, que é a conexão neurológica de todo o corpo. Patanjali chamava esse lugar de lua (*chandrasthana* ou *anandasthana*), a sede da beatitude. Corresponde ao umbigo, que é a sede do sol (*suryasthana*). Para que a energia flua sem interrupção e por igual, deve haver entre eles um alinhamento perfeito; as quatro esferas do cérebro devem estar em equilíbrio. Dessa maneira, o corpo humano funciona como um eixo, um condutor perfeito entre a terra e o céu, ligando numa união divina as duas forças que nos moldam. O plexo lunar mantém o corpo resfriado e produz um cérebro sereno. Todas as dores e prazeres estão armazenados ali. É a partir dessa fonte que compreendemos e habitamos o estado puro e tranquilo de *anandamaya kosa*, experimentando o coração da existência.

O que aconteceu a Ramakrishna foi que ele passou pela transformação final da consciência. Assim descreveu Patanjali essa ascensão ao *nirbija samadhi* ("beatitude sem semente"): "Uma nova vida começa... as antigas impressões são deixadas para trás... Quando também se abandona essa nova luz da sabedoria, o samádi livre de sementes desponta".

Segundo a ioga, a consciência passa por sete transformações interiores. Elas são puramente subjetivas, ou seja, não podem ser vistas por nenhum meio externo. Só o praticante pode conhecê-las, razão pela qual tentar descrevê-las é o mesmo que descrever a um cego as cores do arco-íris. Mas, para dar uma ideia do que são elas, retomo aqui os cinco estados objetivos da consciência: o entendimento correto e o incorreto, a imaginação, o sono e a memória. Sabemos quando estamos neles e, por isso, quando outras pessoas também estão. Temos muito a aprender com eles se os distinguirmos, refinarmos e cultivarmos. Lembre que Patanjali recomendava os estados curativos da mente para nos ajudar. Estes também são externos ou objetivos e incluem a amizade, a alegria pelo sucesso dos outros, a compaixão pelo sofrimento e a indiferença diante do vício dos outros – todos instrumentos poderosos que podemos cultivar externamente pelo comportamento.

Os setes estados internos da mente são: 1) a observação dos pensamentos que surgem; 2) a capacidade de cortá-los pela raiz antes que ocupem e controlem a mente; 3) o estado calmo e tranquilo que resulta de coibir os pensamentos que surgem; 4) a atenção focada, que é a grande onda unificada de concentração num dado objeto; 5) a consciência cultivada e refinada que advém dessa combinação de restrição e poder; 6) a consciência fragmentada; e 7) a consciência pura, divina, em que o praticante está só consigo mesmo e é um com tudo.

Qualquer pessoa sensata indagaria por que o sexto estado, quase o mais elevado, é definido como consciência fragmentada, um termo certamente negativo ou pejorativo. A consciência focada é como os dois gumes de uma lâmina. Se temos orgulho de nossas realizações, podemos ficar inebriados com o sucesso, o que provoca rachaduras na consciência e contamina *asmita*. Mas, se atravessamos para o outro lado, a consciência permanece pura e alcançamos um estado de divindade. Isso nada mais é que a perigosa encruzilhada de *manolaya,* em que a consciência, por meio do potencial do ego de reviver e se restaurar, conserva suas falhas e imperfeições inerentes. Elas serão invisíveis por fora, mas assomam até a dissolução final da presença do ego, prontas para ser reativadas por situações de estresse ou tentações. É por isso que somente o samádi sem semente leva à extinção final do eu, à derradeira realização do Eu e à liberdade suprema das ciladas da encarnação mortal.

Um exemplo trivial dessa consciência ainda ligeiramente imperfeita (*chidra citta*) ocorre às vezes quando sou convidado para conferências com sábios da Índia, na verdade do mundo inteiro, e nos hospedamos todos no mesmo hotel. É inevitável observar que muitos desses homens têm interesse indevido e desmedido em saber que quarto foi dado a cada um, quem tem a acomodação mais luxuosa, com a melhor vista. É uma espécie de competição hierárquica por *status*. Ninguém deveria se importar com essas coisas, mas, a meu ver, isso denota falta de perfeição e humildade.

É por essa razão que me mantenho firme na prática. Recorrendo a uma comparação mais corriqueira, imagine um astro do tênis admirado pelas façanhas de sua excelente forma juvenil. A ioga fala em carma (ação), *jnana* (conhecimento) e *bhakti* (devoção). São três membros entrelaçados da ioga. O jovem astro do tênis está engajado na ação, vencendo torneios, realizando feitos prodigiosos, assim como eu quando era um jovem praticante de ioga. Eu era um astro no palco, uma maravilha da ginástica. Ainda sou? Tenho 86 anos. Para mim, carma e ação sempre foram também ensinar – ensinar e transmitir o que eu sabia, no momento em que sabia. Mas o corpo perde seu vigor. Em 1979, sofri um acidente que me tirou a destreza, assim como o jogador que machuca o braço ou as costas. Então, tive de aprender sabedoria – sabedoria por meio da adversidade. A recompensa foi a maturidade, uma inteligência que inspirava a ação, como o astro de tênis que perde velocidade na quadra, mas aprendeu a sutileza do seu ofício. O que era instintivo se tornou consciente – tal como acontece com um astro do esporte no final da carreira, quando ele se torna ao mesmo tempo menor e maior. Mas chega uma hora em que o grande campeão do tênis precisa se aposentar. Não pode vencer os mais jovens para sempre. Ele adora o jogo que lhe ofereceu uma vida, e é provável que, durante alguns anos, participe de torneios para veteranos. Talvez se torne treinador, para ensinar o que sabe às futuras gerações, na esperança de que o superem. Ele permanece fiel ao jogo, a suas tradições e ao bem-estar que quer preservar. Isso é *bhakti*, serviço e devoção. Para o iogue, não existe aposentadoria. Mas, assim como para o tenista, há uma mudança de estado, uma função mais humilde e mais elevada. Talvez o tenista pare algum dia. O iogue não pode parar. Respeitando as limitações físicas impostas pela idade, contando com a disciplina que desenvolveu ao longo de anos, com um amor e uma compaixão cada vez maiores, ele deve prosseguir. Ele não quer uma consciência imperfeita. Deseja alcançar a meta, o Eu puro e sem fissuras, que jamais pode retroceder, trair, fazer um mau serviço, falar inverdades, agir de maneira mesquinha ou egoísta. O iogue participa de um jogo que não termina, pois se trata, nada mais, nada menos, de ver a própria Alma.

Muito se falou nos últimos anos sobre *kundalini*, a força vital ióguica que reside na base da coluna e, quando despertada e enviada à cabeça, pode desencadear a iluminação. Costuma-se descrevê-la como fogos de artifício que espoucam com efeitos espetaculares, comparáveis aos da celebração do Quatro de Julho nos Estados Unidos ou dos festivais Diwali na Índia. Não esqueça que todos os fogos vêm com sérias advertências, pois são perigosos. Você pode ficar gravemente ferido ou coisa pior. Patanjali diz que corre pelo iogue um abundante fluxo de energia. Antigamente, era conhecido como fogo (*agni*). Mais tarde passou a chamar-se *kundalini*, pois o nervo espinhal central é *kundalakara*, enrolada três vezes e meia. O despertar da *kundalini* ocorre com a divina união entre corpo e Alma. Como o samádi, não se pode forçá-lo. É o poder da Natureza (*prakrti sakti*) que se une ao poder da Alma Universal (*purusa sakti*). Isso cria uma força imensa, que precisa de armazéns internos para ser estocada. Esses armazéns são chamados de chacras, e para eles convergem as energias física, mental, intelectual, espiritual, cósmica e divina. Por meio da prática da ioga, pode-se traçar o fluxo dessas formas de energia nos corpos visíveis e invisíveis e nos canais conhecidos e desconhecidos que atravessam nosso corpo – os chamados *nadi*. A *kundalini* é parente da experiência do samádi; não é um atalho, um dispositivo mecânico que se possa ativar para esquivar-se do longo esforço de integrar os cinco invólucros do corpo à Alma.

Tenho certeza de que todos buscam o samádi, e a maioria de nós procura atalhos para chegar lá. Aqueles que, após anos praticando flexões, se esforçam moderadamente para juntar as mãos atrás das costas (ou ao redor dos joelhos!), talvez exclamem: "O que o samádi tem que ver comigo?" Bem, para começar, como vimos nos primeiros capítulos, a penetração é possível em qualquer ássana que se execute com razoável proficiência. Uns poucos ássanas bem-feitos podem ser suficientes para levá-lo mais para dentro, em vez dos quarenta que o seu colega de classe executa, com aparente facilidade. Isso não nos dispensa do empenho contínuo para ampliar nosso alcance. Um compositor pode não tocar bem todos os instrumentos da orquestra, mas, se quiser escrever uma sinfonia, deve conhecer muito bem o potencial de cada um; deve saber que contribuição cada um deles pode dar ao conjunto, desde a trompa francesa ao humilde triângulo. Existe na ioga a postura do triângulo (*Trikonasana*); asseguro que, quando toda a minha prática física foi por água abaixo em 1979, devido àquele grave acidente, reaprender o *Trikonasana*, das solas dos pés para cima, permitiu-me ensiná-lo com uma maestria que eu não tinha antes.

O que quero dizer com "todos buscam o samádi"? Não é só por meio da ioga, um método lento, preciso, seguro e comprovado. As pessoas buscam o samádi por intermédio de drogas, álcool, esportes radicais perigosos, músicas românticas, beleza natural e paixão sexual. Há milhares de maneiras, e todas implicam a transcendência do ego padecente numa fusão beatífica com alguma entidade superior a nós. Quando uma lágrima nos escapa ao ver o final feliz de dois amantes num filme ou um personagem que se transformou ou se redimiu, estamos expressando o anseio de fugir dos confins do eu, de nos unir a algo maior, de descobrir, pela perda do conhecido, o magnífico e infinito horizonte do desconhecido.

Alguns métodos de fuga são obviamente nocivos e não podem ser mantidos, como as drogas e o álcool. A arte, a música ou as grandes obras da literatura também podem iniciar o trabalho de transformação no coração do ser humano. Mas só posso ensinar honestamente com base no que conheço. O ássana foi minha escola e universidade; foi no pranaiama que obtive o grau de doutor; e foram essas práticas de ioga que aprendi para alcançar a fusão beatífica. A mudança acarreta decepção quando não é duradoura. A transformação é uma mudança sustentada, e chega-se a ela por meio da prática. O veículo da beatitude deve ser forte, especialmente o sistema nervoso. A beatitude mais sublime produz transformações permanentes. Mesmo os sonhos mais simples de união divina, por mais altas que sejam suas aspirações, encerram um elemento fantasioso. Talvez não se possa mantê-los. Devemos ter aspiração espiritual, não pretensão espiritual. Podemos descobrir que o palco em que nos exibimos contém alçapões nos quais corremos o risco de cair, como atores descuidados. Lembre que a raiz grega da palavra "ator" significa "hipócrita". A ioga é sólida. É o caminho que conheço, o caminho que trilhei, o caminho que ensino. Todos desejam libertar-se das restrições da personalidade e de sua impermanência. Todos desejam o samádi. Desde o alvorecer da história, o ser humano tem buscado atalhos perigosos, indignos, e também os nobres. Pode-se dizer que o árduo e constante progresso da ioga é, ao contrário, uma longa trajetória, mas, se é uma longa trajetória, então é como o voo de uma flecha.

A integração final dos invólucros do ser permite que o conhecimento da Alma se incorpore ao conhecimento do coração e do corpo. Samádi é apenas um estado em que se experimenta a absorção do corpo, da mente e da Alma numa só unidade. Mas, saindo do samádi, temos de alcançar um estado mais elevado e sutil, o *kaivalya* (emancipação ou liberdade eterna na ação). Disse que no samádi você *é* mas não pode *fazer*. Qual é a condição, posterior ao samádi, em que podemos voltar a *fazer* – mas não como antes, quando nossas ações partiam da diversidade e de escolhas aparentes? Posso agir a partir do Eu indiviso? Pode minha consciência entregar-se ao que é sempre estável e constante? Se for genuíno, o samádi revelará uma inteligência que percebe a verdadeira realidade da interconectividade dos seres humanos. Esta se origina da sabedoria, não do poder de controlar as pessoas pelo simples conhecimento mental. Quando alguém atinge essa sabedoria, suas interações com o mundo se baseiam numa compreensão diferente da unidade percebida e realizada, que se fundamenta na compaixão e na amizade. *Kaivalya* é samádi em ação. O tema do próximo capítulo é como viver com a iluminação no mundo cotidiano.

Dhanurasana

7. Viver em liberdade

Quando o assunto é liberdade, a maioria de nós acha que se trata da busca da felicidade. É certo que a liberdade política, como Gandhi bem sabia, é essencial, assim como a capacidade de dirigir nossa vida é essencial para realizarmos todo o nosso potencial. A liberdade econômica também é importante, pois a pobreza, quando aviltante, dificulta pensar na vida do espírito. Mas igualmente importante para a liberdade política e econômica é a liberdade espiritual. Esta, na verdade, requer um autocontrole maior e a habilidade de conduzir a vida na direção certa. É a liberdade suprema, em que a Alma individual se funde na Alma Universal, à medida que nos libertamos das necessidades e dos desejos para alcançar um propósito mais elevado e conhecer melhor a vontade do Absoluto.

Este capítulo corresponde ao quarto e último capítulo da grande obra de Patanjali, que o denomina *Kaivalya pada*, o capítulo da liberdade. Na verdade, ele inicia seu livro com o samádi e então, no segundo capítulo, retorna aos fundamentos, mostrando como dar o primeiro passo no caminho da jornada interior pelos invólucros do ser. No terceiro capítulo, leva-nos de volta ao zênite da ioga, mas adverte dos perigos que assomam se sucumbirmos às tentações do nosso crescente poder. O capítulo final é o mais bonito e mais lírico: saboreamos a doçura da grande tarefa realizada, ao mesmo tempo em que Patanjali se desvia do caminho para colocar nossos pés de volta em terra firme.

O samádi é uma experiência que vale a pena buscar, conforme Patanjali deixa claro. É transformador e totalmente purificador. Mas e depois? O samádi é um estado de ser no qual não se pode agir. Você não pode pegar um ônibus em samádi. Num estado de Unidade, como você poderia decidir qual deles tomar? O samádi muda o praticante para sempre, mas ele ainda precisará se vestir ao acordar, tomar o café da manhã e checar a correspondência. A natureza não desaparece simplesmente, de uma vez por todas. O que acontece é que o iogue realizado jamais estará inconsciente de novo da verdadeira relação entre a Natureza e a Alma cósmica. As pessoas comuns costumam dizer: "Vivo minha vida". O iogue sabe que é a respiração divina que nos faz viver e consegue vê-la nos outros. Seu *insight* penetra além da superfície das aparências. A essência é mais real que a expressão.

Kaivalya é liberdade e também singularidade, mas, como disse, é a singularidade do número primo, que, indivisível por qualquer outro número exceto a própria unidade, vive numa inocência e virtude impecáveis. O iogue experimenta a liberdade que advém de compreender que a vida não tem nada que ver com perpetuar a existência do eu mortal, seja em sua forma física ou egoica. Ele aproveita a oportunidade de encontrar o Eu imperecível antes que tudo que é transitório desapareça, como a cobra que se desfaz de sua antiga pele.

O iogue realizado continua a atuar e desempenhar suas funções no mundo, mas agora com liberdade. Ele está livre dos desejos da motivação e do desejo dos frutos ou recompensas de sua ação. Seu agir é totalmente indiferente mas, por outro lado, repleto de compaixão. Ele está *no* mundo mas não lhe *pertence*. Não é mais atingido por causa e efeito, ação e reação. Mais adiante veremos o papel que o tempo representa nisso – somos livres quando já não temos a ilusão do tempo a nos prender ao passado e ao futuro e distorcer o presente.

O desafio para o homem espiritualmente livre é viver de acordo com cinco qualidades: coragem, vitalidade, memória correta e útil, consciência de viver no momento presente e total absorção em suas atividades. Maturidade espiritual significa que não há diferença entre o pensamento e a ação que o acompanha. Se há discrepâncias entre ambos, é porque estamos enganando a nós mesmos e projetando uma falsa autoimagem. Se me convidam a fazer uma demonstração diante de uma plateia, é certo que minha apresentação conterá algum elemento de orgulho artístico. Mas, quando sozinho, pratico com humildade e devoção. Espiritual é o homem que consegue impedir que o inevitável egotismo ocupe o centro de sua vida e suas atividades. Nesse estado, a despeito da mente, da inteligência e da consciência, ele é levado a viver uma vida honrada, com base na sabedoria iluminadora do coração. Ele vive na verdade do coração e a expressa em palavras.

Com seu conhecimento e sabedoria, o homem espiritual percebe as diferenças de idade e inteligência entre si e os outros, mas nunca perde de vista o fato de que o ser interno é idêntico. Ainda que seu conhecimento interior seja tão profundo e sutil que ele viva num estado notável de elevada sabedoria, seus pés estão firmemente plantados no chão. Ele é prático e lida com as pessoas e seus problemas tal como são, onde quer que se apresentem.

O homem livre é inovador e aberto, até mesmo revolucionário, como tenho sido na minha prática da ioga, mas também impregnado de tradições, graças à cultura e à hereditariedade. Ele está enraizado em suas experiências e nas descobertas que fez por meio da prática da ioga. No entanto, deve prosseguir com a mente aberta para captar as sutis descobertas que lampejam no *sadhana* e usá-las para aprimorar seu desenvolvimento interno. Embora se baseie na ética tradicional, nos textos sobre a ciência da ioga e nas escrituras, sua condição de homem livre lhe confere uma autoridade própria. Quando digo "livre", refiro-me àquele cujas práticas seguiram o caminho do desapego e da renúncia até sua conclusão: a liberdade incondicional de *kaivalya*.

O praticante de ioga precisa se lembrar que o processo de aprender a viver em liberdade ocorre gradativamente, à medida que nos libertamos dos hábitos do corpo, das emoções e da mente. Conforme nossas habilidades aumentam, devemos estar sempre atentos para usar eticamente nosso poder.

Poder

A autoridade traz poder, mas a prática do desapego refreia esse poder, evitando abusos. O poder do discernimento psicológico adquirido pelo iogue, sua habilidade de "ler" as pessoas, deve ser direcionado para ajudá-las a crescer. A frase "Conhecimento é poder" é muito utilizada para vender jornais e periódicos. Implícita nessa noção está a crença de que o conhecimento traz poder *sobre os outros*, ao passo que o conhecimento do iogue é introspectivo e traz poder *sobre si mesmo*. Aliado ao discernimento e à compaixão, esse poder pode ser uma força voltada para o bem no mundo. O conhecimento que se origina da inteligência e da destreza mental, se destituído de discernimento e compaixão, é repleto de consequências imprevistas. Fausto, por exemplo, vendeu a Alma ao diabo para obter o poder do conhecimento. Uma pessoa engenhosa pode descobrir a cura da malária ou inventar uma nova variedade de antraz para usar na guerra biológica. A primeira obviamente tem discernimento; a última não tem sabedoria nem compaixão. Essa inteligência, o poder do cérebro, inebria-se de si mesma. Patanjali chamava de *siddhis* os poderes incidentais acumulados pelo praticante de ioga. Ele era muito severo ao advertir contra seu abuso. Dizia que esses poderes servem para sinalizar que estamos no caminho certo, mas então devem ser ignorados por completo. Do contrário, podem se tornar ciladas que nos fazem cair na vaidade e na arrogância.

O iogue, por definição, não se deixa envenenar por si mesmo. Pode ser que suas ações sejam muito pequenas, mas, se cada uma delas for perfeita em sua hora e lugar, seu efeito cumulativo é considerável. E como as ações do iogue são fundamentadas no exemplo, não em preceitos ou discursos, produz-se um efeito cascata que as faz ser imitadas pelos outros e transmitidas adiante, para proveito de todos. Esse efeito cascata que surge da ação genuína e desinteressada é expresso no preceito universal "Faça aos outros o que gostaria que fizessem a você". Cada ação é um módulo perfeito e distinto, livre de consequências adversas e indesejadas. Mesmo com boas intenções, as pessoas engenhosas nunca sabem direito aonde estão indo. A descoberta da penicilina salvou centenas de milhares de pessoas de padecerem ou até morrerem por determinadas doenças sexuais, por exemplo. Mas ainda hoje sabemos que a licenciosidade sexual tem consequências. Meu argumento aqui não é de natureza moral. A questão é uma só: o que consideramos "bom" no mundo da causalidade normal pode rapidamente se converter no que chamamos de "mal". O homem livre, por outro lado, embora viva num mundo de causa e efeito, aprendeu a ser prudente e agir com grande precisão.

A engenhosidade, portanto, quando age sozinha, é como uma força centrífuga, capaz de girar cada vez mais rápido e perder o controle de sua intenção original. O conhecimento ióguico, ao contrário, é uma força centrípeta, que está sempre descartando o que é irrelevante a fim de investir na busca do coração da existência, onde reside a verdade duradoura. O objetivo da inteligência, para o praticante de ioga, não é se engrandecer, mas, atuando como um bisturi, extirpar o que é irreal para que a vontade real e permanente se revele. Isso nos leva diretamente para o exame do ássana mais difícil, para a dimensão que a humanidade ainda não integrou à sua consciência: o tempo.

Savasana e o tempo

Muitos querem saber por que, no meu livro *A luz da ioga*, refiro-me ao *Savasana* (postura do cadáver) como a posição mais difícil. Para a maioria das pessoas, a postura do cadáver é uma recompensa agradável depois de uma aula de ioga cansativa, em que experimentam um relaxamento tórpido ou vibrante e, em certa medida, luminoso. Luminoso aqui significa *satívico*, ou seja, consciente e passivo. Tórpido significa *tamásico*, e, como muitos alunos chegam à aula depois de um dia duro de trabalho, nunca me opus a isso. É natural que aconteça, e muitas vezes os roncos compõem a música que encerra uma aula repleta de alunos – entre eles os já veteranos. Pode ser que eu seja muito exigente nas posturas em pé, mas creio que jamais acordei um aluno durante o *Savasana*, exceto talvez na hora de mandá-lo para casa. Mas o propósito do *Savasana* não é fazer adormecer. Se fosse assim, não seria uma posição difícil.

O objetivo do *Savasana* é fazer soltar, do mesmo modo que, como mencionei há pouco, uma cobra solta sua pele para ressurgir lustrosa e fulgurante em suas cores novas. Temos muitas peles, camadas, pensamentos, preconceitos, ideias preconcebidas, memórias e projetos para o futuro. O *Savasana* consiste em soltar todas essas peles para que possamos ver como é magnífica e lustrosa, serena e consciente a bela serpente irisada que reside dentro de nós. E, a exemplo da serpente, nos deitamos no chão, deixando a superfície do corpo o máximo possível em contato com ele.

Ora, se o *Savasana* tem que ver com relaxamento, o que nos impede de relaxar? A tensão. A tensão resulta de estarmos agarrados à vida e, assim, sob o controle dos milhares de fios invisíveis que nos prendem ao mundo conhecido, ao "eu" conhecido, ao ambiente conhecido em que ele atua. São os fios que ligam o "eu" ao seu ambiente que nos proporcionam o senso de identidade. Meus alunos, quando se deitam no chão ao término de uma aula puxada, ainda estão identificados com seu papel de marido ou esposa, ainda preocupados com as compras que terão de fazer a caminho de casa, com os pais que estão à sua espera, com os filhos que precisam de ajuda com a lição de casa. Eles ficam cansados porque mantêm a consciência de que são executivos que tiveram um dia extenuante no trabalho. Talvez o dia tenha transcorrido bem; talvez não. Meus alunos são todos filhos, filhas, maridos, esposas, trabalhadores, pais, homens ou mulheres. Os milhares de fios da identidade os amarram ao solo quando se deitam em *Savasana*, como Gulliver aprisionado pelos fios dos minúsculos liliputianos.

O *Savasana* utiliza técnicas de relaxamento para cortar esses fios. O resultado disso não é, como na meditação, a liberdade, mas a perda da identidade. Não digo perda da falsa identidade porque, no mundo em que operam, essas identidades são reais. No entanto, de um ponto de vista mais amplo, elas são irreais. Mesmo o fato de ser homem ou mulher é uma identidade que pode ser derrubada.

Relaxar é interromper a tensão. Interromper a tensão é cortar os fios que nos prendem à identidade. Perder a identidade é descobrir quem não somos. Não disse antes que a inteligência é o bisturi que extirpa o que é irreal para deixar somente a verdade? Não é verdade que, quando está deitado em *Savasana*, numa posição harmoniosa e equilibrada, você se sente presente e sem forma? Quando se sente presente e sem forma, não sente a ausência de uma identidade específica? Você está ali, mas quem está ali? Ninguém. Só a percepção presente, sem movimento nem tempo, está ali. A percepção presente é a extinção do tempo na consciência humana.

Esse é o problema com o tempo. Só podemos concebê-lo em relação ao espaço, como um rio fluindo ou um pedaço de cordão. Dividimos o cordão em décadas, anos, meses, dias, horas, minutos e segundos. Essas são as *extensões* do tempo, e, seja o tempo o que for, não é justo nem correto tratá-lo como uma dimensão do espaço, algo a ser medido por um comprimento, como uma parede ou uma estante. Outro problema é que consideramos o tempo algo vazio, destituído de significado, como um balde sem nada, até que o enchamos com alguma coisa – nossas atividades, por exemplo. Seja o tempo o que for, devemos compreendê-lo plenamente em sua essência, em sua natureza, como a flor que cresce no deserto sem precisar de nenhum observador para realizar o potencial da própria beleza. Se você tentar imaginar o tempo sem usar conceitos espaciais, perceberá que é extremamente difícil. Por isso digo que não integramos ainda o tempo a nossa consciência, como fizemos com as três dimensões do espaço. O poder da ciência é a prova de nossa capacidade de nos projetar no espaço. Mas espaço sem tempo é como músculo sem cérebro.

Para nós, o tempo parece mover-se, fluir, ter duração, extensão – portanto, ser espacial. Em outras palavras, estamos presos no aparente movimento do tempo. Contudo, todos os caminhos espirituais falam da importância primordial de viver no presente. O que é o momento presente? Um segundo? Ou algo menor? Pela lógica, o presente só pode ser uma unidade de tempo infinitamente pequena, um segundo dividido pelo infinito. Isso não existe. Como extensão de tempo, o presente simplesmente não existe. De que forma, então, viver no presente? É um paradoxo impossível.

Temos de encontrar o presente por outros meios. A única maneira de fazer isso é dissociá-lo do passado e do futuro. Desse modo, o tempo não pode fluir. Ele literalmente para, como acontece na meditação e no samádi. O *Savasana* é a chave para entender isso. Nossa identidade e afiliação nos ligam ao passado e ao futuro. Nada na vida nos liga ao presente, exceto o estado de *ser*. A ação acontece no decorrer do tempo; ela tem duração. Ser transcende o tempo. O estado de ser só é alcançado quando são cortados todos os fios que ligam ao passado ou ao futuro. Nasci homem; serei homem amanhã. Posso agora, no *Savasana*, deixar de lado a identidade sexual que me liga ao passado e ao futuro? Posso existir numa percepção de tempo distinta, na qual passado e futuro não se impõem ao presente nem o maculam? *Savasana* é ser sem ter sido, ser sem vir a ser. É ser sem ninguém que *é*. Não surpreende que seja o ássana mais difícil, a porta para a meditação não dualista e para a fusão cósmica do samádi.

Quando passado e futuro são descartados, o que resta é o presente. Suponha que você passe cinco minutos no presente, num *Savasana* maravilhoso. É um *Savasana* de cinco minutos? Não. É uma infinidade de momentos presentes, distintos e justapostos, sem ligação nem continuidade. É como olhar um rolo de filme e ver a imagem contida em cada quadro e, em seguida, perceber um salto ligeiro que leva à próxima realidade. Elas não transcorrem juntas, a menos que você as observe em movimento, quando parecem contínuas. O fluxo de tempo psicológico nos amarra às identidades e eventos passados e futuros. Enquanto estivermos presos no fluxo do tempo como uma sequência de movimentos, não conseguiremos estar totalmente no presente. Portanto, vivemos numa espécie de realidade consensual. Por isso digo que o tempo visto como movimento, não como presença, é uma ilusão que limita nossa liberdade. O *Savasana* nos liberta disso. Na meditação, como disse, abrimos uma fenda na cortina do tempo. É no *Savasana*, quando nos tornamos ninguém – literalmente nada e ninguém –, que nos reduzimos a um tamanho pequeno o bastante para atravessar essa fenda infinitesimal na cortina. O praticante que consegue abandonar cada uma de suas identidades pode acessar lugares onde nenhum ego rechonchudo é capaz se infiltrar.

O fenômeno do aquecimento da água serve de analogia para os céticos da aparente continuidade do que percebemos como um fluxo de mudanças. Ao contrário do que parece, a água não fica gradualmente mais quente. Como os *slides* do filme, ela salta de uma temperatura para outra. Saltos muito pequenos, é claro; primeiro ela atinge uma temperatura e depois salta para outra, ligeiramente mais quente. Não há intervalo. Isso sugere que a vida é uma série de transformações distintas. Estamos num estado, então praticamos, soltamo-nos, e logo estamos em outro. O que experimentamos como crescimento ou evolução é, de fato, uma longa série de pequenos saltos. Esses saltos são instantâneos, o que significa que existem fora do tempo que conhecemos. O derradeiro triunfo do iogue é viver em *kaivalya*, fora do tempo, por assim dizer, mas na verdade dentro dele, dentro do seu coração, sem ligação com o passado e o futuro. Isso é viver sempre no cerne do presente. É a integração da real natureza do tempo à consciência, e o *Savasana* é a chave. Relaxe, durma até. Somos todos humanos. Mas, no *Savasana*, você está à beira de um grande mistério, e, embora seja a mais difícil de todas as posturas, pelo menos temos a graça de poder deitar no chão para praticá-lo.

Todos os modelos de vida espiritual ou crescimento pessoal nos seduzem com a crença de que estamos *nos tornando*, em vez de simplesmente *sendo*. Ser não é algo estático; assim como no exemplo do aquecimento da água, é um momento no presente, num certo estado ou condição. Se continuamos a acender a chama da prática diligente, como um bico de Bunsen sob uma retorta, outro estado surge de maneira espontânea, como por magia. Só com o tempo percebemos a sequência dessas transformações, por isso ficamos presos na ilusão de que se trata de tornar-se, em vez de apenas ser, ser de novo, ser novamente, em etapas separadas mas transformadoras, *ad infinitum*, como as fotos de cena de um antigo filme mudo, até que a história termine, de preferência com um final feliz.

A ideia de que estamos subindo uma escada é universal, embora seja falha em alguns aspectos e certamente leve os praticantes a fazer comparações invejosas ou estabelecer uma hierarquia de superioridade. A ioga evita essa ideia porque todas as pétalas são praticadas simultaneamente e formam um todo composto.

Acredito na perfeição do sistema iogue como veículo para a iluminação. E torço pelo time de críquete indiano. A vida nos coloca num certo tempo e lugar, e, a partir desse ponto, devemos vivê-la da melhor maneira que podemos. Mas, quando as pessoas evocam a perene sabedoria do misterioso Oriente, como se todos os outros seres humanos ao longo da história tivessem tomado o caminho errado e não tivessem evoluído, fico impaciente. A mente do homem é uma só. A mecânica da consciência é a mesma em todo lugar. Uma pessoa boa, que viva de acordo com a ética, com os olhos voltados para as estrelas e os pés calcados no caminho do dever, é uma pessoa boa em qualquer lugar. Problemas são problemas em toda parte. A compreensão e os caminhos que a ioga oferece são válidos em todo lugar, para todas as pessoas, em todas as épocas. Não se pode pregar a ioga ou fazer proselitismo dela. Ela só pode ser adotada, e seu sucesso em todo o mundo é prova não de alguma habilidosa arte de vender, mas de sua eficácia prática e suas altas aspirações, a que todo ser humano tem direito.

Para começar a viver em liberdade, precisamos saber como é possível realizar as quatro metas da vida ao longo dos quatro estágios da vida.

As quatro metas da vida (*purusartha*)

Em seu penúltimo sutra, Patanjali esclarece que a iluminação e a liberdade vêm ao encontro daquele que teve uma vida plena. Plena e completa, não de excessos ou vícios. Não se pode ascender ao cume do monte da natureza quando se é presa dos excessos do mundo. Tampouco se pode dar as costas a eles. Como já mencionei no início do livro, quando eu era jovem tive a oportunidade de me tornar um renunciante, um *sannyasin* em roupas cor de açafrão. Recusei tal oportunidade e escolhi o mundo. Mas meu objetivo não era engolir o mundo, viver somente nele e pertencer-lhe inteiramente, passando pelos vários estágios de crescimento que ele nos oferece.

As quatro metas da vida que devemos alcançar, segundo Patanjali, são darma, *artha, kama* e mocsa. Podemos traduzi-las da seguinte maneira: cumprir nossas obrigações vivendo com correção (darma é geralmente descrito como religião ou dever religioso); a autoconfiança de ganhar nosso sustento (*artha*); os prazeres do amor e das delícias humanas (*kama*); e liberdade (mocsa). Há entre elas um ajuste preciso. Não fosse assim, a vida seria um caos.

Imagine um rio correndo entre duas margens que controlam seu curso. Uma delas é darma, a ciência da religião, ou, a meu ver, a obrigação moral que preserva, sustém e sustenta nossa humanidade. Religião significa aqui a observância de princípios universais ou éticos, que não se limitam a determinada cultura, época ou lugar. A outra margem do rio é mocsa, liberdade. Mocsa não é um conceito fantasioso de liberação futura; é agir com desapego em todas as pequenas coisas do aqui agora – não pegar a maior fatia do bolo, não ficar irritado porque não é possível controlar as ações e palavras de outras pessoas.

O rio do amor, do prazer, da prosperidade e da riqueza flui entre essas duas margens. O amor pessoal, que inclui o sexo, é um maravilhoso aprendizado do amor divino. Quando se aprende a amar uma mulher, é possível aprender a amar toda a natureza feminina, o princípio feminino em sua totalidade. Você não pode amar sua esposa e, ao mesmo tempo, odiar as outras mulheres. Isso não quer dizer que o sexo feminino é um banquete servido ao homem. Ao contrário, o particular é a porta para o universal. Pelo amor aos filhos, os pais, especialmente as mães, aprendem a abraçar toda a humanidade. Disse que me recusei a ser um *sannyasin* porque queria viver no mundo, com todas as suas turbulências e desafios. Disse também que não queria engolir o mundo. Essa é a insensatez do vício. Não se pode consumir o infinito. Só o que podemos fazer é saborear sua essência por meio do particular. Darma e mocsa nos servem de auxílio aqui.

Comentei também que, quando eu era jovem, passava longos períodos fora de casa dando aulas, e, às vezes, as alunas nutriam fantasias a meu respeito. Para me preservar e proteger das enchentes que ameaçavam alagar a margem do decoro, invoquei o darma, cultivando maneiras austeras e intimidativas. Estas tinham o efeito de um ímã às avessas, que mantinha as pessoas a distância e me impedia de cair numa conversa fácil.

Nas minhas viagens, tinha acesso a outros tipos de entretenimento, belas paisagens, filmes e peças teatrais estimulantes e interessantes. Aproveitei-os ao máximo, como recomendava Patanjali, mas o desapego de mocsa me dava objetividade. Tentava relacionar tudo que via e aprendia à visão de mundo da ioga, sempre me perguntando de que maneira aquilo poderia ser utilizado para melhorar minha prática e minhas aulas.

No campo do amor humano, fui agraciado com uma companheira perfeita, e o rio do amor fluiu serenamente. Já *artha*, ganhar o sustento, foi uma outra história – águas turbulentas em torrentes perigosas. Quando jovem, às vezes passava fome – falta de dinheiro significava falta de comida. Casei-me antes de me encontrar numa situação estável, e logo os filhos começaram a chegar. Trabalhava sem descanso, pedia emprestado, mas o dinheiro continuava sendo uma grande fonte de ansiedade. Os alunos mais ricos não são necessariamente os que pagam mais rápido ou em dia, como todo professor bem sabe, e às vezes eu me deixava explorar. Mesmo quando fundei minha escola de ioga, em meados dos anos 1970, os problemas prosseguiram. Não faltava comida à mesa, felizmente, mas os edifícios acabam apresentando rachaduras e o governo sempre cobra impostos. Na verdade, só recentemente essa corrente do rio se tornou mais suave para mim. Vivo com a mesma simplicidade de antes, como as mesmas coisas (só que, com a idade, bem menos), mas já não preciso me preocupar; quando há algum excedente posso destiná-lo a projetos educacionais e de irrigação no vilarejo de Bellur, onde nasci e do qual saí em 1925.

Posso dizer, no entanto, que cumpri o *artha* – criei meus filhos e construí uma casa graças ao trabalho como professor de ioga. Sempre tive fé e sempre consegui me virar, mas por muitos anos esse foi um percurso bastante penoso. Imagino que, se tivesse conquistado patrocinadores ricos, poderia ter me tornado um parasita, como fazem alguns homens "santos". Mas isso não é *artha*, não é darma, não é mocsa, e só posso agradecer mais uma vez por meu jeito intimidativo, que manteve as pessoas a distância e impediu que as margens do meu rio ficassem alagadas. A segurança financeira é essencial. Minha experiência é que, se você tiver fé e se entregar totalmente, Deus cuidará de você.

Uma forma de resumir as quatro metas da vida é dizer que, se você se comportar eticamente, por um lado, e se entregar a Deus, por outro, você conhecerá o amor, o trabalho e o riso.

O mocsa, como eu disse, consiste nos milhares de pequenas liberdades que conquistamos a cada dia – o sorvete que retornou ao congelador ou a resposta áspera que se conteve. Esse é o exercício para o desapego maior que leva à liberdade suprema (*kaivalya*). Embora *kaivalya* seja majestoso e permanente, não devemos subestimar as pequenas vitórias diárias do mocsa. Elas resultam da vontade persistente e constante de ser cada vez mais livre, de cortar a miríade de fios que nos prendem – dos quais já falamos ao nos referir à tensão e à prisão que dificultam o *Savasana*. Qualquer coisa, por menor que seja, que restrinja nossa liberdade de agir a partir da fonte, do nosso centro, é motivo de tensão e estresse. A liberdade se ganha aos poucos e com o tempo.

Retornemos agora ao tema do darma. Se o traduzimos como "a ciência do dever religioso", imediatamente surge a pergunta: "O darma segue os ditames de algum credo religioso?" Com certeza não. O darma não está ligado a nenhum culto ou seita; ele é universal. A segunda pergunta que então nos ocorre é: "Darma significa ser uma pessoa moral?" Eu diria que os chamados valores morais estão sujeitos a mudar com o passar do tempo e conforme a cultura, o lugar e as circunstâncias. O darma diz respeito à busca de princípios éticos permanentes, ao cultivo do comportamento correto nas dimensões física, moral, mental, psicológica e espiritual. Tal comportamento deve estar sempre associado ao crescimento do indivíduo que tem a meta de alcançar a Alma. Se não for assim, se ele for limitado ou distorcido pelo viés cultural, então não corresponde ao darma. A *sadhana*, a jornada interior do praticante, não admite barreiras entre indivíduos, culturas, raças e credos. Tampouco o darma. A descoberta da Alma Universal por meio da realização da Alma individual é uma experiência que, por definição, derruba todas as barreiras. Não tenho nenhuma objeção à palavra "religião"; estou acostumado a ela, ao contrário de algumas pessoas. Vale lembrar que a raiz latina dessa palavra, *relegere*, significa estar consciente, e a consciência absoluta jamais perceberá diferenças ou conflitos. Só a consciência parcial faz isso. Assim, a maioria das pessoas religiosas é apenas parcialmente religiosa.

Portanto, por mais bem intencionadas que sejam, elas ainda carecem de uma consciência mais ampla, mais inclusiva.

Sempre fui e continuarei sendo um homem ético. Se levo uma vida espiritual, é pela graça de Deus, mas cultivar a ética é dever de todo ser humano. Se adotamos certos princípios universais na vida, Deus está sempre olhando por nós, suavizando nosso caminho e nos ajudando a atravessar os momentos difíceis. Minha ioga se baseia na ética, mas devo reconhecer que fui criado e treinado para a vida ética, assim como um cavalo de corrida é treinado para a velocidade. Não que minha vida tenha sido sempre imaculada, mas foi o impulso à integridade ética que a dirigiu. Ela é o rochedo sobre o qual assentam meus ássanas, e esse rochedo deve ser defendido da mesma maneira que um marajá defende sua fortaleza na colina.

Admito que tenho apreço pela tradição instituída por meus antepassados e transmitida por eles. Ao mesmo tempo, porém, sou um revolucionário. Estudei a tradição com o objetivo de encontrar sua razão original de ser, descobrir seu significado essencial, debruçando-me sobre ela com minha percepção e inteligência. A tradição é como uma linda estátua que, com os anos, gradualmente retorna ao pedaço de pedra bruta que lhe deu origem. Cabe a nós lavrá-la e esculpi-la de novo para resgatar a beleza da forma original ali contida. Assim fiz, e por isso posso dizer que sou um revolucionário que busca desvendar as antigas tradições. Sou ao mesmo tempo original e comum, novo e velho. Enquanto perseguia as quatro metas da vida, fui atravessando os quatro estágios da vida, pelos quais todos devemos passar.

Os quatro estágios da vida (*ashrama*)

As quatro metas da vida têm estreita relação com o que descrevemos como os quatro estágios da vida (*ashrama*). São tendências naturais e muito simples que todos experimentamos se temos a bênção de viver o suficiente. Podemos defini-las como abrigos que nos ajudam a cumprir as quatro metas da vida e manter o rio fluindo entre as margens que o protegem.

O primeiro estágio nos leva da infância e da adolescência para o início da vida adulta. É o período em que precisamos ir à escola e aprender o que pensam as pessoas, ainda que sua concepção de mundo pareça errada algumas vezes. É a época de assimilar o conhecimento tradicional transmitido por pais, professores e pessoas mais velhas. É quando nos submetemos a disciplinas (como ir à escola e estudar matemática) das quais nem sempre gostamos ou que parecem sem sentido. Essa época é conhecida como *brahmacaryasrama*. Essa palavra sugere autocontrole, disciplina e castidade; nesse momento da vida, a sabedoria consiste em ser paciente, afável e respeitoso com os mais velhos e os tutores, mesmo que não se atribua muito valor ao que eles tentam ensinar. Parte do que eles dizem se revelará importante mais tarde, e veremos que valeu a pena não ter rejeitado isso. Trata-se de direcionar suavemente as energias da infância, não de refreá-las e suprimi-las com brutalidade. Mais tarde, nós mesmos transmitiremos essas tradições à nossa maneira, e o importante é que, quando adultos, tentemos incorporá-las e servir de exemplo.

Uma questão a considerar é que as crianças têm muita energia. É uma torrente que pode destruir suas margens e dissipar-se de maneira autodestrutiva. O que um adulto ou tutor esclarecido tenta fazer é construir a margem do darma, do dever sensato e responsável, para que a torrente da exuberância juvenil não se perca nas areias do deserto.

É por isso que os pais tentam conter a precocidade sexual dos filhos, assim como impedir que fiquem até tarde na rua com outros jovens que podem dar vazão a suas piores tendências, em vez de às suas melhores aspirações. É por isso que os mais velhos tentam refrear o desejo precoce dos jovens de provar os excessos do mundo. É uma perda de energia prematura. As crianças têm mentes brilhantes; podem aprender matemática e computação, latim e sânscrito como nenhum adulto. Se toda a adolescência é desperdiçada em namoros, que têm origem mais na atração do que no amor profundo, os talentos naturais se perdem. Castidade não é repressão. É a canalização dirigida para um fluxo mais maduro e glorioso que virá a seu tempo.

O segundo estágio da vida é chamado *grhasthasrama*, época de ganhar o próprio sustento e provar os prazeres do mundo. *Grh* significa "casa"; você é então um chefe de família que tem um teto próprio, certa liberdade e uma esposa para deitar ao seu lado à noite. O tormento de se arrastar até a escola com uma mochila cheia de livros, muitas vezes com a lição por fazer, é substituído pelas alegrias da vida familiar. Estas incluem acordar no meio da noite para atender ao bebê que está chorando e ir trabalhar com sono para satisfazer um chefe que você sabe que não lhe dá o devido valor. Incluem preocupar-se com o aluguel ou a prestação da casa, com o filho que está doente e com as ocasionais incompatibilidades com a esposa. Incluem o carro, com que você tanto sonhou, quebrar-se no meio da estrada. Não estou pintando um quadro triste apenas para deprimi-lo. Só estou dizendo que esse pacote comporta uma miscelânea de coisas. Usamos aqui as habilidades que aprendemos na primeira infância. A escolha, que assumi conscientemente, de rejeitar a vida do renunciante, do monge, do *swami*, foi para mim um grande prazer. Além da alegria de voltar para minha família depois das viagens e dos sucessos que obtinha, houve também momentos difíceis, de preocupação. Em outras palavras, ser um chefe de família, mesmo que se tenha acesso a riquezas e prazeres sensuais, pode ser um trabalho árduo.

Seria impossível manter a labuta do dia a dia sem a ciência do dever, do darma, assimilada no primeiro estágio da vida.

Para começar, não teríamos como comparar nossas dificuldades e alegrias com as das pessoas que nos precederam por incontáveis gerações. Essa antiga sabedoria tradicional nos ajuda a seguir em frente. É assim que aprendemos a empatia humana. Como disse certa vez um filósofo a respeito da base metafísica da moral, comportar-se moralmente em relação às pessoas requer respeitá-las pelo que são, em vez de usá-las como meio de obter riquezas e glória. Sem a margem da obrigação religiosa a guiá-lo (no sentido de que todas as religiões buscam o autoconhecimento), a vida de um chefe de família rapidamente degeneraria no inferno da cobiça e da discórdia.

Lembre que a outra margem de contenção do rio da vida, que flui abundantemente com riquezas e prazeres sensuais, é mocsa – liberdade, mas liberdade diária na forma de desapego, a duras penas conquistado em meio aos reveses e desapontamentos da vida. Para uma criança, liberdade geralmente significa comer sorvete até passar mal, ou ficar assistindo à tevê até meia-noite. Para um adolescente, é o impulso rebelde de rejeitar as imposições dos pais e dos professores. A rebeldia tem seu lugar – eu mesmo fui um rebelde, como já contei. Mas há uma forma autodestrutiva de rebeldia que consiste numa abominável resistência e má vontade a ouvir (ou obedecer) e cooperar no terreno da vida familiar e da sociedade política. Mais tarde descobrimos que a harmonia das nações, ou seja, a amizade entre povos de diferentes países, culturas e sistemas políticos, baseia-se na cooperação tolerante. Esse é o alicerce da paz mundial.

Nesse estágio aprendemos a nos civilizar cultivando o amor, o perdão, o afeto, a compaixão, a tolerância e a paciência para conciliar os diferentes ambientes emocionais e sociais. Ele se fundamenta na generosidade, na hospitalidade, no dar e receber. É, portanto, o *ashrama* mais elevado.

Na juventude, o mocsa é ensinado como desapego diante dos caprichos e frustrações da vida. Consiste em explicar a uma criança que o prometido passeio ao zoológico ou ao parque de diversões terá de ser adiado por causa da chuva; que papai e mamãe não podem comprar brinquedos muito caros. Mais tarde, consiste em consolar o adolescente que não conseguiu ingressar na universidade dos seus sonhos. Às vezes, desapego é estar disposto a admitir aos filhos que os adultos também são falíveis e podem errar – e ter a humildade de pedir desculpas. Essa é a margem do mocsa, o exercício de desapegar-se das infinitas formas de sofrimento da vida cotidiana. Precisamos reconhecer esses sofrimentos para nos desapegar deles. Por outro lado, como também experimentamos infinitas formas de sucesso, precisamos ter a modéstia de compartilhá-los e "abrir mão da grandeza", ou seja, não atribuir os louros a nós mesmos, a nosso ego, mas humildemente dedicar nosso êxito a uma fonte maior e mais elevada, ver-nos como instrumentos e beneficiários da sorte, não como seu arquiteto. Isso é mocsa, a encantadora, perfumada e, às vezes, triste margem do rio que canaliza a corrente da vida.

O cumprimento do dever se torna instintivo. O desapego é sempre uma luta. É por isso que o terceiro estágio da vida é um progressivo soltar-se. É chamado *vanaprasthasrama*, que significa o início do não apego enquanto continuamos a viver no seio da família. Nesse estágio, um homem de negócios pode entregar as rédeas de sua empresa aos filhos, para que eles possam ingressar totalmente no estágio de chefes de família. Significa soltar o controle, não de si mesmo – longe disso –, mas o controle minucioso do seu ambiente imediato, de tudo que você acredita ter construído no mundo. Se o ego está no comando, significa livrar-se da confusão entre o que você é e o que criou – um império empresarial, uma repartição civil, o regimento mais inteligente e corajoso do exército. Seus sucessores certamente farão as coisas de maneira diferente da sua, e é mais do que provável que você não a aprove; você ficará magoado, experimentará uma sensação de perda, inclusive perda de si mesmo e de seu valor pessoal. O terceiro estágio da vida aos poucos concilia isso tudo. Afinal, o relógio está andando, e não se pode adiar a velhice por muito tempo; a morte um dia baterá à sua porta. É melhor se preparar a tempo.

No entanto, ao contrário da aposentadoria no Ocidente, que marca simplesmente o fim do trabalho produtivo, esse é um estágio espiritual repleto de crescimento e aprendizado. É um estágio em que o desapego nos permite viver mais soltos em relação ao ego. Durante essa fase, é mais fácil nos livrar da identidade a que nos fixamos e que obstruiu nossa jornada interior. Podemos ir mais para dentro à medida que nos libertamos do que nos acorrenta ao que está fora. Dou assistência nas aulas terapêuticas do meu instituto, mas, com o passar dos anos, meus filhos e alguns alunos assumiram o comando. Continuo ali, em segundo plano, para ajudar nos casos difíceis e oferecer minha experiência. Outros podem ministrar as aulas regulares, mas é nas turmas terapêuticas que os anos que passei estudando cada centímetro da pele, cada fibra e órgão do corpo são mais necessários.

Desde a morte de minha esposa, Ramamani, há trinta anos, Deus escolheu que eu fosse um *sannyasin*, condição que rejeitara quando jovem. Esse é o quarto e último estágio da vida, o do derradeiro desapego, da suprema liberdade e pureza, da prontidão para a morte. Segundo a tradição, mesmo marido e mulher podem se separar e seguir caminhos diferentes na floresta para encontrar seu Criador sozinhos, como Almas nuas. Já não é mais assim. Não há mais florestas suficientes, e, além disso, a medicina moderna nos convenceu de que podemos enganar a morte para sempre, por mais debilitado que seja o nosso estado. Mas o iogue vai ao encontro da morte como um servo, um guerreiro, um santo. Ele continua a servir a Deus com sua devoção e em suas ações; caminha na direção da morte destemido, como um soldado que se envergonhasse do seu apego à vida, e como um santo, porque já é parte da Unidade que ele reconheceu como realidade suprema. O iogue não pode temer a morte, pois ele trouxe vida a cada célula do seu corpo. Temos medo de morrer porque receamos não ter vivido. O iogue viveu.

É assim que as metas que devemos alcançar na vida se harmonizam naturalmente com a evolução do ciclo de vida humano. Há uma bênção indiana que diz: "O avô morre, o pai morre, o filho morre"; significa que o ciclo natural da vida não foi interrompido por nenhuma tragédia e cada um pôde cumprir seu destino.

Tudo que disse tem relação com viver a vida plenamente, desfrutar e transcender a natureza e encontrar o divino dentro de nós. Tudo isso se ergue sobre um fundamento ético, existe dentro da ética, e a perfeição ética é a única prova de sua completa realização. O crescimento espiritual de uma pessoa é invariavelmente demonstrado por suas ações no mundo. As duas primeiras pétalas da ioga são *yama* e *niyama*, o código ético universal e pessoal, que já mencionei nos primeiros capítulos. Devemos agora conhecê-las melhor, pois é nesse momento em que tentamos viver com maior liberdade que elas nos servem de guia.

Ética: universal e pessoal

Para o iogue, como vimos, espírito e natureza não são separados. A evolução – ou involução – que atingimos ao descobrir a Alma deve agora se tornar manifesta no corpo e na vida. De fato, não se pode crescer espiritualmente sem desenvolver a percepção ética e moral. Aos poucos, temos de nos transformar para poder participar e agir no mundo sem ser enredados e contaminados por ele.

Isso nos remete de volta ao que já mencionamos no início do livro acerca dos três tipos de ação praticados pelas pessoas em geral: a branca (satívica), a preta (tamásica) e a cinza (rajásica). Elas trazem, respectivamente, consequências boas, más ou mistas. Como vimos, porém, não podemos controlar as consequências indefinidamente, e mesmo as boas ações podem, com o tempo, ter efeitos ruins ou mistos. A maior parte das ações é cinza, já que temos motivos parcialmente egoístas; assim, as consequências são imediatamente afetadas por nossa impureza de intenção ou nossa inépcia em levar a cabo as ações. Um iogue, um *gunatitan*, que transcendeu as três qualidades da natureza (*gunas*), é capaz de agir com total neutralidade. Ele não espera que os frutos de sua ação sejam reconhecidos como algo virtuoso. Ele se mantém livre da dualidade da virtude e do vício, do bem e do mal, da honra e da desonra. Ele se torna um *dharmi*, uma pessoa íntegra que cumpre o seu dever pelo simples propósito e satisfação de cumpri-lo. É isso que o mantém limpo e livre dos embaraços mundanos. Mas, como disse antes, o esforço de desapegar-se é contínuo, e o iogue não pode descansar em seus louros, abandonar a prática e recair em hábitos preguiçosos e nocivos, como se fosse uma espécie de marajá espiritual.

Yama é o código da conduta ética que orienta nosso comportamento em relação a nós mesmos e ao ambiente interno e externo. Ele é o alicerce da ioga. Seus princípios são essenciais para todas as etapas da evolução. Sendo *yama* o alicerce, seus princípios são também os pilares estruturais que sustentam todo o edifício da ioga, do chão ao teto – que não é, de forma alguma, o teto, mas a infinita abóbada celestial acima de nós.

Agora que aprendemos a arrumar a casa do eu e descobrimos a divindade que reside dentro dela, como viver de maneira diferente? D. T. Suzuki, o grande sábio japonês, dizia que as pessoas comuns flutuam dois metros acima do solo. O iogue, por sua vez, tem os dois pés no chão. Diria que ele tem um pé na terra e outro na divindade – uma divindade, porém, não dissociada da realidade prática. Ocorre simplesmente que o pé divino habita a Unidade. O pé terrestre lida com a diversidade, com a complexidade da aparente contradição.

Ioga significa atar, juntar, prender, unir, ligar – elevar a inteligência do corpo ao nível da mente e então atar as duas para uni-las à Alma. O corpo é o planeta Terra com toda a sua diversidade. A Alma é o espírito, o céu acima de nós. A ioga é o instrumento que liga os dois, a multiplicidade à unidade.

A ética é a cola que prende a terra ao plano celestial. Não se pode servir a dois mestres. A única maneira de o ser humano conciliar as paradoxais exigências do corpo e da Alma é observar os princípios éticos.

Antes de entrar em detalhes específicos a respeito de *yama* e *niyama*, é preciso dizer que, enquanto a moral é flexível e culturalmente determinada, variando de acordo com o tempo e o espaço, a ética surge da necessidade humana de respeitar a unidade de nossa origem comum e a fusão divina de nosso derradeiro destino. Ao mesmo tempo, ela nos permite viver harmoniosamente num mundo em que a realidade são as diferenças. Em consequência, quando a ética e a harmonia social se rompem, o conflito invade as relações, seja matrimoniais ou familiares, seja entre tribos, nações, ideologias ou culturas. Acreditamos que o amor dispensa a ética, mas, embora ele certamente ajude, em toda e qualquer negociação das necessidades humanas a ética sempre será necessária. A perspectiva ióguica da Unidade fundamental, da identidade original, sustenta essa lógica. Do ponto de vista da semelhança fundamental, em todos os níveis da evolução, é a cooperação, não o conflito, que encarna a verdade superior e serve ao Absoluto.

A ética é um esforço humano e, tal como no esporte, quanto mais nos dedicamos, mais elevamos o nível do jogo e o aproximamos de nossas aspirações superiores. Os trapaceiros sempre perdem. São desmascarados por sua flagrante desonestidade, enganam a si mesmos e não cumprem seu dever humano. O empenho de viver eticamente nos aproxima de nossos semelhantes e de Deus. Não há atalhos, e a trapaça certamente está fadada à ruína, pois nos afasta da nossa Alma. A ética é uma solução conciliatória por meio da qual aspiramos ao melhor, embora saibamos, na realidade, que nem todos jogam de acordo com as mesmas regras.

A ioga transforma o praticante sincero numa pessoa íntegra. A vida ética contribui para o desenvolvimento harmonioso do corpo e da mente. Ela produz um sentimento de unidade entre o homem e a Natureza, o homem e seu semelhante, o homem e seu Criador, permitindo assim que ele experimente um sentimento de identidade com o espírito que permeia toda a Criação. É por isso que as ações de um homem refletem sua personalidade melhor que suas palavras. O iogue aprendeu a arte de dedicar todas as suas ações ao senhor, e assim ele espelha sua divindade interior. A integração depende da integridade; sem ela, tem lugar a fragmentação. Mencionei antes que a consciência tem o rosto voltado para a Alma e, portanto, reflete sua verdade. Aproximar-se da Alma é também viver cada vez mais de acordo com os ditames da consciência.

A função da ética é tornar a vida mais suportável. Não se trata de mandamentos de um Deus autoritário, mas de princípios baseados num Absoluto capaz de conciliar o uno e o múltiplo. De fato, é melhor não crer em Deus e agir como se ele existisse, do que crer nele e agir como se ele não existisse.

Ética é filosofia em ação – desde dar ao cliente o troco certo até não desperdiçar comida. Nenhum crescimento espiritual é possível sem uma base ética. Para a ioga, não se trata de aceitar Deus ou não. Quando perguntamos a uma pessoa se ela acredita em Deus, reduzimos Deus a uma coisa material, a algo em que se pode acreditar. Torna-se, portanto, uma questão de crença. Assim como o universo, a entidade "Deus" está fora do alcance da nossa consciência e é desconhecida para nós. Pode-se experimentar Deus, mas não exprimi-lo em palavras. Patanjali descreve Deus como aquele que é livre de aflições e de ações e reações. Ele é o *purusa* supremo (*Purusa Visesa*), uma qualidade especial que os seres humanos precisam conhecer. É sempre puro e limpo, e assim permanece por toda a eternidade.

Para crer em Deus, precisamos primeiro acreditar em nós. A consciência (*citta*) tem limitações. Precisamos abrir o horizonte da consciência para ver a outra entidade, "Deus". Patanjali sabia de nossas fraquezas; sabia que a consciência fica presa nas flutuações da mente (*vrttis*) e suas inerentes aflições (*klesas*). Portanto, nós como um todo – e cada um em sua consciência individual – não podemos conceber Deus. Se podemos purificar a consciência, então podemos sentir a existência da força cósmica. À medida que cresce nossa percepção da existência e da influência do divino, nossas ações se alinham mais facilmente com o impulso ético do Absoluto.

Yama: viver com a verdadeira ética

Não é pelo condicionamento externo que absorvemos a verdadeira ética. A bondade inata de um cavalo ou cachorro, por exemplo, provém de sua natureza, embora sejam necessários certo treinamento e orientação, especialmente quando são jovens. A moralidade e a ética têm origem no interior do ser humano e são um reflexo de sua consciência. No entanto, são distorcidas ao entrar em contato com a sociedade. Essa distorção perturba a consciência (*citta*) e também o estado mental consciente (*antahkarana*) – que, como vimos, reside perto da Alma e percebe o mundo como uma unidade, não uma batalha pela sobrevivência em meio aos aspectos mais brutos da nossa natureza. A ioga nos exercita a manter-nos longe de motivações egoístas e grosseiras e mostra como cumprir nossas responsabilidades. É como um eixo a partir do qual nos educamos para realizar uma transformação interna, trocando os prazeres comodistas pela emancipação, a servidão pelo mundo de liberdade do Eu, a evolução rumo ao poder do conhecimento pela involução rumo à sabedoria do coração e da Alma. Esse esforço de se aprimorar é o início da verdadeira religiosidade e o fim da religião como seita ou um rígido padrão de crença. Espiritualidade não é encenar o papel de sermos sagrados, mas a paixão e o anseio internos de autorrealização e a necessidade de encontrar o derradeiro propósito da existência. *Yama* é cultivar o comedimento. Por meio dos princípios do *yama*, Patanjali mostrou como superar nossas fraquezas psicológicas e emocionais. *Yama* também significa "Deus da morte". Se não seguimos os princípios do *yama*, agimos deliberadamente como assassinos da Alma. Quando somos iniciantes, só podemos tentar controlar os maus hábitos; porém, com o passar do tempo, os ditames do *yama* tornam-se impulsos do coração.

O primeiro preceito do *yama* é a não agressão, a não violência (*ahimsa*); o segundo é a verdade (*satya*). Apresento-os juntos porque eles demonstram que qualquer pétala aperfeiçoada da ioga modifica o todo. A ioga é uma só, esteja você fazendo a postura do triângulo (*Trikonasana*) ou dizendo a verdade. Gandhi, o grande homem do século XX, libertou a Índia e mudou o mundo graças a sua perfeição nas duas pétalas: a não violência e a verdade. Sua não violência desarmou o poder opressor dos britânicos e também a raiva inerente e a violência contida da população indiana subjugada. Ele conseguiu isso porque suas palavras e ações estavam calcadas na verdade. A verdade é de um poder tremendo. Os vedas dizem que nada que não se baseie na verdade pode frutificar ou trazer bons resultados. A verdade é a Alma em comunicação com o estado consciente. Se este transmite a percepção à consciência e então converte tal percepção em ação, é como se nossos atos se tornassem divinos, porque não há interrupção entre o que a Alma vê e os atos que ela realiza.

Gandhi atingiu esse ponto e comprovou sua magnífica eficácia. Mas, é claro, a maioria de nós luta num mundo de relatividade, de concessões, de autoengano e sutil evasão. À medida que a prática da ioga avança e as aflições e os obstáculos a ela passam a ter menos efeito sobre nós, começamos a vislumbrar a glória da verdade. A ignomínia da violência, de fazer mal aos outros, é uma ofensa contra a Unidade fundamental e, portanto, um crime contra a verdade. Cabe observar, contudo, que a extrema austeridade de Gandhi, como seus jejuns prolongados, eram uma forma de violência (*himsa*) contra si mesmo, pela qual ele chamou a atenção do mundo para o que as pessoas estavam fazendo umas às outras.

São muitos os homens e mulheres santos que vieram para nos lembrar que, apesar da nossa diversidade, compartilhamos a unidade. Ramanujacharya, que viveu entre os séculos X e XI e foi um grande devoto de Vishnu, convocou os seres humanos, a despeito das fronteiras de cor, raça, sexo ou casta, a experimentar a divindade, iniciando-os com o *bija mantra*: *"Aum Namo Narayanaya"*. Essa "prece-semente", aparentemente simples, acabava com a divisão entre as pessoas ao torná-las conscientes de que todos têm a mesma relação com Deus. Ela significa simplesmente: "Abençoado seja o Senhor Narayana" (um dos nomes de Deus). Séculos depois, foi Mahatma Gandhi que uniu a Índia numa só raça humana ao praticar a verdade e a não violência, as duas subpétalas do *yama* da ioga.

Não devemos usar a verdade como uma clava para agredir as outras pessoas. A moral não consiste em olhar para os outros e considerá-los inferiores a nós. A verdade precisa ser temperada com a amabilidade social. Somos todos culpados por elogiar alguém que está evidentemente orgulhoso de sua roupa nova. Se tivéssemos atingido a verdade absoluta, talvez não fizéssemos isso, mas, num mundo relativo, do qual somos observadores imperfeitos, às vezes fazemos concessões. Uma aluna minha de longa data, sem jamais mentir, sempre busca as qualidades positivas das pessoas que ela conhece e tenta ver o lado humano de seus defeitos. Essa compreensão se deve ao fato de ela saber que já teve muitos defeitos, razão por que se compadece dos que ainda estão se esforçando. Assim, ela enfatiza o potencial positivo das pessoas, em vez de humilhá-las por suas capacidades negativas inerentes. Chame isso de olhar o lado luminoso, se preferir, mas, seja como for, essa conduta nos ajuda a extrair o melhor dos outros. A verdade não é uma arma da qual se pode abusar, e a espada da verdade tem dois gumes, por isso é preciso ter cuidado. O exercício dos *yamas*, que são preceitos morais externos, não pode, portanto, exceder nossa cultura e nosso refinamento. Ou seja, se finjo ter uma moral maior ou mais elevada do que de fato sou capaz, então estou agindo com afetação, com hipocrisia. Assim, em cada estágio da vida, praticamos os *yamas*, os princípios morais externos, da melhor forma possível, mas só quando refinamos o eu é que realmente aprimoramos a qualidade desses princípios. Esperamos que, nos estágios posteriores da nossa vida, embora tenhamos nos empenhado o tempo todo em dizer a verdade, em não ser possessivos em relação à propriedade alheia, em não roubar, esses princípios morais adquiram significados mais profundos e mais sutis, que se revelem à medida que progredimos. Eles serão mais refinados em nosso interior. Assim, por exemplo, quando somos jovens, roubar pode significar furtar algo de uma loja. Quando somos mais velhos, devemos conter até mesmo comentários ásperos que possam pôr a perder a reputação de alguém, pois se destruímos a reputação de uma pessoa, estamos roubando-lhe algo. Portanto, há diferentes níveis de sutileza; e só quando encontramos a nós mesmos é que de fato somos dignos de expressar os níveis superiores da moral. Não é algo que podemos forçar além de nossa capacidade. Temos de estar à altura deles.

Do mesmo modo, não podemos impor aos outros a nossa verdade – e devemos sempre ter certeza de que nossas ações não violentem os demais. Vejamos um exemplo mundano. Se paro de comer chocolate por um ano, é uma austeridade que pratico comigo mesmo, um rigor que pode fazer bem à minha saúde. Se obrigo toda a minha família a abandonar o chocolate por um ano, é uma violência que pratico contra eles, e o mais provável é que, em vez de harmonia, eu crie ressentimentos e divergências familiares, por mais benéfico que seja o efeito sobre sua saúde. Mais uma vez, exemplo é tudo, e quando o exemplo expressa a verdade, ele tem o poder de transformar os outros.

Não roubar, ou não se apropriar do que por direito pertence a outros (*asteya*), é o terceiro *yama*. Na infância, aprendemos a não pegar ou roubar os brinquedos de outras crianças, mas não roubar pode ter muitas outras implicações. Acaso não roubamos quando consumimos mais do que nos cabe? Não é roubo quando uma pequena parte da população mundial consome a vasta maioria dos recursos do planeta? Como sugeri há pouco, há modos ainda mais sutis de privar uma pessoa do que é legitimamente dela – honra e reputação, por exemplo.

Antes de entrar no quarto *yama*, castidade, devo mencionar brevemente o quinto, que está associado ao terceiro (não roubar). O quinto *yama* é não cobiçar, ou seja, ter uma vida modesta (*aparigrahah*), viver sem excessos. As duas ideias aqui contidas são: primeiro, que o excesso de uma pessoa pode levar à carência de outras e, segundo, que o excesso em si é uma força que corrompe. Ele leva à servidão da sensualidade e ao desejo de expandir o ego por meio de posses – eu, eu e eu mediante o meu, meu, meu. Se é essa a nossa atitude, a jornada interior não passa de uma farsa, desde o início. Isso não quer dizer que a criação da riqueza é em si um mal, mas simplesmente que não devemos entesourá-la sovinamente. A riqueza que não é redistribuída se estagna e nos envenena. Riqueza é energia, e a energia foi feita para circular. Veja o seu carro. Quanta energia elétrica ele armazena na bateria? Não muita, apenas o suficiente para dar a partida de manhã e acender os faróis. Se o carro fica muito tempo na garagem, a bateria acaba e a energia se dissipa. Porém, quando o carro anda, ele gera muita energia, recarrega a bateria e obtém tudo de que necessita para funcionar, incluindo o aquecedor, o ar-condicionado, o limpador do para-brisa e o rádio. A energia precisa fluir, senão sua fonte se extingue. Quando somos cobiçosos ou avarentos, impedimos a energia de circular, de produzir mais energia; no fim, por transgredir uma lei natural, somos nós que ficamos mais pobres e envenenados por acumular as riquezas da vida.

Deixei para o fim o quarto *yama*, castidade ou celibato (*brahmacarya*), porque ele suscita reações fortes. Para a maioria de nós, *brahmacarya* significa simplesmente que, se você deseja ser uma pessoa espiritual, então deve tornar-se para sempre um celibatário. No entanto, visto que seria bom que o mundo inteiro quisesse se tornar espiritual, logo teríamos um planeta povoado somente por cães, gatos e vacas. Se havia alguma intenção em Deus, não creio que essa fosse uma delas.

Autocontrole sexual é outra coisa. Sempre desejei ter uma esposa e uma família. Também queria ser um iogue. Em toda a tradição indiana, não há nenhuma contradição entre essas coisas. Quando minha esposa estava viva, meu *brahmacarya* se expressava na fidelidade a ela. Depois de sua morte, o desejo desvaneceu, e meu *brahmacarya* foi o do celibato. Segui a verdade (*satya*) durante a primeira parte da minha vida e também durante a segunda. Como ambas estavam assentadas na verdade e na integridade, ambas deram frutos.

O amor sexual, como disse, pode ser o aprendizado para o amor universal. O que eu teria alcançado na vida sem o amor, o apoio e a companhia de Ramamani? Provavelmente não muito. Eu era casto, o que significa que me continha. Continha-me entre o quê? Entre as margens do rio da vida – de um lado, o dever ético e religioso (darma), de outro, a liberdade (mocsa). Se a corrente da minha vida tivesse alagado qualquer uma das margens, minha incapacidade de me controlar – a chamada luxúria desenfreada – teria levado a que me perdesse da busca do Eu. Teria ofendido a verdade e a virtude tal como as entendo. Minha consciência ferida teria obscurecido minha Alma.

Nem todos, contudo, se iniciam no caminho a partir do ponto de origem. Muitos principiantes ou neófitos no caminho da ioga não têm disciplina. A verdade é que não posso exigi-la deles, assim como não poderia colocá-los em *Hanumanasana* na primeira aula. Continuo orientando-os. Corrijo-os no ássana e tento despertar os princípios de *yama* e *niyama* nas posturas. Tento levá-los a uma prática mais elevada, mas isso não acontece de uma hora para outra. No fim, porém, eles acabam entendendo que a falta de autodisciplina, em qualquer área, é um desperdício de energia. Por exemplo: até mesmo jogar comida fora é uma ofensa à força vital do alimento. Comer demais, por outro lado, é uma ofensa à própria força vital. O comportamento sem ética, seja de que tipo for, não causará distúrbios ao iniciante, mas seu efeito no plano espiritual será extremamente nocivo. Se encaramos o sexo unicamente como uma questão moral, rebelamo-nos contra ele. *Yama* não consiste em invocar o oposto do que desejamos fazer, mas em cultivar a percepção correta, a fim de examinar os fatos e consequências reais do problema com que estamos lidando.

Yama é o cultivo do que é positivo em nós, não apenas a supressão do que julgamos ser seu oposto diabólico. Se assim considerássemos a falta de prática do *yama*, estaríamos fadados não a encorajar o bem, mas a ricochetear entre os extremos do vício e da virtude – e isso só nos causaria dor e não teria nenhum efeito evolutivo benéfico para o mundo. Cultive o que é positivo, renuncie ao que é negativo. Pouco a pouco, você chegará lá.

Retomando a citação de Shakespeare no capítulo 3, eu diria simplesmente que o amor é um investimento, e a luxúria, um desperdício. É isso que ele quer dizer. A luxúria leva ao isolamento e à solidão, a um deserto espiritual. *Brahmacarya* implica autocomedimento, a capacidade de se controlar, seja por respeito aos outros, seja para experimentar a totalidade no ássana. Não é se abster da atividade sexual. É o controle ético de uma força natural poderosa. O grau de controle dependerá do grau de evolução do praticante. Castidade e fidelidade são conceitos fundamentais, e não devemos esquecer que a raiz de "celibato" em latim significa "ser solteiro", o que não implica imoralidade.

Pode-se aprender *yama* pela prática do ássana. Por exemplo, se você agride demais um dos lados do corpo, está matando (*himsa*) as células desse lado. Ao restaurar a energia do lado passivo, mais fraco, você aprende a equilibrar violência e não violência. Quando a forma do ássana expressa a forma do eu, sem tensão, astúcia nem distorção, então você aprendeu a verdade (*satya*) no ássana. Esteja certo de que, se você quiser, poderá sair da aula levando consigo todas essas lições éticas e assim enriquecer sua vida. Quando o praticante sente no ássana que sua inteligência está inundando todo o seu corpo através dos invólucros, ele experimenta uma totalidade autocontida, a integridade do ser. Ele sente que se elevou acima dos apegos externos. Essa é a qualidade do celibato em ação.

Mesmo as aflições (*klesas*) mais enraizadas podem ser dominadas por meio da observação no ássana. É o apego à vida (*abhinivesa*). Até as pessoas mais sábias são apegadas à vida, pois se trata de algo físico e instintivo. Mas no momento da morte é importante soltar-se para o que vem depois dela, seja lá o que for. Quando nos soltamos, liberamos também as impressões latentes (*samskaras*) desta vida e nos permitimos um começo limpo no que está por vir. A prática integrada do ássana traz a sabedoria que diminui a ambição da autopreservação. A sublimação de *abhinivesa* liberta o aspirante espiritual do obstáculo do medo. Dessa maneira, na hora da morte, mantemos a presença de espírito. Isso é útil. Não há pânico, não há fixação ao passado, não há medo do futuro desconhecido. Gandhi, por exemplo, após ser atingido pelo tiro disparado por um fanático, manteve a presença de espírito de invocar continuamente o nome de Deus, Rama, Rama. Esse é um fim limpo e um novo começo.

O código do *yama* deve brotar do centro do nosso ser e irradiar para fora. Do contrário, não passa de uma miscelânea de maneirismos culturais. *Niyama* se dirige imediatamente aos problemas do ambiente externo. Se *yama* é a raiz da ioga, *niyama* (ética pessoal) é o tronco que desenvolve a força física e mental para a autorrealização. Esses princípios nos levam desde tomar banho até encontrar Deus. Por isso podemos dizer que *yama* e *niyama* são o alicerce, os pilares, a coroação e prova da legitimidade da ioga.

Niyama: a purificação de si mesmo

Há cinco *niyamas*, ou preceitos éticos individuais. São eles: limpeza (*sauca*), contentamento (*santosa*), austeridade (*tapas*), autoestudo ou estudo do ser (*svadhyaya*) e entrega devocional a Deus (*Isvara pranidhana*). *Sauca* se refere à limpeza alcançada pela prática do ássana. Cultivar o contentamento (*santosa*) é fazer da mente um instrumento adequado para a meditação, já que o contentamento é a semente do estado meditativo. *Tapas* é a prática constante, executada com paixão, dedicação e devoção, visando ganhar poder físico (*sakti*). O autoestudo (*svadhyaya*) é a busca da inteligência perspicaz (*kushalata*). Na ação, isso se chama *yukti*, a engenhosidade e a clareza necessárias para seguir a *sadhana*. No que diz respeito ao autoestudo e ao autoconhecimento, o papel principal compete às pétalas de *pratyahara* (o investimento interno de nossas energias) e *dharana* (concentração). *Isvara pranidhana* é *bhakti*, que significa *total* entrega a Deus. Essa entrega só pode acontecer com a culminância da aptidão física e da inteligência perspicaz. É aí que se unem as pétalas *dhyana* (meditação) e samádi (absorção espiritual).

Cabe assinalar aqui que *Isvara* é Deus no sentido universal e abrangente, equivalente ao Deus de religiões monoteístas. *Isvara* abarca e inclui todos os outros conceitos de divindade, sob qualquer forma ou sexo. É simplesmente Deus, e por isso digo que, embora os hindus tenham muitos deuses, no final todos se combinam num único conceito monoteísta, o de Ser Supremo. Os hindus não são idólatras, mas pessoas que cultuam o Uno em suas muitas formas, assim como os cristãos oram para um determinado santo quando têm um problema específico.

É longo o caminho entre tomar banho e encontrar Deus; assim, vejamos antes por que e como a maioria de nós não consegue sair dos dois primeiros *niyamas*.

Pureza e limpeza

Podemos lavar a pele do corpo com um banho, mas, por meio da prática do ássana, não apenas purificamos o sangue e nutrimos as células, como limpamos também o corpo interior. Ao observar o que ingerimos, podemos manter o corpo mais limpo. A geografia está muito ligada à dieta. O clima e outros fatores influenciam o que as pessoas comem. Mas existem algumas orientações básicas que podem ser úteis a todos. Não coma se sua boca não salivar diante da comida que está à sua frente. Em segundo lugar, quando somente o cérebro especula sobre a escolha do alimento, significa que o corpo não precisa de comida. Se mesmo assim você comer, a comida não será nutritiva. Será um excesso e levará você a comer demais, o que polui o corpo.

Os invólucros sutis também podem ser limpos. Quando paramos de ver pornografia e violência, deixamos de ter pesadelos e nos tornamos mais atentos a nós mesmos, a mente se purifica, a lente da consciência fica mais limpa. Isso leva naturalmente ao segundo *niyama*, o contentamento, porque este só pode se originar da habilidade de harmonizar-se com o ambiente imediato.

De maneira geral, o que nos aborrece, o que nos perturba, o que nos deixa infelizes são as ninharias do cotidiano, como ser repreendido pelo chefe, ter uma rixa com a esposa, ser reprovado num exame ou sofrer uma batida de carro sem importância. Todas essas pequenas coisas roubam-nos o equilíbrio. Uma mente pura é uma mente harmoniosa. A harmonia está tanto fora quanto dentro. Quando a consciência, a força e a energia se combinam, podemos cuidar das pequenas chateações do dia a dia com tranquilidade, lidar com elas pelo que são – reais mas limitadas – e então deixá-las de lado. O contentamento, a aceitação do quinhão misto que nos cabe como seres humanos, retorna. O ressentimento não vem contaminar e envenenar até mesmo os momentos mais satisfatórios do dia.

Se temos limpeza e serenidade internas, podemos estar em harmonia com o ambiente imediato. Se estamos equilibrados e claros, as mudanças, as perturbações e os eventos da vida diária não nos tiram do equilíbrio. Podemos adaptar-nos a eles. Somos sensíveis a eles, somos flexíveis e sobrevivemos sem trauma. Você tem um pequeno acidente com o carro, mas percebe que não é grande coisa, pois está flexível e se adapta.

Essa capacidade de nos harmonizar com o ambiente imediato é uma grande recompensa. Para limpar-nos, temos o contentamento que resulta de agir com suavidade no ambiente e não ser perturbados por seus inevitáveis desafios e transtornos. Esse é contentamento do *niyama*, que nos permite atingir os níveis mais profundos da autopenetração e da autotransformação. Se queremos nos transformar, precisamos nos limpar, purificar, alcançar a serenidade, a flexibilidade e a capacidade de flutuar internamente. Aí então podemos prosseguir a transformação nos níveis mais profundos da consciência, o que constitui a busca do iogue.

A maioria das pessoas pratica ioga segundo os parâmetros do primeiro e do segundo *niyama*, que são a limpeza e o contentamento. O benefício imediato que elas obtêm da prática (ir à aula, exercitar-se um pouco em casa) é a saúde cada vez melhor, que é limpeza. É uma saúde profunda, orgânica, além de clareza mental, bem-estar e repouso, capacidade de relaxar e descansar, de nutrir-se por respirar melhor. Isso gera uma melhora na limpeza, na saúde profunda, e concomitantemente há um contentamento maior, uma integração maior com o ambiente, à medida que nos tornamos mais hábeis para lidar com seus altos e baixos. É nesses dois círculos que a maior parte das pessoas vivencia a ioga. É uma recompensa rápida e magnífica. Por que então não se manter aí, já que essa é a definição de uma vida boa, decente e feliz? Se não seguimos em frente, se nos acomodamos ao bem-estar transitório, novos problemas surgem. Em outras palavras, quando está feliz, limpo e contente, você começa a se sentir satisfeito consigo mesmo: "Estou bem". Isso pode levar à vaidade e ao orgulho, a uma superioridade presunçosa que dá ensejo novamente aos defeitos intelectuais que nos desfiguram. Ou levar à letargia e à preguiça, pois nos tornamos complacentes com a prática.

Somos criaturas desenhadas para o desafio contínuo. Ou crescemos ou começamos a morrer. O *status quo* leva à estagnação e à insatisfação. Portanto, ficar parados não é de fato uma boa escolha. Temos de prosseguir; do contrário, virão os contratempos. Já aprendemos a lidar com os transtornos externos, como perder o emprego, mas quando a vaidade, o orgulho e a preguiça se instalam, os transtornos (que eu chamaria de enfermidades do espírito) criam raiz dentro de nós. Por isso, a natureza nos propõe novos desafios. Estamos sempre às voltas com os problemas cotidianos, mas será que encaramos a doença interna provocada pelo crescimento da vaidade, do orgulho e da preguiça? Esse é um desafio novo. Temos de enfrentá-lo, mas não conseguiremos se ficarmos presos à ioga do prazer, à ioga egoísta de dizer: "Eu estou ótimo, e você está numa confusão, não?" Assim, a necessidade de perseverar vem do fato de que, se não seguirmos em frente, novos problemas surgirão e ficaremos atolados neles. É por isso que somos forçados a persistir na prática.

A terceira, a quarta e a quinta etapa do *niyama* formam uma unidade. A primeira é *tapas*, a prática constante e diligente que está no centro de toda a ioga. Já me referi várias vezes a *tapas* nos capítulos anteriores, já que é ela o fio que prende toda a prática da ioga. Significa literalmente calor, o calor que, no sentido alquímico, transforma. É a prática que jamais se pode abandonar, uma dedicação contínua à evolução humana.

Sem o discernimento rigoroso e penetrante do autoconhecimento (*svadhyaya*), o quarto *niyama*, *tapas* levaria ao poder, mas não à penetração nem à integração. Ele apenas geraria energia, mas sem direção. *Tapas* nos dá energia; *svadhyaya*, a luz do conhecimento. O autoestudo tem o claro propósito de penetrar; assim, o fogo transformador de *tapas* entra progressivamente nos diferentes invólucros do ser e nos ilumina com o autoconhecimento. O autoconhecimento pode começar com o reconhecimento de que é difícil para nós controlar o desejo de sorvete; em planos mais profundos, porém, ele diz respeito ao nosso egoísmo, duplicidade, ânsia de poder, desejo de admiração, arrogância e, por fim, ambição de ocupar o lugar de Deus imortal. O autoconhecimento nem sempre é confortável. Se não gostamos do que descobrimos, somos obrigados, com toda a honestidade, a fazer alguma coisa para mudá-lo.

O quinto *niyama* é *Isvara pranidhana*, que significa "entrega devocional a Deus". Esse é o aspecto mais teísta da ioga. *Isvara* significa a divindade no sentido geral, não na acepção de alguma seita. Mas não significa, de modo algum, usar o ego para questionar a vontade de Deus. Ao contrário, quer dizer entrega, por meio da meditação (*dhyana*), e devoção (*bhakti*) – do próprio ego. É a renúncia absoluta ao eu individual. Portanto, não fazem parte da equação nossas ideias pessoais sobre o que Deus deseja ou não. É ofertar-nos, e a todas as nossas ações – por mais triviais que sejam, desde preparar uma refeição até acender uma vela –, ao Divino Universal. Quais são as intenções dessa divindade não é assunto nosso. Só o que precisamos fazer é reverenciar a Unidade primitiva, original e eterna. Deus existe. É essa existência que ilumina nossas ações. Isso é entrega e devoção ao Ser Supremo (*Isvara pranidhana*).

O *niyama* nos ajuda a estabelecer a conduta correta e destruir as sementes das aflições (*dosabija*). Examinemos agora os cinco *niyamas* para integrá-los mais intimamente aos cinco invólucros do ser e às outras pétalas da ioga. É a prática dos *yamas*, dos *niyamas* e das seis outras pétalas da ioga que nos permite penetrar da pele à Alma.

A limpeza, como vimos, é mais do que tomar um banho. Chega-se a ela pela prática do ássana, que limpa os corpos interno e externo. A limpeza (*sauca*) obtida pela prática do ássana subjuga a inércia exterior do corpo e infunde-lhe a vibração de *rajas*, proporcionando um trampolim para as qualidades superiores da vida.

O contentamento (*santosa*), no sentido ióguico de harmonia duradoura e estável, resulta da prática do pranaiama, que, por sua vez, subjuga a natureza ativa (rajásica) da mente e possibilita uma prática diligente e constante. Em *santosa*, o tronco é um recipiente que se enche da energia cósmica que entra na forma de inspiração. Algo, algum lugar dentro de nós, abre espaço para que a energia cósmica, a portadora da inteligência cósmica, ocupe seu lugar e se aloje. Temos então a sensação de que algo bom ou promissor está se instalando. É aí, na verdade, que a evolução e a involução se unem. Pois a dádiva do contentamento é que a Alma também se desloca do centro do ser para ocupar o torso. Estamos sendo preenchidos de fora para dentro, sim, mas então o que está dentro, já não encontrando mais nenhuma obstrução, se move para fora e também nos preenche. Esse é o contentamento da plenitude, da repleção, mas, na expiração, a Alma se expande para encher o espaço deixado pela respiração e nos impregna de um contentamento carregado não de energia prânica, mas do *insight* da Alma. Embora o estado de alternância seja dual, ele acalma e neutraliza as ondas provocadas pelas flutuações da mente. Na prática, significa que, quando algo acontece, não me desvio do curso, e, quando nada acontece, não me perco do caminho.

O terceiro *niyama*, austeridade pela prática constante (*tapas*), corresponde ao *pratyahara*, o eixo entre os aspectos internos e externos da prática da ioga. A percepção cognitiva se volta para dentro tendo em vista o autoconhecimento (*svadhyaya*). Ela nos dirige para o centro do ser e, como o fole do ferreiro, mantém-se sempre a atiçar o interior da chama da prática; do contrário, a transformação alquímica por meio do calor extremo jamais acontecerá. O fogo queimará alegremente, mas não converterá chumbo em ouro.

O quarto *niyama*, autoconhecimento (*svadhyaya*), é difícil. Estamos acostumados a associar o conhecimento com a aquisição de aprendizado (*vidya*). Na realidade, *svadhyaya*, seja pelo estudo ou pela autoanálise, é o caminho da concentração (*dharana*), que, por meio de uma senda dura e pedregosa, conduz ao conhecimento e ao desnudamento do eu falso, pretensioso, com suas falhas e virtudes fictícias. Sua recompensa é o caminho da sabedoria (*jnana marga*), que, ao nos libertar da autoilusão, prepara-nos para o próximo grande passo: a entrega a Deus.

Isvara pranidhana, a entrega a Deus, é muitas vezes comparada a *bhakti*, a ioga da suprema devoção e altruísmo. O ego se apoia num elástico e, por isso, sempre puxará você de volta. Somente a prática da meditação pode pôr fim à atração entre o ego e a identidade pessoal.

Só uma pessoa que se livrou do ego, talvez por alguma circunstância, adversidade ou humilhação, pode se entregar a Deus. Para que a entrega seja duradoura, deve-se alcançar o estágio mais elevado da meditação. Entregar-se a Deus não é se entregar ao que você acha que Deus quer – à sua concepção da vontade de Deus. Não significa que Deus lhe dará alguma instrução. Enquanto persistir o ego, sua interpretação dos desejos de Deus será fragmentada pelo prisma do ego, que a tudo distorce. Somente num estado de ausência de ego – o estado de quem atingiu o ápice do samádi sem sementes (*nirbija*) – a voz de Deus falará sem o crivo intermediário da fragilidade humana. E o que Deus lhe dirá nesse estado de absoluta liberdade, de *kaivalya*? Ele lhe dirá para prosseguir no mundo, mas sem jamais se esquecer dele.

Conta a lenda que um monge, após muitos anos de esforço no caminho da emancipação, caiu em desespero por nunca alcançar a suprema liberdade, apesar de toda a sua prática. Assim, decidiu escalar a montanha próxima de sua casa e ali perecer ou encontrar a iluminação. Colocou seus poucos bens numa mochila e iniciou a escalada. Perto do cume, deparou com um ancião que descia a montanha. Seus olhos se fitaram, e eis que a iluminação aconteceu. A mochila do monge caiu no chão. Após alguns momentos de silencioso êxtase, o monge olhou para o ancião e perguntou: "E agora, o que devo fazer?" Sem proferir uma palavra, o ancião apontou para a mochila e, por meio de gestos, indicou ao monge que a colocasse de novo nos ombros e voltasse para o vale. O monge pegou a mochila e desceu para o vale. Isso foi iluminação na montanha. O retorno ao vale foi *kaivalya*.

Eu também vivo no vale, a fim de servir às necessidades dos meus alunos. Vivo na prática da ioga (*sadhana*) sempre em contato com *asmita*, e assim o ego e o orgulho não crescem no "eu" individual e sutil. Sou também um hataiogue, ou seja, quero que meus alunos vejam o sol, experimentem seu próprio sol, sua própria Alma. Meus alunos me chamam de guru. *Gu* significa escuridão; *ru*, luz. O caminho de *sannyasin* me levou a viver em total reclusão, mas ainda sinto que é meu dever servir, ser um guru no sentido de trazer luz à escuridão. Esse é o meu darma, meu dever permanente. Só posso me sentir contente com a inquietação divina que me move.

Quando jovem, queria ser um artista na prática da ioga. Quando vi pela primeira vez as lindas mãos de Yehudi Menuhin, pensei: "Quero mãos de artista tão refinadas quanto essas, em vez das mãos grosseiras que tenho". Com o tempo, elas atingiram um alto grau de sensibilidade. Minha motivação, porém, era não só ióguica, como também artística. Era esse impulso também que alimentava minhas apresentações e minha alegria diante da receptividade a elas. Era então um homem perdido, que, por um lado, aspirava à arte e, por outro, à busca da Alma. Uma serviu de estímulo à outra. Até que fui tomado pela ioga pura, e a arte tornou-se secundária ou incidental.

Viver é aprender

Este livro inteiro teve por base uma série de demarcações: os cinco invólucros, os cinco elementos, seus cinco equivalentes sutis. É uma maneira útil de direcionar a busca para a exploração da Natureza e a descoberta da Alma. Mas, no fundo de nossa mente, não devemos esquecer que nenhum invólucro ou elemento, nenhuma demarcação óbvia, seja entre corpos grosseiros ou sutis, se faz notar. Todos estão entrelaçados na consciência. Assim, a meta suprema da ioga é a transformação total de *citta* (consciência), que impregna todo o nosso ser de percepção e desconhece fronteiras.

Espero ter derrubado o preconceito de que a hataioga é apenas física e não tem nada que ver com a vida espiritual. As pessoas comparam a prática do ássana com a prática física. O trabalho da minha vida foi demonstrar que esse caminho, mesmo a partir de um modesto começo, pode levar o praticante dedicado à integração do corpo, da mente e da Alma.

Esforcei-me para deixar claro que a postura no ássana deve ser confortável e estável. A estabilidade só ocorre quando deixa de haver esforço. Portanto, você precisa treinar o corpo de tal maneira que o que parece complexo se torne simples. Nos meus ássanas, não há nenhuma tensão, pois meu esforço cessou há muito tempo. Como meu esforço chegou ao fim, posso oferecer minha prática a Deus e, assim, juntar-me a ele no infinito.

É errado pensar que somos insensíveis e inertes. Se o seu fogo estivesse extinto, você não estaria vivo. O fogo da ioga (*yogagni*) queima em todos nós, em estado latente ou primitivo. Ele consumiu minha vida. No entanto, nada que conquistamos é para sempre. Se eu deixar que as cinzas frias encubram o meu fogo, seja por negligência, arrogância ou desleixo na prática, ele perderá seu calor transformador. Não me aposentei e jamais o farei. Sempre manterei aceso o fogo interior.

É por isso que a prática (*sadhana*) não pode ser interrompida. É claro que, com a idade, retrocedemos em certos níveis. Mas meu corpo e minha mente são os servos e os seguidores da Alma. A unidade dos três me dá o direito de dizer que sou um iogue. Contudo, ainda que tenha alcançado um nível espiritual, jamais direi que a prática não é necessária.

Estou velho, e a morte inevitavelmente está próxima. Porém, nascimento e morte não dependem da vontade do ser humano, não estão sob nosso domínio. Não penso sobre isso. A ioga me ensinou a só pensar em trabalhar para ter uma vida proveitosa. A complexidade da vida mental, com todas as suas alegrias e tristezas, chega ao fim com a morte. Se já nos libertamos dessa complexidade, a morte ocorre de maneira natural e suave. Se vivermos cada momento por inteiro, como ensina a ioga, ainda que o ego seja aniquilado, não diremos "Morra antes que você morra", mas, antes, "Viva antes que você morra, para que a morte seja também uma vívida celebração".

Aos 70 anos de idade, o grande artista japonês Hokkusei disse que, se tivesse mais dez anos pela frente, se tornaria um grande artista. Cumprimento-o por sua humildade. Para concluir, cito as palavras de Goya, o artista espanhol, que, aos 78 anos, quando já estava quase surdo e debilitado, disse: *Aún aprendo*, "Ainda estou aprendendo". Isso se aplica a mim também. Nunca vou parar de aprender – e tenho tentado compartilhar com os outros algumas dessas lições. Rezo para que o meu fim seja o seu começo. As grandes recompensas e incontáveis bênçãos da vida dedicada à jornada interior estão à sua espera.

Ássanas para a estabilidade emocional

Os ássanas a seguir ajudarão você a desenvolver a estabilidade emocional. Se realizados na sequência apresentada, o deixarão totalmente relaxado. As setas indicam a direção certa da extensão e da expansão no ássana. Para instruções passo a passo de como executar cada ássana, por favor leia meu livro anterior, *A luz da ioga*. Recomendo também que você aprenda a praticar sob a orientação de um professor experiente e qualificado. É importante que a prática seja feita de maneira correta e precisa para que você alcance os benefícios desejados e evite lesões.

Observe:

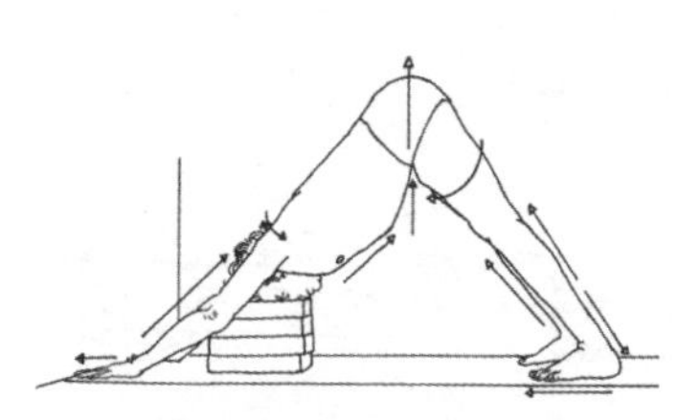

1 *Adho Mukha Svanasana*
(com a cabeça apoiada num suporte): fique assim por 2 a 3 minutos.

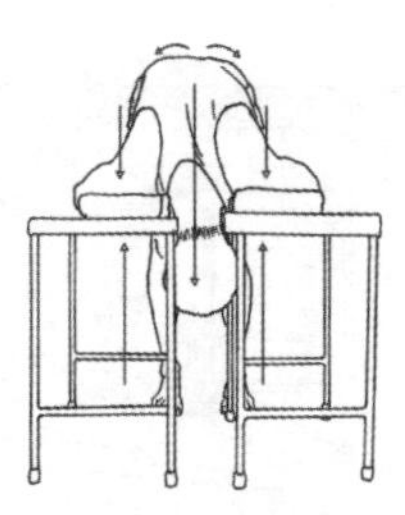

2 *Uttanasana*
(com os ombros apoiados em dois bancos altos e a cabeça inclinada para baixo): fique assim por 3 a 5 minutos.

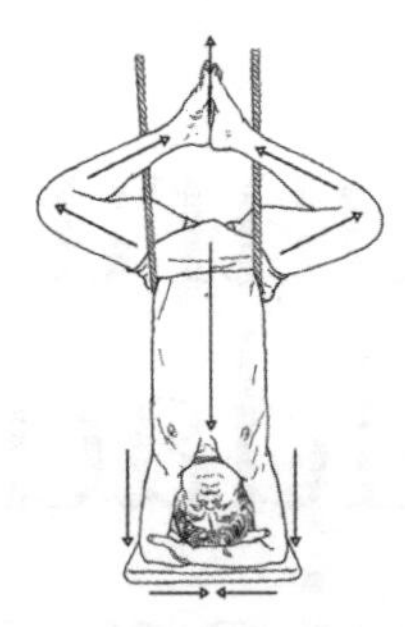

3 *Sirsasana*
(com cordas): fique assim pelo tempo que se sentir confortável.

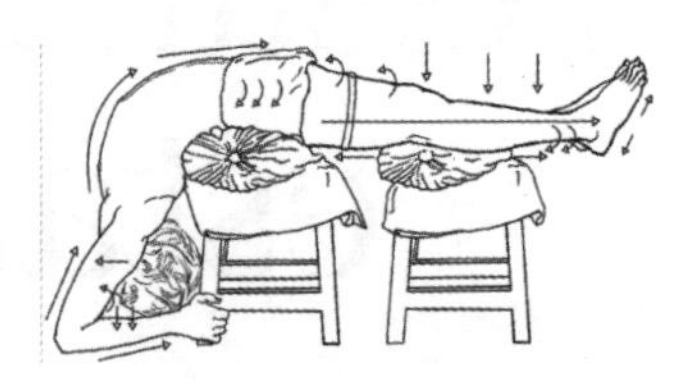

4 *Viparita Dandasana*
(sobre dois bancos): fique assim por 3 a 5 minutos.

5 *Sarvangasana*
(sobre uma cadeira): fique assim por 5 a 10 minutos.

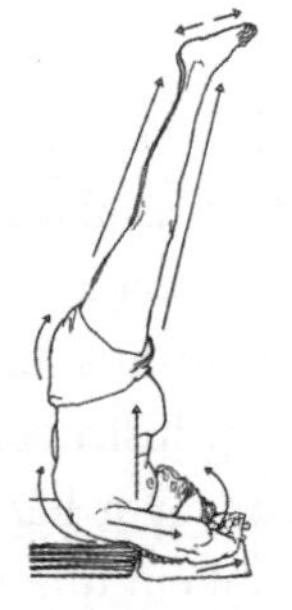

6 *Niralamba Sarvangasana*
(com os ombros apoiados num suporte): fique assim por 5 minutos.

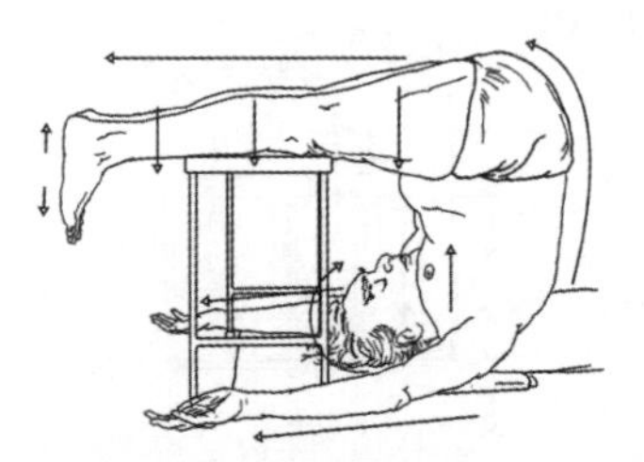

7 *Niralamba Halasana*
(com os joelhos ou as coxas apoiados num banco): fique assim por 5 a 10 minutos.

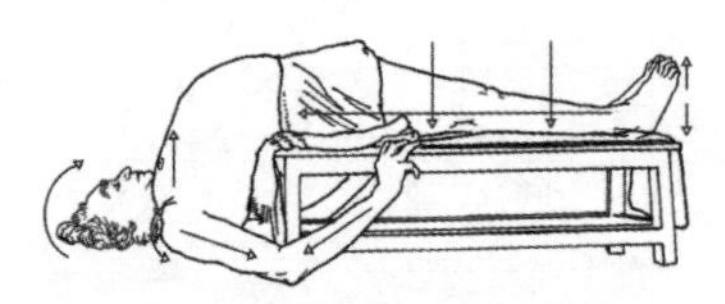

8 *Setubandha Sarvangasana*
(no banco): fique assim por 10 minutos.

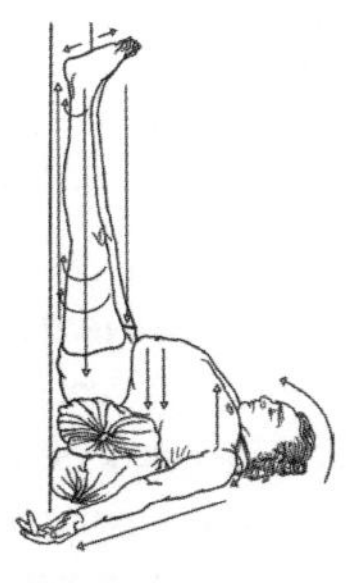

9 *Viparita Karani em Sarvangasana*
(com o apoio de dois rolos):
fique assim por 5 minutos.

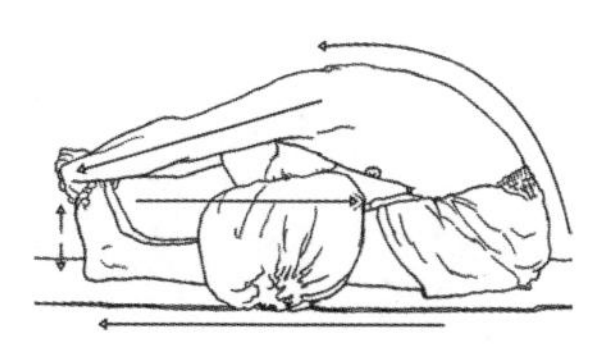

10 *Paschimottanasana*
(com a cabeça apoiada num almofadão): fique assim por 3 a 5 minutos.

11 *Upavista Konasana*
(se não conseguir segurar os dedos dos pés, sente-se ereto com as palmas apoiadas no chão, atrás das nádegas):
fique assim por 2 minutos.

12 *Baddhakonasana*
(enrole um cobertor e coloque-o sob os joelhos para maior conforto):
fique assim por 3 a 5 minutos.

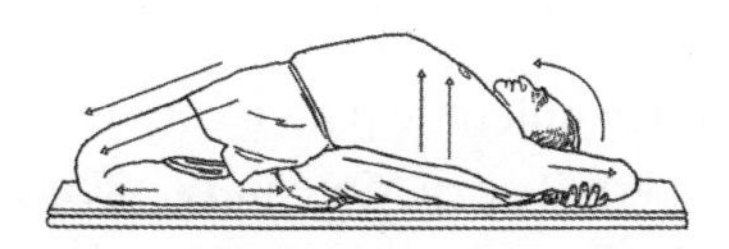

13 *Supta Virasana*
(sobre um almofadão): fique assim pelo tempo que se sentir confortável.

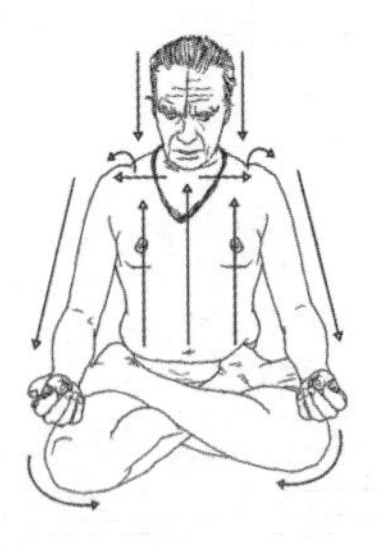

14 *Viloma Pranayama*
(interrompendo a expiração em ambas as posições, sentada ou deitada): se na posição sentada, fique por 5 a 8 minutos.

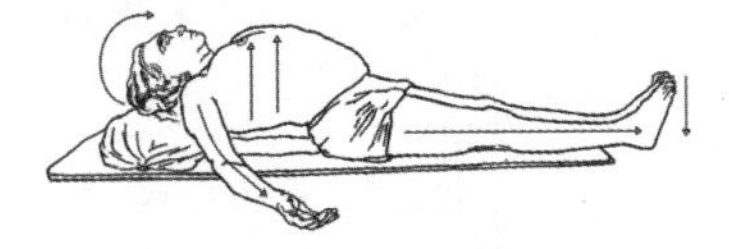

15 *Savasana com o tórax erguido*
(para relaxar rapidamente o corpo, coloque alguns almofadões ou um peso sobre as coxas, para relaxar o cérebro, cubra os olhos com uma bandagem; o peso nas coxas abre os pulmões): pode ser praticado a qualquer hora, até mesmo depois das refeições, de acordo com o tempo disponível.

Ao fazer o *Sarvangasana* na cadeira (5), se sentir pressão nas têmporas, mude para o *Niralamba Sarvangasana* (6). Você pode tentar o *Sarvangasana* na cadeira depois de fazer o *Niralamba Sarvangasana* primeiro.

Niralamba Sarvangasana (6), *Setubandha Sarvangasana* na bancada (8) e *Viparita Karani em Sarvangasana* (9) são muito bons para quem sofre de enxaqueca.

- Os ássanas de 1 a 3, se realizados na sequência, acalmam a mente e tranquilizam o cérebro.
- Os ássanas de 4 a 10 equilibram a inteligência cerebral (centro intelectual) e a inteligência do coração (centro emocional).
- Os ássanas 11 e 12 estimulam o cérebro ao pensamento positivo.
- O ássana 13 traz quietude para o corpo.
- O ássana 14 permite experimentar o silêncio interior.
- Se não dispõe de tempo suficiente, pule o ássana 14 e vá para o 15. Se tiver tempo, faça-o por 5 a 10 minutos.

Índice remissivo

As páginas assinaladas em **negrito**
remetem às fotografias e/ou às ilustrações.

N

www.gruposummus.com.br